C000268671

Marc Dugain

Avenue des Géants

Gallimard

Marc Dugain est né au Sénégal en 1957. *La chambre des officiers*, son premier roman, paru en 1998, a reçu dix-huit prix littéraires, dont le prix des Libraires, le prix Nimier et le prix des Deux-Magots. Il a été traduit en Allemagne, en Grande-Bretagne et aux États-Unis. Adapté au cinéma par François Dupeyron, ce film a représenté la France au Festival de Cannes et a reçu deux césars. Après *Campagne anglaise* et *Heureux comme Dieu en France*, prix du meilleur roman français 2002 en Chine, il offre avec *La malédiction d'Edgar* un portrait fascinant d'Edgar J. Hoover, qu'il a adapté et réalisé lui-même en anglais en 2013 pour la télévision. En 2010, il porte à l'écran *Une exécution ordinaire*, puis publie un recueil de nouvelles salué par la critique, *En bas, les nuages*, dont il a adapté une nouvelle à la télévision en 2011. Après *L'insomnie des étoiles*, paru en 2010, Marc Dugain signe avec *Avenue des Géants* son huitième roman, lequel paraîtra aux États-Unis en 2014.

À Florent, Héloïse, Roman Kamil et Emmanuelle : ma joie.

À Bruno Jeanmart, psychanalyste et philosophe, mon plus vieil ami. De nos discussions tardives a germé ce livre.

« Être, c'est être coincé. »

CIORAN,
Écartèlement

1

Comme chaque mois, elle lui fait face après s'être installée lourdement sur sa chaise. Elle sort les livres de son sac, une dizaine. Pour la plupart ils ont une couverture cartonnée. Il y jette un coup d'œil rapide, et les pose devant lui. Elle sourit d'un trait fin sans le regarder en face. Elle fait en sorte depuis des années de ne jamais croiser son regard, ce qui l'oblige à beaucoup tourner les yeux. Elle baisse souvent la tête. C'est l'occasion pour lui de voir le sillon de sa calvitie au milieu de son crâne s'élargir. Elle a les cheveux longs et il est difficile de dire quand ils sont propres. Même propres, ils n'ont pas l'air de l'être. Elle a dû être passablement jolie, pour autant qu'on puisse distinguer une ancienne beauté derrière des traits bouffis. Affaissé il l'est aussi, mais il a de bonnes raisons de l'être. Alors qu'elle, on se demande. Il aime bien cette femme. En fait, il en est venu à conclure qu'il l'aime bien parce qu'il ne ressent rien pour elle, ni amour ni haine. Parfois un peu d'agacement. Il lui en veut d'être la seule personne à lui rendre visite. Il lui en veut pour les autres qui ne le visitent jamais, ce qui est un peu injuste vu qu'il n'y a plus d'autres. Il est assez perspicace pour avoir remarqué que depuis long-temps elle a quelque chose à lui dire. Mais quoi ? Il n'en sait rien. Il sent juste la pesanteur d'une parole qui ne s'exprime pas. C'est au-delà de la ti-midité. Elle n'est jamais vraiment naturelle de-vant lui. Elle compose. Assez maladroitement et souvent sa voix est en décalage avec ses expres-sions. Parfois il la sent illuminée, parfois complè-tement éteinte. Elle a de gros seins flasques qui finissent une gorge fripée. Pour une femme qui doit avoir la soixantaine il ne trouve pas cela très reluisant. Mais il lui est reconnaissant de ne pas le faire fantasmer. On ne tire pas sur un moteur sans essence.

— Vous avez parlé avec les journaux de ce qu'on avait évoqué ?

Elle prend un temps pour répondre. Rien d'ex-traordinaire à cela, elle prend toujours un temps pour répondre comme si elle se sentait une res-ponsabilité.

— Oui. À plusieurs journaux de la côte. Ils sont int... comment dire, intrigués. Ils réfléchissent. Mais je crois que cela peut se faire.

Ses yeux se remettent à tourner. Quand elle fait comme ça, il lui écraserait son poing sur la tête, mais au fond il n'en a pas très envie. Et puis il imagine les dégâts que cela causerait pendant qu'elle continue de sa voix où chaque mot semble s'excuser de sortir de sa bouche petite pour un vi-sage de cette taille. Elle doit avoir du sang indien. Pas du sang frais, du sang qui remonte au début du siècle où on leur a réglé leur compte.

— C'est un peu risqué pour eux, vous compre-nez...

— Vous voulez dire comme critique littéraire ?

— Oh non ! Là-dessus ils se feront leur propre opinion. C'est plus de révéler qui vous êtes ou pas. Et s'ils ne disent pas qui vous êtes, on pourrait le leur reprocher un jour. En même temps, ils se disent qu'à révéler votre identité, ils pourraient faire un coup. Enfin, les médias... quoi...

Il opine à contretemps comme si la conversation ne l'intéressait déjà plus. Il a toujours agi ainsi. C'est une façon de prendre l'ascendant sur ses interlocuteurs. Il se ravise :

— J'en ai lu des critiques dans ma vie. Je ne vois pas ce que je pourrais leur envier. Je me suis avalé 3 952 livres depuis le début des années 70. Une lecture dans le moindre détail, et ce n'est pas vous qui me direz le contraire. Maintenant, est-ce que ça me donne le droit d'avoir une opinion sur la littérature ? Je le crois.

— Ils m'ont dit qu'ils pensaient à vous plutôt comme critique de polars.

Il s'efforce de ne pas paraître énervé pour ne pas l'effrayer, car elle s'effraie facilement.

— Ça flaire le bon coup. Vous leur direz que le polar ne m'intéresse pas. Mais pas du tout. Trop de conventions, de lieux communs, d'énigmes sans intérêt.

Ils restent un bon moment sans rien se dire, chacun regardant ailleurs. Il n'y a rien pour poser ses yeux dans cette pièce, alors chacun balaye le mur opposé. Il en a déjà assez d'elle, mais il se contrôle, ne veut pas qu'elle le ressente, elle n'y est pour rien. Soudain ça fuse :

— Vous pouvez leur annoncer le chiffre. 3 952 livres de 71 à aujourd'hui. Et si vous voulez les faire rire, dites-leur que je n'en avais lu qu'un seul entre ma naissance en 48 et 1971. Je l'ai lu trois fois. Devinez lequel ?

Elle répond :

— La Bible.

— Non, *Crime et châtiment*. Un sacré bon livre, vraiment. Je ne crois pas qu'on en ait écrit de meilleur.

Il lit dans ses yeux qu'elle se demande si ce n'est pas une plaisanterie. Elle a un joli nez droit et des yeux d'une couleur originale. Mais elle sent la peur comme un cadavre sent la mort. Une peur générale de l'existence. D'ailleurs elle se met du patchouli sans compter pour la masquer. Ça doit en tromper un grand nombre. Pas lui.

Il reprend l'inspection des livres qu'elle lui a apportés. Il y découvre un intrus.

— C'est quoi ce livre pour enfants ?

— Une proposition. On s'est aperçus qu'on manquait d'enregistrement pour les enfants. Et il y a beaucoup plus d'enfants aveugles qu'on ne le croit.

— Vous l'avez fait exprès ?

Elle se met à fondre comme une glace en plein soleil, s'essuie le front avec le dos de la main. Elle ne voit pas de quoi il parle.

— Vous ne savez sans doute pas que ma grand-mère écrivait des livres pour enfants, dit-il doucement pour la rassurer car elle est d'un rouge inquiétant. Mais ce n'est pas le plus important, vous m'imaginez enregistrer des CD pour enfants avec la voix que j'ai ? Il faut être un peu désespéré pour avoir une idée pareille. Et c'est un travail énorme de se mettre à la place d'un enfant lorsqu'on ne vous a jamais laissé la chance d'en être un. Je n'ai pas ce don.

Elle enchaîne à toute vitesse :

— Personne n'est aussi médaillé que vous pour la lecture. C'est vous que l'éditeur veut, enfin... qu'on veut.

Elle croit le flatter. Il a passé l'âge, même s'il est fier de ses médailles.

Il lui promet d'essayer, cela ne coûte rien et tout le monde sera content. Il aime bien faire des compromis. Cela peut paraître un peu stupide à dire mais il ressent un vrai plaisir aux compromis. Si chacun acceptait de faire la moitié du chemin, il est convaincu qu'on éviterait les conflits. Il le dit souvent dans ses prêches à ses gars. Dès que l'idée du compromis a germé dans votre esprit, la violence a perdu. Même si vous n'avez pas l'intention de faire la moitié du chemin, un pas vers l'autre et la violence est derrière vous. Il ne veut plus discuter de cette histoire de livres pour enfants, c'est d'accord, il essaiera. Sinon il aurait l'impression d'obéir au passé et il ne le veut plus jamais.

— Les bons critiques comprennent que la promenade de l'auteur autour du sujet est plus essentielle que l'essence de ce sujet. Il est là, l'authentique voyage de la littérature. Si on devait se taper des milliers de pages juste pour ce qui doit être dit, dites-moi quel serait l'intérêt ? J'ai entendu tellement de saloperies sur des gens qui ne le méritaient pas. Quand vous lisez ce que Mary McCarthy ou Henry Miller ont écrit sur Salinger, incapables de le lire autrement qu'au premier degré, je me pose des questions sur la pertinence de leur jugement et j'en viens à me demander si ce n'est pas l'aveu de la médiocrité de leurs propres écrits. Ça me fout dans de ces rognes parfois! Je vous passe tout ce que j'ai pu lire sur Carver. Bien sûr, maintenant ils l'ont foutu au Panthéon, tout juste s'ils ne l'ont pas enterré dans le caveau familial de Tchekhov, mais moi j'étais là quand ils dégoisaient sur son minimalisme. Il a fallu qu'il meure. Tous ces gens-là préfèrent les momies aux vivants. Qu'ils fassent comme ils veulent après tout, mais pour les polars qu'ils ne comptent pas sur moi, c'est compris? C'est un genre mineur, méprisable. Même le plus minable des polars n'est pas capable de retranscrire 10 pour cent de la réalité dont il parle.

Il dit tout ça, sans élever la voix. Il est rare qu'il élève la voix. Ses colères s'épanouissent dans un caisson étanche. Quand il est en colère, il est le seul à le savoir.

— Si vraiment vous ne voulez pas du livre pour enfants...

Pour lui l'affaire était entendue. Pourquoi revient-elle dessus? Il a connu beaucoup de gens comme elle qui ne peuvent pas faire un pas en avant sans regarder derrière eux.

— Je vous ai dit que je le lirai.

Elle affiche un petit sourire pitoyable. Elle regarde l'heure à sa montre et sourit de nouveau pour se dégager du regard insistant qu'il pose sur elle. Elle le prend comme une mauvaise intention alors qu'il en a seulement marre de fixer le mur derrière elle.

— Vous allez revenir quand?

Elle semble soudain soulagée.

— Dans quatre semaines.

Il pourrait lui interdire l'entrée. Il suffirait qu'il le demande à l'administration. Elle n'aurait plus qu'à leur déposer les livres. Il en a le pouvoir, c'est une certitude, mais ce serait en abuser. Parfois, il ressent comme une colère sourde à l'idée d'être condamné à ne voir pour femme que ce haut de crâne aux allures de champ de blé mouillé. Il est sûr qu'elle se défonce. C'est le genre à tenir un pétard d'une main et un café de l'autre au petit déjeuner en oubliant de manger. Elle doit siroter des sodas toute la journée, entrecoupés d'un hamburger qui a épongé toute la graisse de la plaque. Depuis qu'elle vient le voir, une bonne trentaine d'années, il lui est reconnaissant de ne lui avoir rien confessé de personnel la concernant. Il ne l'aurait pas supporté. Difficile de l'expliquer mais il l'aurait mal pris. Il peut accepter une relation professionnelle, rien d'autre. Il guette les tentatives de privautés pour les étouffer et elle le sait. Elle n'a jamais commis d'impair.

Il est temps d'en finir :

— Vous pouvez me procurer un CD la prochaine fois que vous venez ? Je vous le dis tout de suite, je n'ai pas les moyens de vous le payer.

Elle est trop heureuse de lui faire plaisir, elle opine convulsivement.

— Alors c'est bien, dit-il en se levant. Skip James. Le plus que vous pourrez. Mais surtout *Crow Jane* et *I'd Rather Be the Devil*.

Elle promet et se lève à son tour. Elle a un peu de mal à se sortir de son siège. C'est certainement dû à l'obésité qui pèse sur ses genoux. Il lui tourne le dos, lève la main en signe de salut, baisse la tête pour passer la porte et quitte la pièce en rajustant ses lunettes.

Un homme respecté peut se prévaloir de petits privilèges. L'un des siens c'est de pouvoir aller chercher son courrier lui-même. Le chef le lui tend avec un sourire. Il apprécierait de n'avoir affaire qu'à des types comme lui. Il ne se passe pas un jour sans qu'il reçoive une lettre. Vous ne savez pas le plaisir que c'est d'ouvrir son courrier en étant certain de ne jamais recevoir de mauvaises nouvelles. Il reçoit deux sortes de lettres. Les plus fréquentes sont des remerciements de ses auditeurs. Elles n'ont pas été écrites par eux, mais dictées à un proche. Ils le remercient pour le soin qu'il prend à lire les livres, pour ses intonations qui, disent certains, le mettent au niveau de l'Actor's Studio. Il apprécie le compliment, même s'il n'aime pas les acteurs. Il ne fait pas confiance aux gens dont le métier est d'être quelqu'un d'autre. Tôt ou tard, ils finissent par ne plus savoir qui ils sont. L'empathie n'est pas son fort et il croit que c'est mieux de l'avouer que de faire semblant, pourtant il a de bons sentiments pour tous ces aveugles qui l'écoutent. Il imagine la souffrance d'être aveugle surtout aux États-Unis, le pays aux plus beaux paysages du monde, mais heureusement, ceux qui sont nés ainsi ne connaissent pas les regrets. En dehors des aveugles, il reçoit des lettres d'admiratrices. Elles sont souvent croustillantes. Elles lui envoient toujours une photo d'elles. Une photo d'identité ou un portrait en pied. Certaines posent carrément nues dans toutes les nuances qui vont de l'érotisme à la pornographie la plus obscène, avec des gros plans sur leur sexe. Il trouve cela écœurant. Les lettres qui les accompagnent sont souvent démentes, et il préfère ne pas en parler, cela donnerait de l'humanité une triste image. Pour tout vous dire, elles lui font penser à des corvidés perchés sur les rails de protection d'une highway, fascinés par la petite dépouille d'un animal sauvage écrasé, qui guettent l'instant propice pour venir le picorer entre deux camions qui roulent à toute blinde. L'administration n'ouvre jamais son courrier. C'est comme cela que ces photos lui parviennent. Il les conserve sur son étagère mais, très honnêtement, il ne les regarde jamais. Il lui arrive parfois d'en déchirer. Au tournant du nouveau siècle, il y a une dizaine d'années, une femme lui a écrit pour lui déclarer son amour et le demander en mariage. Elle a joint à sa lettre une photo de mauvaise qualité, mais sur son visage assez régulier, car il est difficile de parler de beauté, on voyait qu'elle était percée d'anneaux de différentes tailles répartis sur les oreilles, le nez, la langue. Il a montré la photo à un type arrivé récemment qui lui a dit que les gens percés étaient désormais courants. Il est resté dubitatif une bonne demi-heure avant de se décider à répondre à cette femme qui vivait à Reno dans le Nevada.

« Je ne comprends pas votre intérêt pour moi. Je n'ai jamais eu l'intention de me marier, aujourd'hui encore moins qu'hier. De votre photo je ne retiens qu'une femme vulgaire, perforée sans raison. Je ne sais pas ce que vous pouvez imaginer dans votre délire de femme malsaine et déséquilibrée et je ne veux pas le savoir. Je ne suis plus l'homme que j'étais il y a trente ans et cet homme-là ne vous aurait pas aimé plus que moi.

C'est la première et la dernière fois que je réponds à une de vos lettres, nous ne sommes pas du même monde, enfoncez-vous cela dans le crâne une bonne fois pour toutes. »

Il n'a plus jamais entendu parler d'elle.

2

Le jour où Lee Harvey Oswald m'a volé la vedette, rien n'indiquait dans cette partie de la Sierra Nevada que nous étions en novembre. Autour de la ferme de mes grands-parents, la nature était dégarnie mais les arbres qui parsemaient la colline d'en face ne changeaient pas de couleur en automne. La journée avait débuté comme tant d'autres. Je m'étais masturbé deux fois dans mon lit avant de me lever. Une vieille recette pour démarrer la journée apaisé. J'en avais à peine fini que ma grand-mère s'était mise à gueuler pour que je me lève. Puis elle était entrée dans ma chambre sans frapper. J'ai eu juste le temps de tirer la couverture sur moi. D'une voix qui se voulait aimable elle a lancé sans me regarder : « C'est une sacrée belle journée, tu ne devrais pas tarder pour aller te promener. » Je ne l'ai pas mal pris comme une fois où j'ai cru la tuer parce qu'elle s'était invitée dans ma chambre alors que j'étais à deux secondes de la libération. Je n'avais jamais senti une telle violence monter en moi. J'ai fini par me lever mais plus tard. Je ne me souviens plus si c'était la semaine ou le week-end. Ce ne serait pas difficile à contrôler, le 22 novembre 1963 est une date assez mémorable. Trois jours avant, on avait fêté mon anniversaire avec elle et mon grand-père. La vieille avait fait un gâteau qui avait un goût de plastique froid. Le vieux avait déballé son cadeau les yeux mouillés : une winchester Henry 22 long rifle. « Pour chasser le lapin et les taupes », avait-il précisé en posant sa main sur mon bras. Sa main m'était apparue très vieille et très ridée, bien qu'il n'eût que soixante et onze ans. C'était un brave homme mais je ne l'aimais pas parce qu'on aurait dit un petit chien devant ma grand-mère. Elle passait son temps à lui donner des ordres comme on en donnerait à un garçon de ferme avec des intonations de démocrate pour ne pas l'humilier. Et le vieux obtempérait. Quand il croisait mon regard méprisant, il baissait les yeux en me concédant un petit sourire minable qui voulait dire : « Qu'est-ce que je pourrais faire de mieux que d'obéir à cette femme que j'ai aimée ? » Tout était pourtant mieux que cet esclavage. « C'est du 22, Al, tu connais le principe. C'est un calibre qui va loin, qui pénètre vite mais c'est trop petit pour du gros gibier, tu le ferais souffrir atrocement. » Restaient le lapin, les taupes et quelques lièvres. Ma grand-mère s'était levée d'un bond pour ajouter avec cet air de supériorité qu'elle savait si bien afficher : « Si je te vois tirer sur des oiseaux, je reprends la winchester et je la mets dans le feu. » Pas de pot, la vieille ! Rien de plus nul que de tirer les lapins. Ils foisonnent et se blottissent contre les haies en se croyant cachés et, quand ils démarrent, ils ne sont jamais vraiment pressés. Alors que les oiseaux, n'importe quel oiseau c'est un vrai sport de le descendre,

sauf s'il est posé sur une branche, on est d'accord.
J'étais étonné du cadeau. Ma grand-mère s'y était
soi-disant opposée sous prétexte que, comparé à
mes capacités, je ne travaillais pas assez au collège. Qu'est-ce que j'en pouvais de mes capacités ?
Des tests de quotient intellectuel avaient montré
que j'avais un QI supérieur à celui d'Einstein. Et
avec ce potentiel, je me traînais autour de la
moyenne, sans plus. Ma grand-mère trouvait que
c'était du gâchis et elle détestait le gâchis. Impossible de ne pas terminer son assiette, de laisser la
lumière allumée dans une pièce inoccupée, de
laisser goutter un robinet, d'utiliser trop de papier-toilette pour s'essuyer, de ne pas avoir la note
maxi dans toutes les matières au collège, ça la
rendait hystérique. Des problèmes avec l'utérus,
elle en avait tout le temps. C'était son sujet de
conversation préféré en dehors de ses livres pour
enfants. Je n'en ai jamais lu aucun car quand je
suis arrivé chez elle je n'étais plus un enfant et, en
plus, je n'avais pas la moindre curiosité pour ce
qu'elle pouvait écrire ou illustrer. J'imagine que
cela devait être consternant de niaiserie. Des
kystes apparaissaient régulièrement sur son utérus comme une menace, aussitôt éliminés par
une opération bénigne. Elle comptait ses opéra-
tions comme d'autres comptent leurs médailles.
Je n'ai jamais supporté cette gloire qu'elle tirait
à ses propres yeux de ces tumeurs récurrentes,
ni ce besoin puéril d'être reconnue comme une
femme courageuse devant une maladie sans
danger.

Je n'avais pas encore essayé la winchester. Je
l'avais posée sur la table au pied de mon lit entre
mes livres de cours. C'était une arme légère au

canon noir mat. Elle m'attirait mais je n'osais pas la toucher.

Ce matin du 22 novembre, je suis descendu prendre mon petit déjeuner. Ma grand-mère nettoyait l'évier. Je la sentais contenir ses reproches de ne pas m'être levé à sa première injonction. On s'est observés pendant un bon moment. Puis elle m'a demandé ce que je comptais faire puisque ma journée était libre. Une sortie en raft était organisée par le collège et je m'en étais fait dispenser comme d'habitude. J'étais dans un mauvais jour, un de ces matins où l'oppression cohabitait avec une drôle d'absence d'envie comme j'en étais coutumier. « Pourquoi tu n'irais pas chasser, les lapins me bouffent toutes mes plantations ? » Cette idée en valait bien une autre même si je n'avais pas envie de lui faire plaisir. Puis elle ajouta : « 5 cents la taupe, 10 cents le lapin », comme si j'étais quelqu'un de vénal. Le chien de la maison, un vieux setter anglais efflanqué, frétillait déjà à cette idée plus forte que ses rhumatismes. Je suis remonté dans ma piaule et j'ai méthodiquement chargé mon arme, quinze petites balles qu'on enfilait dans une chambre située sous le canon. Je me suis ensuite lavé les dents et les aisselles à grands coups d'eau froide. J'ai mis la veste militaire de mon père, le seul vêtement auquel je tenais et qui me donnait une contenance autre qu'un type trop grand dont on se demande si le ciel est sa limite. À quinze ans, je dépassais déjà mon père de 8 centimètres et l'idée que je m'acheminais tranquillement vers les 2,20 mètres ne me réjouissait pas. Je ne passais déjà plus une porte sans me baisser et où que j'aille les gens se retournaient sur moi. Assis en classe, j'étais de la taille de mon professeur principal debout et de toute part les regards que je voyais converger vers moi étaient ceux qu'on porte à une bête curieuse. Parfois je rêvais d'être petit, d'être le souffre-douleur des plus grands et d'attirer la bienveillance d'une fille charitable pour un enfant maltraité. Mais personne n'osait jamais me déranger et si les filles me fixaient parfois en réprimant un fou rire c'est parce qu'elles se demandaient si la taille de mon sexe était en proportion avec le reste. Je ne l'ai pas inventé, j'ai surpris une conversation de ce genre un jour dans le couloir à la pause. Je n'ai jamais connu aucune bienveillance chez mes camarades de cours. Tous me considéraient comme un élève à part, un sommet mystérieusement élevé, et mes larges lunettes de myope n'aidaient pas au contact car on ne distinguait mes yeux que dans le flou d'un double vitrage. Tout me paraissait facile au collège et quand je voyais ces sportifs au cerveau de carpe suer sang et eau devant une équation du premier degré, je n'avais que mépris pour mes camarades. La plupart d'entre eux ne parlaient que de rafting, ne vivaient que pour le rafting. Quel intérêt de descendre à tombeau ouvert un rapide au risque de se noyer ? Je n'ai jamais bien compris. Le prof principal, M. Abott, me regardait avec les mêmes yeux consternés que ma grand-mère. Il ne comprenait pas que je gâche mon talent. Il m'a même convoqué un jour pour me le dire dans son bureau du premier étage qui ressemblait à une grotte d'explorateur. On disait qu'Abott y dormait parfois pour ne pas croiser sa femme chez lui. Au point qu'elle était persuadée qu'il avait une maîtresse. Abott, une maîtresse, quel manque de discernement ? Mais ce n'était

27

pas mes oignons. Difficile pour un type de ma taille de trouver un endroit pour s'asseoir dans son cagibi.

— Vous savez, Kenner, que vous avez des moyens intellectuels très au-dessus de la moyenne, alors qu'est-ce qui ne va pas chez vous ?

C'était une question très embarrassante qui n'appelait pas de réponse selon moi.

— J'en sais rien.

— Vous vous rendez compte de ce que vous pourriez devenir si vous vous y mettiez vraiment ? Tiens, dites-moi ce que vous rêvez de faire plus tard ?

— Plus tard ?

J'ai souri, pour la première fois depuis longtemps, et j'ai remonté mes grosses lunettes carrées, un préalable avant que je me mette à parler qui ne m'a jamais quitté, puis j'ai lâché :

— Je n'ai jamais pensé à plus tard, monsieur Abott, il y a quelque chose en moi qui me dit qu'il n'y a pas de plus tard.

— Mais vous avez bien des envies, Kenner ? Non ?

— Des envies ?

Répondre me coûtait. Pas par rapport à la question. C'est plutôt que je voyais debout devant moi cet avorton avec son nœud papillon défraîchi qui dormait parfois dans ce gourbi pour fuir sa femme et que je ne lui trouvais aucune légitimité à m'entretenir de mes problèmes et encore moins à leur trouver une solution :

— Vous n'êtes pas la bonne personne pour parler de ce que je dois faire ou pas, monsieur Abott.

Il a ajusté son nœud papillon.

— Et pourquoi cela, Kenner ?

Je l'ai regardé avec intensité sans rien dire et sans bouger. Il s'est mis à se balancer d'une jambe sur l'autre et puis je l'ai vu se décomposer. Ma masse lui barrait l'accès à la porte et je restais là, immobile et muet. Quand je l'ai vu commencer à transpirer, j'ai considéré que cela avait assez duré, je me suis levé et je suis sorti. Il n'a plus jamais été tenté de me parler de mon avenir. Je pense qu'il a donné le mot aux autres profs car aucun d'eux n'a jamais essayé de m'entreprendre sur le sujet.

À qui peut-on parler de cet ennui qui vous submerge du soir au matin, qui entame méticuleusement votre volonté au point de rendre toute action mort-née ? Je ne me suis jamais fait un seul ami les deux années que j'ai passées à North Fork. Je n'avais jamais envie de parler à quiconque et cela devait se voir au point qu'on m'évitait soigneusement. Je savais que j'étais de loin en loin un sujet de médisance mais je n'en avais rien à faire. J'étais insensible au jugement des autres, à leurs simagrées, à leur petite vie sans gloire dans cette ville qui se flattait d'être le nombril de la Californie. La guerre du Vietnam débutait et je m'y serais bien engagé pour faire honneur à mon père, un grand combattant de la Seconde Guerre mondiale. Mais j'avais une peur viscérale de la violence physique. Chaque fois qu'une bagarre éclatait au collège, je remerciais le Créateur que ma masse m'en tienne éloigné. Je me serais dégonflé devant le moindre petit mec décidé à me dérouiller.

Mes fantasmes sur les filles étaient mon seul lien avec cette communauté. Un espace de liberté, une zone de non-droit. Je faisais ce que je voulais d'elles dans mes rêves et personne ne pouvait rien me dire. Les fantasmes mènent le monde. La plupart des gens qui font l'amour ne sont pas présents dans leur tête avec la personne qu'ils sont en train de posséder, j'en suis persuadé. Je prenais ma faculté à fantasmer comme une sorte de supériorité parce que dans mes rêves je me les suis toutes tapées, des profs aux élèves, des belles aux moches que je trouvais le moyen de réenchanter et, sans qu'elles le sachent, je leur procurais des émois qu'aucun être de chair et de sang ne pouvait leur proposer. Je voyais dans le regard de toutes ces filles la gêne qu'elles avaient d'avoir été longuement possédées par moi. Mes fantaisies imaginaires me suffisaient. Je n'envisageais jamais de coucher avec une fille pour de bon, pas seulement parce que je savais que ce serait difficile pour moi d'en trouver une qui accepte, mais pour une question de contrôle. Dans mes fantasmes je contrôlais tout, mais qu'est-ce qui aurait bien pu se passer dans la réalité ? Tout aurait pu déraper, ou je ne sais trop quoi.

Avec Ava Pinzer c'était différent. Quelque chose nous a liés dès l'origine. Elle était très grande elle aussi. Pas aussi haute que moi mais trop grande pour une fille, au-delà du mètre quatre- vingtcinq, ce qui la rendait particulière. On a bien mis trois mois avant de se parler. Quand on se croisait dans les couloirs du collège, de ma hauteur je ne voyais qu'elle, et elle ne voyait que moi. Je n'aurais jamais fait le premier pas. Elle non plus. Il nous arrivait d'échanger un sourire de connivence. Ce qui m'a décidé à lui parler c'est qu'elle avait déjà sa licence de conduite et que ses parents lui avaient payé une vieille Dodge bleu nuit pour rentrer chez elle, assez loin de North Fork. Là où ils habitaient, le bus scolaire ne venait pas. Il lui restait 4 miles après le terminus, une moitié sur le bitume, l'autre sur un chemin de terre qui conduisait à un hameau d'anciens chercheurs d'or où il ne restait qu'une maison sur les cinq qu'il avait comptées du temps de sa splendeur. C'est ce qui résulta de notre première discussion. En sortant du collège, on s'était retrouvés collés l'un contre l'autre dans une bousculade et elle avait engagé la conversation. Elle n'était ni belle ni moche et cela me convenait très bien. Elle avait un assez grand nez et des grands pieds mais au global elle était assez féminine. Je déteste les femmes masculines. Je suis encore plus mal à l'aise quand je vois une femme virile que quand je croise un type un peu efféminé. Une femme masculine me fiche une peur panique. Ava, ses parents l'avaient surnommée ainsi à cause d'Ava Gardner, avait comme moi un nom allemand. C'était censé nous rapprocher mais on s'en fichait. Je ne connaissais pas grand-chose de mes origines et elle ne connaissait pas grand-chose des siennes non plus. Cela l'aurait obligée à savoir pourquoi ses parents s'étaient perdus dans un trou pareil et elle n'en avait pas très envie. De mon côté, j'avais le souvenir qu'avant d'intégrer les forces spéciales pendant la guerre, mon père avait fait l'objet d'une longue enquête de la police militaire sur ses origines. Cela ne lui rendait pas forcément son nom sympathique surtout que, dans les années 60, personne ne s'intéressait particulièrement à l'Allemagne. Comme personne n'osait me railler de toute façon, je n'avais pas

31

souffert de mon nom. Ses parents m'ont tout de suite bien aimé grâce à l'impression de sécurité que je dégageais. Et puis, à côté de moi, elle semblait toute menue, et donc plus féminine. C'étaient de bonnes personnes tous les deux. Son père venait de prendre sa retraite des Eaux et Forêts et sa mère avait une tête de carême. Ils cultivaient une bande de terre autour de la maison, ce qui leur permettait de vivre en quasi-autarcie alimentaire. Ils ont voulu me garder plusieurs fois à souper mais je n'ai pas voulu. Je savais qu'ils appartenaient à une sorte d'Église, que le bénédicité risquait de durer des plombes et à l'époque je n'avais pas le goût pour ce genre de niaiseries. Même si j'étais loin d'être athée, je ne supportais pas qu'on me parle de Dieu, je trouvais cela obscène. Ava était comme moi. Elle vivait sans but précis. Rien ne la motivait particulièrement. Elle détestait le sport, mais elle ne répugnait pas à de longues balades autour de chez elle, sur ces collines sèches aux herbes couchées, parsemées de résineux où l'on pouvait surprendre parfois un ours ou un cerf. On ne parlait pas de grand-chose et je l'aimais bien pour ça. Elle était posée, à l'inverse de toutes ces filles narcissiques qui fréquentaient le collège et qui cassaient les oreilles des garçons avec leurs rêves de concours de beauté. Elle me déposait souvent chez moi en voiture et, contrairement à ses parents attentionnés pour moi, ma grand-mère lui faisait un petit signe de tête méprisant. Ma grand-mère parlait mal aux hommes et restait silencieuse devant les autres femmes sauf si, poussée par un intérêt quelconque, elle se sentait obligée de leur faire la conversation. Ensemble avec Ava, on ne perdait rien de notre solitude, car il n'y avait aucun enjeu.

J'ai arrêté de la voir un jour ordinaire, une semaine avant le fameux 22 novembre. Nous étions partis pour une longue promenade silencieuse et je ne me sentais pas bien. Un drôle de fourmillement qui envahissait ma tête m'empêchait de profiter de la nature et de sa quiétude. Il s'est mis à pleuvoir, une pluie soudaine et violente qui frappait le sol rendu poussiéreux par la longue sécheresse de cet automne-là. Nous nous sommes abrités dans une cabane en bois qui avait dû servir de gîte à des chercheurs d'or au siècle précédent. La porte était ouverte, battant à tous les vents. L'intérieur était propre malgré l'abandon. Une banquette de limousine était adossée à l'une des petites fenêtres. Une table en planches faisait un coin. Nous nous sommes assis en attendant la fin de l'averse. Après un moment côte à côte, elle a posé sa main sur ma cuisse. Je ne savais pas comment réagir. Voyant que je ne bougeais pas, elle a avancé sa main vers mon entrejambe en m'offrant ses lèvres, histoire de faire les choses dans le bon ordre. J'étais incapable de l'embrasser. Je suis resté tétanisé un bon moment pendant qu'elle me caressait. Mais rien ne venait. Strictement rien. Elle a proposé qu'on se déshabille mais j'ai trouvé l'idée saugrenue. Je l'ai laissée ouvrir ma braguette et en sortir mon sexe. Elle l'a pris dans sa main comme un rouge-gorge qui vient de s'assommer contre une fenêtre. L'oiseau ne revenait pas à la vie, comme si le lien entre mon esprit et mon corps s'était soudainement rompu. Elle l'a longuement regardé sans rien dire. J'en aurais pleuré, mais j'avais trop de dignité pour ça. J'ai

écarté sa main sans violence, je me suis rebou-
tonné et je suis parti sans me retourner. Nous
avons redescendu la montagne l'un derrière
l'autre sans rien nous dire. Devant la maison de
ses parents, je lui ai fait un signe de la main et je
suis parti tout seul à pied. Je me serais tapé la tête
contre les arbres qui bordaient la route. Je venais
de comprendre que tout ce qui était réel m'était
interdit et j'étais bien loin de savoir pourquoi.
Pendant les quelques jours qui nous séparaient
du 22 novembre, je l'ai soigneusement évitée au
collège.

3

Après avoir chargé la winchester, j'ai enfilé mes bottes mais je ne savais toujours pas si j'avais envie d'y aller. Le vieux chien s'est mis à tourner devant la porte, j'entendais ses griffes sur le plancher et je savais que la vieille n'allait pas tarder à débarquer en gueulant que le chien ne devait pas rentrer dans la maison comme si j'y étais pour quelque chose. J'ai descendu l'escalier suivi du clebs qui a failli se vautrer deux fois tellement il était ciré. Je ne comprenais pas qu'une femme qui se prétendait artiste en écrivant et en illustrant des livres pour enfants puisse être aussi maniaque. Pour moi, les gens ne sont obsédés à ranger des objets que s'ils ne parviennent pas à mettre de l'ordre dans leur tête. Or les vrais artistes n'en ont rien à faire de cet ordre apparent. Je suis sorti sans prévenir, talonné par le chien qui chaloupait.

Il n'y avait pas un souffle d'air et chacun de mes pas résonnait sur la terre. Je suis allé près des plantations de ma grand-mère. Elle les avait copieusement arrosées et la terre était noire. Il y avait trois lapins. Je les ai vus avant que le chien ne les sente, il faut dire qu'il avait l'odorat usé. Je les ai mis en joue, deux fois de suite, sans tirer. Non qu'ils m'aient inspiré de la pitié, mais j'en avais rien à faire de contenter ma grand-mère. Une sorte de bouvreuil s'est posé sur le toit de la cabane à outils. Je l'ai visé, j'ai tiré et je n'ai plus rien vu. Je ne sais pas si je l'ai eu. Cette terre noire m'a renvoyé à la colère qui ne me quittait pas depuis que j'avais atterri dans ce coin quatre mois auparavant. J'ai pensé à mon père et j'ai eu les larmes aux yeux. Je me suis souvenu du seul moment de joie profonde de ma vie, quand j'ai voyagé de chez ma mère à Helena dans le Montana jusqu'à chez mon père qui vivait à Los Angeles. J'avais fait tout le trajet en stop avec l'idée de la terre promise. Je passais des heures en voiture, avec des braves types le plus souvent. Je devais écouter leurs histoires en contrepartie du transport et je faisais semblant. Il m'arrivait de rester des heures dans un endroit désert à attendre que quelqu'un me charge. Et puis m'est revenu à l'esprit un des plus mauvais moments de mon existence, je ne dis pas le plus mauvais, il y en a eu tellement.

Mon père était entré dans ma chambre, dans sa petite maison en bois délavé, entourée d'un jardin minuscule et pelé en contrebas d'une voie d'accès à l'autoroute la plus fréquentée de L.A., une autoroute qui mène partout et nulle part. De ma chambre on entendait la rocade, une rumeur assourdissante à laquelle je m'étais pourtant habitué, moi qui venais d'un État où le moindre bruit semble une offense au Créateur. L'été commençait à essorer les gens. La chaleur mélangée à la pollution pouvait paraître étouffante pour un vieil asthmatique, mais elle me convenait très bien. Je n'avais pas encore levé les stores qu'une lumière vive s'insinuait déjà en biseau. Je ne savais pas trop ce que j'allais faire de ma journée. Après m'être levé dans le gaz parce que j'avais picolé la veille, je suis entré dans la cuisine à la recherche de quelque chose pour m'équilibrer l'estomac. J'ai pioché dans une grande assiette de flocons d'avoine. J'ai cherché désespérément du café, il n'y en avait pas et j'avais la flemme de m'en faire. Je suis retourné dans ma chambre. La maison semblait vide. D'habitude, quand ils sortaient, mon père passait une tête dans ma chambre pour me dire où ils allaient sa nouvelle femme et lui et quand ils revenaient. Moi je m'en foutais de savoir qu'ils sortaient et quand ils devaient rentrer, mais c'était devenu une convention entre nous. Et là, il n'y avait personne, et ça m'a tourmenté. J'ai pensé qu'on m'avait abandonné comme un pauvre clébard qui a lassé l'affection de sa famille. La cuite de la veille a dû amplifier cette crainte. Alors je me suis précipité dans la chambre de mon père. Je n'ai même pas pensé à frapper. J'ai ouvert la porte d'un coup et je me suis retrouvé devant la femme de mon père, nue comme un ver devant la glace de son armoire. Elle me tournait le dos. Ses cheveux blond platine tombaient en boucle sur ses épaules maigres. Elle avait une sacrée chute de reins, à peine gâchée par une cellulite qui lui bosselait doucement les hanches. La nostalgie, c'est loin d'être mon truc, toutefois quand j'y repense, je me dis que c'est la première et dernière fois de ma vie que j'ai vu une femme nue vivante. Je voyais son visage dans la glace même si j'étais plus concentré sur ses seins. Ses yeux sortaient de ses orbites et j'ai refermé la porte avant d'entendre quoi que ce soit. J'ai dû rester à la mater un bon moment sinon mon père n'en aurait pas fait toute une histoire en revenant. Mais il n'y avait pas que cet incident, il m'a dit que je l'angoissais par mes silences pesants, qu'elle ne se sentait jamais en sécurité quand j'étais dans la maison seul avec elle, comme si une menace planait :

— Quelle menace ? j'ai demandé.

— Je sais pas, une menace. Tu ne peux pas rester ici, tu comprends ?

Je comprenais surtout autre chose dont nous ne voulions pas parler parce que j'en aurais été incapable et que je ne voulais pas lui faire de peine. À ses yeux, sous son toit, vivait le seul témoin de ce que lui avait fait endurer ma mère, et il avait peur que j'en parle avec sa nouvelle femme, qu'il perde son crédit auprès d'elle, qu'elle ne le considère plus comme un homme viril. Mais je n'aurais jamais fait une pareille saloperie.

— Je me sens bien ici, moi.

— Ça ne se voit pas, Al. Non, vraiment, on ne peut pas te garder.

Je savais qu'il ne reviendrait pas sur sa décision et je ne voulais pas me disputer avec lui, ce n'était pas notre mode de fonctionnement. Bien sûr, selon lui, rien n'était définitif mais je sentais que ce mois avec lui allait être le dernier.

Je l'ai entendu appeler ma mère au téléphone pendant que sa nouvelle femme était sortie chez le coiffeur. Il était pâle et plein de tics lui sont montés au visage. J'ai compris qu'elle ne voulait pas me reprendre et ça tombait bien, j'aurais filé faire la route plutôt que de remonter dans le Montana. Ils se sont mis d'accord pour m'envoyer chez mes grands-parents paternels dans la Sierra Nevada. Quand on y repense, chaque fois qu'ils se mettaient d'accord pour quelque chose, il en résultait des conséquences désastreuses.

4

J'ai posé ma winchester à côté de moi dans le salon, je me suis assis, j'ai enlevé mes bottes et je me suis pris la tête dans les mains. Je ne tremblais pas et pourtant j'en avais l'impression. Je me sentais bizarre. J'avais fait une énorme connerie, comme on peut en faire quand on est adolescent. C'est un âge où l'on flirte avec les limites. Je dis cela aujourd'hui, je ne le pensais pas à l'époque, vu que je ne pensais à rien. Il faisait froid maintenant, à cause de ma grand-mère qui radinait sur le chauffage. J'ai pensé aller le monter d'un cran, mais cela m'obligeait à repasser devant un endroit où je n'avais vraiment pas envie de remettre les pieds. Si je sortais de la maison, c'était le même problème. Alors j'ai allumé la télé. Le temps qu'elle chauffe, je suis allé faire une razzia dans la cuisine. J'ai vidé les placards de ce qui me paraissait consommable sans effort. J'ai pris un pack de bière aussi, je l'avais mérité. Mes pas résonnaient bizarrement, je ne l'avais jamais remarqué avant. J'ai décapsulé une bouteille avec les dents parce que je l'ai vu faire dans les films et je me suis allongé de toute ma longueur sur le canapé en débordant des deux côtés. Je ne suis pas resté longtemps comme ça. Je me suis levé pour monter le son. On avait tiré sur le président des États-Unis. Ce qui me paraissait énorme dans cette nouvelle, c'est qu'un type se soit payé ce luxe. Les informations débitées parlaient d'un tireur isolé. Je n'en revenais pas. Un type ordinaire pouvait être assez fort pour décider dans sa tête, tout seul dans son coin : « Je vais flinguer le président des États-Unis d'Amérique. » J'imaginais que des milliers d'hommes avaient eu cette idée avant lui, mais lui il l'avait fait et, chose incroyable, il avait réussi. Je ne savais pas encore jusqu'où allait sa réussite, à cette heure-là il n'était question que de blessures graves. J'étais vert d'admiration et de jalousie. De jalousie parce que ce type allait me voler la vedette. C'était censé être mon jour de gloire mais, même dans les canards locaux, ils n'allaient parler que de ça. Comment une chose pareille pouvait m'arriver ? J'ai continué à suivre l'agitation des envoyés spéciaux, les commentaires, en éclusant les bières. À la sixième, j'ai un peu changé d'avis. Je trouvais que c'était une bonne chose d'avoir tué Kennedy ce jour-là, j'allais peut-être passer inaperçu ou alors on m'en voudrait moins ou je ne sais trop quoi encore. Il faut être honnête, je commençais à me déballonner doucement.

5

Après avoir renoncé à tirer des lapins, j'ai quitté les terres de la ferme en me dirigeant vers le grand large. Et j'ai entendu ma grand-mère beugler parce que j'avais franchi la limite de son jardin. Sa voix m'a fait comme une décharge électrique. J'ai suivi un bout de clôture d'un voisin éloigné, clôture qui lui servait à garder un beau quarter horse rouan qui me fascinait par sa tête fine et sa croupe musculeuse. Je l'ai visé avec ma winch, pour le plaisir de viser un si gros animal. Je suis monté sur la colline et j'ai commencé à me sentir essoufflé. Ma grand-mère gueulait toujours en prenant plaisir à entendre sa voix s'élargir dans l'écho. Je ne pesais que dans les 120 kilos à l'époque, mais il fallait les traîner. Le chien me suivait en tirant la langue. J'ai fini par atteindre un point où il n'y avait plus la moindre habitation, plus trace de vie humaine. Je me suis assis contre un grand pin qui penchait vers l'ouest. Là, la voix de la vieille m'a rattrapé. Le chien s'est couché un peu plus loin. Il ne venait jamais contre moi. Il me regardait de ses yeux vitreux. J'aurais dû me sentir apaisé mais même dans les grands espaces je me sentais enfermé, et rien que d'y penser, ça déclenchait une tempête sous mon crâne pire que tous les ouragans d'Alabama. Je suis resté comme ça une bonne demi-heure, le temps que ma rogne s'apaise, à lancer des bouts de bois au chien qui ne se levait pas pour aller les chercher. Je suis redescendu par un autre sentier, plus long mais moins abrupt. Je n'ai jamais eu les pieds fermes, des problèmes de croissance un peu rapide certainement, et j'ai toujours peur de me faire une entorse. Le plat n'est revenu qu'à l'approche de la maison de mes grands-parents. En la voyant de mon recul, je me disais que beaucoup de gens auraient aimé vivre là, pas loin d'un lac apaisant, à quelques miles du parc de Yosemite où je n'ai jamais mis les pieds. Arrivé à une centaine de mètres de la maison, j'ai entrevu la silhouette de ma grand-mère. La vieille était devant la fenêtre de sa chambre me tournant le dos pour éviter d'avoir le soleil en face. Elle était courbée sur un chevalet pour peindre. Peindre quoi ? J'imagine une illustration de livre pour enfants. Il lui arrivait aussi de peindre pour elle-même. Dans ce cas-là elle ne peignait que la nature. Je ne comprenais d'ailleurs pas pourquoi. Je lui ai dit une fois et elle l'a mal pris. J'ai avancé vers elle, la tête plutôt vide. Je sentais la contrariété de la revoir poindre mais sans plus. Il me restait une vingtaine de mètres. Elle devait entendre le bruit de mes bottes sur la terre sèche. Elle ne s'est pas retournée. Je me disais en moi-même : « Retourne-toi, allez, retourne-toi. » Pourquoi je voulais qu'elle se retourne ? Je ne savais pas. La seule chose qui m'a traversé l'esprit à ce moment-là, c'est : « Je voudrais bien voir l'effet que ça fait de

tuer sa grand-mère. » C'est le genre d'idée saugrenue qu'ont les ados, sauf que normalement ils ne
passent pas à l'acte. Je l'ai attendu, disons, une
bonne dizaine de mètres, j'ai armé la winch en
ralentissant l'allure, elle ne se retournait toujours
pas et pourtant elle avait reconnu ma démarche
si lourde et si décidée qu'on ne peut la confondre
avec aucune autre. J'ai épaulé et je lui ai tiré dans
la nuque. Elle s'est effondrée sur son chevalet
qu'elle a précipité dans sa chute. Je me suis approché d'elle. Elle gisait sur le ventre et dans cette
position elle avait l'air un peu grotesque. Elle était
certainement morte. Je ne la détestais pas au
point de vouloir la faire souffrir. Alors je lui ai
mis deux balles dans le dos, dans la région du
cœur. Il n'y avait plus de discussion possible. Je
l'ai laissée là sous le regard consterné du chien.
Puis je suis entré dans la maison. Elle ne risquait
pas de gueuler : « Al, enlève tes bottes et mets tes
pantoufles. »

6

Quand il a été établi que Kennedy était mort pour de bon, je ne savais plus quoi penser. La réussite du type qui l'avait tué était éclatante. Et l'ombre portée sur mon acte tout aussi impressionnante sauf que mon sentiment de gloire s'était fait la belle pendant l'après-midi et que j'étais bien embarrassé. Je pensais partir sur la route. Mais je savais que ça ne mènerait pas loin. Un type comme moi, mesurant plus de deux mètres, ne passe pas inaperçu. Je pouvais prendre la voiture de mon grand-père et filer mais c'était le genre de break qui tétait comme un veau et je n'avais pas d'argent. J'ai fouillé toute la maison. Ça m'amusait de me mettre à la place de mes grands-parents et d'imaginer où ils avaient pu planquer leurs économies. Le vieux n'avait pas assez confiance dans les banques pour y laisser tout son argent. Entre la ferme et son boulot aux Ponts et Chaussées, il avait dû quand même en mettre un bon paquet de côté. J'ai commencé par aller jeter un œil sur son portefeuille. Il était à l'intérieur de sa poche de veste. Je ne me sentais pas très bien de faire ça. Quand mon grand-père est rentré des courses, je me suis trouvé dans un sacré dilemme. Soit je le laissais découvrir le cadavre de ma grand-mère avec tout ce que cela supposait de peine et de ressentiment, soit je l'exécutais à son tour. Je sais qu'après un ou deux mois il aurait pris la mort de ma grand-mère comme une libération, mais en bon esclave, il était aussi amoureux de ses chaînes.

Alors que la voiture remontait par l'arrière de la maison, j'ai conclu que j'allais lui faire une peine immense et que je ne le supporterais pas. Je l'ai vu avancer sur le petit chemin avec cet air satisfait qui était le sien. Il m'a fait un petit signe de la main pour dire qu'il était content de me voir, il a encore ralenti pour entrer dans le garage. Une fois garé, il est sorti de la voiture lentement, il s'est étiré puis il s'est dirigé vers le coffre qu'il a ouvert en abaissant sa plate-forme. Il a été tenté de se retourner pour me demander de l'aide mais je ne lui en ai pas laissé le temps. Je lui ai tiré deux fois dans le dos. Sa phrase m'est revenue, obsédante : « Fais attention, Al, avec ce genre de calibre, ne tire pas de gros gibiers, ça ne suffit pas pour le tuer mais c'est bien assez pour le faire souffrir, à moins que tu ne le touches à la tête. » Je me suis précipité vers lui. Il était tombé à genoux, la tête sur la plate-forme du coffre. Je lui ai tiré deux balles dans le crâne. Il avait son compte. Je suis ressorti pour me calmer. Tuer ma grand-mère avait apaisé ma colère, mais tuer le vieux me mettait hors de moi. Le chien est arrivé à ce moment-là pour me divertir de mes sombres pensées. Qu'est-ce qu'il allait devenir ce pauvre clébard, déjà tellement vieux ? Il est allé vaguement renifler le corps de mon grand-père et il m'a regardé, circonspect. Il s'est laissé tomber sur le ciment du garage. Je me suis demandé une nouvelle fois ce que j'allais en faire avant de lui dire : « Merde, Bobby, je peux pas régler non plus tous les problèmes de ce monde. » Je m'attendais à une lueur de reconnaissance dans ses yeux. Rien. Je suis ressorti.

7

Le cadavre de mon grand-père commençait à
se raidir quand je me suis décidé à lui faire les
poches. Les billets trouvés dans son portefeuille
me permettaient de tenir trois ou quatre jours en
cavale en plus de la bouffe d'une semaine pour
trois personnes qui n'avait pas bougé du coffre. Il
contenait peu de produits frais, une véritable aubaine. Mais je ne me sentais pas d'essuyer le sang
sur la voiture s'il y en avait. Non que ça me dé-
goûtât mais c'était comme une sorte de supersti-
tion. J'ai tiré le cadavre de mon grand-père pour
l'écarter. Je ne l'avais jamais tenu comme ça dans
mes bras et cette étreinte avec ce corps froid me
rendait mal à l'aise. Je l'ai posé doucement un
peu plus loin sur une couverture écossaise rouge
et verte dont il se servait pour se coucher quand il
inspectait le dessous de sa voiture. J'ai repris ma
fouille de la maison. Il ne m'a pas fallu longtemps
pour comprendre que l'endroit idéal pour cacher
le pécule c'était la cabane qui servait de chiottes
dans la cour jusqu'à ce que mes grands-parents
investissent dans des sanitaires neufs à l'intérieur.
Le fric était dans une boîte en fer posée à l'endroit

où le trou d'évacuation fait un coude. De bonnes petites liasses de billets qui permettaient de voir venir. L'idée que j'allais les voler ou qu'on puisse penser que j'étais ce genre de déchet humain capable de tuer ses grands-parents pour leur argent m'a mis mal à l'aise. Ces scrupules ont été plus forts que tout. Je suis rentré dans la maison et j'ai pris le Bottin. J'ai trouvé le numéro de la police du comté. J'ai eu un moment d'hésitation puis j'ai composé le numéro. Une femme m'a répondu. J'ai demandé à parler au shérif.

— C'est pourquoi ?

— C'est personnel.

— Je ne pense pas que le shérif ait le temps pour cela, mon garçon, tu sais que le président des États-Unis a été assassiné.

J'ai dit :

— Pourquoi, vous pensez que le meurtrier aurait l'idée de venir se cacher dans ce coin pourri ?

— Comment tu peux dire une chose pareille ! Comment peut-on ne pas être fier de sa région ? Continue comme ça, mon garçon, et on verra où tu finiras !

Je ne sais pas qui elle était ni ce qu'elle faisait exactement dans le bureau du shérif mais je l'avais drôlement vexée en critiquant le coin.

— Qu'est-ce que tu veux ?

— Vous pourriez demander au shérif de me rappeler ?

— C'est qui à l'appareil ?

— Al Kenner.

— Ça s'écrit comment ?

— K, e deux n, e r.

— D'où ?

— De la ferme de Woolf Creek, à 7 miles nord de North Fork.

— Il te connaît ?

— Il doit se souvenir de moi.

J'en étais certain. Mon grand-père avait un .45 dans sa table de nuit et je le savais. Ma grand-mère savait que je le savais. Quand elle partait faire ses courses, elle mettait le .45 dans son sac à main pour que je ne sois pas tenté de l'essayer. Alors, un jour, j'ai appelé le shérif et je lui ai dit : « Je tiens à vous signaler qu'une vieille de soixante-cinq ans qui se balade dans un break Ford de 1959 cache un .45 dans son sac à main et qu'elle projette de braquer la Chase à la sortie de la ville en direction de North Fork. » J'avais ajouté pour finir : « Si vous ne faites rien, je vous aurais prévenu et je suis bien placé pour connaître ses projets, je suis son petit-fils. »

La vieille s'était retrouvée encerclée par une demi-douzaine de voitures de police au moment où elle pénétrait en voiture sur le parking de la banque. Ils l'avaient plaquée contre sa portière, les bras en l'air, et elle avait dû longuement s'expliquer au poste. Ils l'ont finalement relâchée sans révéler leurs sources, les flics aiment bien faire croire qu'ils n'ont pas besoin d'informateur. Elle s'en est doutée, mais j'ai nié, en faisant genre « Est-ce que j'ai du temps à perdre à faire des conneries comme ça ? ».

— Qu'est-ce que tu veux ?

— Lui dire que j'ai tué mes grands-parents.

— Je lui dirai.

Elle a raccroché. Elle a dû croire que c'était une plaisanterie. Difficile de persuader quelqu'un qu'on vient de commettre un meurtre le jour de l'assassinat du président des États-Unis d'Amérique. Je me suis mis à la place de la fille. Même si le Président avait été refroidi par un tueur isolé, rien ne disait qu'il n'agissait pas pour les communistes. Elle en concluait peut-être qu'on était près d'une guerre nucléaire et, à ce moment précis, elle se souciait plus de ses fesses que de deux vieillards qui devaient de toute façon finir par mourir.

En tout cas, j'avais jeté ma bouteille à la mer, et je me sentais mieux.

8

J'allais tailler la route et profiter des grandes étendues sans me sentir oppressé cette fois. J'ai préparé mes affaires. J'ai tiré ma grand-mère à l'intérieur de la maison par les pieds sans la regarder. Elle était raide comme un tronc d'arbre. J'ai chargé mes affaires dans la voiture, un petit sac où j'ai mis toutes mes chemises. J'ai emporté tout ce qu'il restait de bières et deux bouteilles de whisky au cas où les nuits seraient fraîches. J'ai dégoté aussi un camping-gaz, des casseroles pour éviter les fast food, des couvertures et un vieux duvet militaire laissé là par mon père. J'ai pris aussi tous les rouleaux de papier-toilette de la maison, une brosse à dents et du savon. J'étais fin prêt. La voiture sortie du garage, j'ai fermé les portes en laissant les volets ouverts. Puis j'ai pris la route. Je n'avais pas fait 100 yards que j'ai rebroussé chemin. Ma winchester était restée dedans et ce n'était pas une bonne idée. Au deuxième départ, après un demi-mile, j'ai senti comme une odeur familière dans la voiture. C'était le chien qui avait profité de la porte ouverte pour monter. J'ai hésité à le ramener à la ferme, puis je me suis dit que je l'abandonnerais quelque part au moment opportun. Un vent du sud soulevait le sable de la piste qui conduisait sur la route. J'ai mis en marche les essuie-glaces. La nature cherchait à m'envelopper. Arrivé au carrefour, j'ai pris plein nord, avec une seule idée, franchir les frontières de l'État le plus vite possible et profiter de la confusion liée à l'assassinat de JFK pour me faire la belle discrètement. Le nord conduisait vers le Canada. Bien sûr, de la Sierra Nevada, le Mexique était plus proche. Mais je ne parlais pas l'espagnol et ce pays ne m'attirait pas. Pour ce que j'en connaissais à travers les westerns, les hommes y avaient l'air cruel et débauché, quant aux femmes, ils n'en disaient pas grand-chose, elles étaient là soit pour se faire violer, soit pour faire la cuisine à des brutes alcoolisées. L'avantage du Canada c'est qu'on y parlait l'anglais. J'avais passé les quinze premières années de ma vie dans un État frontalier, le Montana, je ne risquais pas d'être dépaysé, même si je n'ai jamais aimé le Montana. À l'est j'avais a priori moins de risques de me faire repérer. Mais il fallait d'abord passer les montagnes et à cette saison-là il n'était pas exclu que je sois transformé en bonhomme de neige. Les montagnes franchies, on retombait dans l'État du Nevada, qui n'est pas réputé pour sa nature hospitalière, et je n'avais pas envie d'y mourir de soif ni de rester planté au milieu d'un désert en panne d'essence. Donc j'allais faire route au nord-ouest et me rapprocher de la mer pour éviter les rigueurs de l'hiver. J'avais déjà un plan en tête qui était d'abandonner au plus vite le break du vieux à un revendeur, de garder une bonne partie de l'argent pour ma cavale et avec la différence, d'acheter une grosse moto. Je sentais que ce voyage allait bien se passer. Je n'étais pas dans l'état d'esprit d'un fuyard mais plutôt dans la tête d'un type qui essaye de profiter de ses dernières vacances avant de prendre un boulot pas forcément marrant. À aucun moment, je n'imaginais que j'allais m'en sortir. Je souhaitais juste respirer un grand bol d'air avant de vivre ce qui m'attendait, la prison à vie, voire la chaise électrique. Il y grillait du monde à l'époque, presque autant que des moustiques sur une ampoule halogène, un soir d'été où un polar vous absorbe. En général, ils ne tuaient pas les mineurs, sauf qu'avec les temps de procédure, au moment de valider la sentence définitive, ils n'auraient plus un adolescent devant eux. Je dis ça maintenant, mais je ne me souviens pas y avoir pensé alors avec autant de précision. Je n'ai jamais connu que deux grandes peurs : la peur de la confrontation physique, rarissime compte tenu de mon gabarit, et la peur de moi-même, qui a empoisonné toute ma putain de vie. Mais ce que j'ai fait, c'est que j'avais probablement des raisons de le faire. Avoir peur des conséquences de mes actes ne rimait à rien.

À la radio, ils ne parlaient que de l'assassinat du Président. Ils avaient retrouvé mon héros. Superman avait même été se planquer dans un cinéma après avoir flingué JFK. Quelle assurance ! Le type vient d'abattre le Président et il va tranquillement s'enfoncer dans un fauteuil rouge de cinéma en allumant une sèche, admirer Humphrey Bogart menacer d'une tournée un type deux fois plus balèze que lui, dont on sait qu'il ne mouftera pas parce que c'est Humphrey Bogart qu'il a en face de lui. À la sortie du cinéma, un policier vient l'arrêter et lui, ni une ni deux, il fait feu sur le type comme dans une bande dessinée où les morts n'ont jamais l'air vraiment morts. Ils ont fini par le coincer. C'était un type qui avait travaillé pour les rouges, ça ne faisait pas de doute, mais ils avaient l'air de dire que l'assassinat de JFK était de sa propre initiative.

En tout cas, j'ai roulé jusqu'à 2 heures du matin et je me suis arrêté à Mount Shasta, au bord d'un lac. Je n'ai vu ni barrage ni voiture de police isolée. Si mon coup de téléphone avait réellement été pris pour une blague, le week-end allait se passer tranquillement sans que personne ne s'étonne de quoi que ce soit. Ma grand-mère avait fait le vide autour d'eux avec son sale caractère et jamais personne ne leur rendait visite. Elle avait ordonné au vieux d'installer la boîte aux lettres en bas du chemin pour que le facteur ne puisse pas mettre son nez dans leurs affaires. À moins d'un recommandé à signer ou d'un colis particulier, il n'avait aucune raison de monter à la ferme. De toute façon, j'avais fermé la barrière, signe que les gens n'étaient pas les bienvenus. Je me suis installé pour dormir en rabattant la banquette arrière. Malgré cette manœuvre, j'étais obligé de me coucher en chien de fusil et le plancher du break était salement dur. J'ai jeté le chien dehors pour ne pas avoir son odeur sous le nez et me réveiller avec la nausée. Je me suis endormi de fatigue. Des images des deux cadavres se baladaient dans mon cerveau. Je m'en voulais de les avoir abandonnés par terre dans cette forme de nudité absolue qu'est la mort. J'imaginais le spectacle quand on les découvrirait après quelques jours. Quand l'aube s'est levée sur le lac, j'étais transi et je me suis dit que je ferais mieux désormais de dormir dans un motel jusqu'à la frontière, j'en avais les moyens. J'ai pris deux beignets dans mes provisions et j'ai démarré en direction de la ville en laissant le chien derrière moi. Il s'est fait surprendre en train de pisser au moment où j'ai démarré et j'ai pensé qu'il trouverait facilement une famille d'accueil dans ce coin de la Californie. J'ai attendu un peu l'ouverture d'un bar que j'avais visé. Un type comme moi, premier client du matin, ça laisse des traces dans la mémoire, mais après tout je n'avais pas choisi de vivre en fugitif. J'ai commandé deux grands cafés. La serveuse, voyant ma taille, n'a pas été surprise. Elle a voulu engager la conversation. Un événement comme l'assassinat du président Kennedy s'y prêtait.

— Quand je regarde le Mount Shasta au petit matin se découper dans le soleil levant, je ne vois pas très bien ce qui pourrait nous arriver.

Le Mount Shasta se découpait dans un ciel limpide et jaune. C'était une sacrée masse.

— Vous restez un peu dans notre coin ?

— Non, je descends à Los Angeles voir mon père. D'ailleurs faut que je l'appelle, vous avez un téléphone ?

Elle m'a montré une cabine au fond de la salle, entre les toilettes et le distributeur de cigarettes. J'ai acheté au passage un paquet de Lucky sans filtres. Mon père était sorti, je suis tombé sur sa femme.

— Je peux lui dire de te rappeler ?

— Non.

— Tu n'es pas à la ferme de tes grands-parents ?

— Non.

— Qu'est-ce qui se passe, Al, on doit se faire du souci pour quelque chose ?

— Vous personnellement, non.

— Mais alors, on fait comment ?

— Je rappelle dans une demi-heure.

J'ai raccroché et je suis venu finir mon deuxième grand café qui avait passablement refroidi même si la serveuse me l'avait servi bouillant, deux choses qui sont capables de me mettre hors de moi, le café tiède et le café bouillant.

— Ce putain de café est froid !

Elle ne s'attendait pas à une réaction pareille de ma part, je l'ai vu dans ses yeux. Elle s'est mise à avoir peur. J'ai pensé : « Pauvre connasse, si tu crois que te foutre à poil et te prendre derrière ton comptoir, ça me suffirait, tu te fous le doigt dans l'œil. »

Mes yeux devaient dire la même chose parce que j'ai cru qu'elle allait se liquéfier. Puis j'ai souri et elle a retrouvé sa contenance.

— Où on trouve un vendeur de voitures dans le coin ?

Elle m'a indiqué un type à la sortie de la ville et je l'ai sentie soulagée d'apprendre que je n'allais pas tarder à me tirer. La demi-heure m'a paru longue. Je commençais à regretter d'avoir appelé mon père. Je ne pouvais pas reculer, sa nouvelle femme allait l'alerter de toute façon, il allait appeler la ferme et, voyant que personne ne répondrait, il ameuterait tout le comté et ce n'était pas mon intérêt. On allait faire autrement.

Je suis reparti téléphoner après un café ni tiède ni brûlant que s'était hâtée de me faire la fille.

— P'pa, j'ai une bonne et une mauvaise nouvelle. La bonne c'est que j'ai tué grand-mère. La mauvaise c'est que j'ai tué aussi grand-père. Je t'assure que c'était pour lui éviter la peine de voir grand-mère morte.

Il y a eu un grand blanc, plus d'une minute de silence, puis mon père a repris ses esprits :

— Nom de Dieu, Al, mais qu'est-ce que tu as fait ? Je ne peux pas le croire, je ne peux pas le croire...

Il répétait ça sans pouvoir s'arrêter.

Puis il s'est arrêté. Après un silence où je n'entendais que son souffle il a repris :

— Mais tu es complètement dingue, Al, complètement dingue. Mais putain, regarde ce que tu viens de faire de nos vies !

Il a ajouté dans un hoquet :

— Dis-moi que c'est pas vrai, dis-moi que tu n'as pas fait une chose pareille. Pourquoi, mais pourquoi, nom de Dieu de merde, pourquoi ?

— Pourquoi ? Je vais te le dire, P'pa. Parce qu'il fallait le faire. Parce que tu aurais dû le faire. Et je l'ai fait pour toi. Je suis désolé pour le vieux, c'était pas prévu. Rien n'était prévu mais il fallait faire ce sale boulot.

Il a retrouvé un peu ses esprits dans le silence, c'était quand même quelqu'un qui avait combattu dans les forces spéciales.

— Où as-tu mis les corps ?

— Je les ai laissés sur place.

— Et toi, tu es où ?

— Je suis sur la route.

— Où ?

58

— Sur la route.

— Tu en as parlé à quelqu'un ?

J'ai senti un très court moment que mon père pourrait marcher avec moi dans la combine. On nettoie la scène de crime, on dit que les vieux sont partis avec un camping-car acheté en liquide faire le tour de l'Alaska, on balance les corps au milieu d'une forêt et on les retrouve aux trois quarts dévorés par les ours kodiak et on dit : « Pas de chance. »

— J'espère que tu as appelé la police.

— Ils avaient d'autres préoccupations avec l'assassinat de JFK.

— J'aurais préféré que ce soit toi qui aies descendu ce salopard plutôt que mes parents mais bon Dieu, Al, comment as-tu pu faire une chose pareille ? Tu as foutu en l'air mes parents et ils vont te foutre en l'air, tu sais, tu as bousillé tout ce qui se trouvait avant et après moi.

— Il reste mes sœurs.

Je pensais que ça le consolerait.

— Tes sœurs ressemblent à ta mère.

Mais c'était pas le problème.

— Tu as l'intention de te rendre ?

— Oui, mais pas maintenant. Je voudrais faire un grand tour, prendre l'air parce que, après, je risque d'en manquer. Si tu peux ne pas accélérer les choses...

— Mais je dois avertir la police, Al. Ils vont te pourchasser Al. Tu n'as pas l'intention de leur opposer de résistance ?

— Oh non, P'pa, tu me connais assez, tu sais que je ne suis pas violent. Je vais me rendre sans faire d'histoires, mais je ne suis pas encore prêt. Dis-leur que c'est une question de jours, de quelques jours. C'est la première fois que j'arrive à respirer dans les grands espaces, alors tu comprends... Si je n'avais pas l'intention de me rendre, je t'aurais jamais appelé. En fait, ce qui me préoccupe c'est que les grands-parents soient enterrés. J'ai pas eu le courage. Ne les laisse pas comme ça au grand air. Le vieux ne le mérite pas. Je me sens sacrément mieux de te l'avoir dit. De l'avoir fait et de te l'avoir dit, tu n'imagines pas le poids que ça m'enlève.

— Tu es complètement dingue, Al, ta mère m'avait prévenu. Je vais avertir la police et prendre ma voiture pour aller à la ferme. Je ne sais pas où tu es, fais demi-tour.

— Je vais revenir. Pas tout de suite. J'ai besoin de prendre un peu l'air avant la chambre à gaz.

— Il n'y a pas de chambre à gaz pour les mineurs. Tu as gardé l'arme ?

— Oui, c'est la winch que le vieux m'avait offerte.

— Tu ne vas pas tuer d'autres gens, Al ?

— D'autres gens ? Mais pour quoi faire ? Je te laisse, P'pa, encore désolé pour le dérangement, je ne serai pas long.

J'ai raccroché. Avec l'émotion et tout ça, on aurait pu en avoir pour des plombes. D'un autre côté, la situation était difficile à réaliser pour lui. C'est le genre de réalité qui met un moment à rentrer dans le crâne. Et discuter ne menait à rien. Pendant mon coup de fil, des habitants du coin étaient entrés boire leur café du matin. Ils ont porté un drôle d'œil sur moi, mais rien de plus que celui qu'on lâche d'ordinaire sur un étranger, surtout si celui-ci les dépasse de deux têtes. La conversation a tout de suite tourné autour de l'assassinat de Kennedy. Il y avait les affligés et les autres qui disaient ouvertement que ce fils de pute était bien là où il était désormais. Les conversations sur des sujets éloignés des gens ne durent jamais très longtemps, chacun y va de son opinion sans grand intérêt que les autres n'écoutent pas vraiment et on en revient aux préoccupations locales. Ces gars-là s'apprêtaient à chasser le cerf le lendemain matin et Kennedy avait été un cerf comme un autre. J'ai senti qu'ils voulaient me mêler à leur conversation, alors on a parlé calibre. Ils m'ont demandé d'où je venais parce qu'il est rare que les gens s'engagent profondément dans une conversation avant de savoir à qui ils ont à faire. J'ai dit que j'étudiais les civilisations indiennes à Vancouver et que je descendais pour une conférence à Berkeley en passant par Mount Shasta parce que j'y venais en vacances avec mon père en été camper sur les bords du lac Kiskouyou. Mes grosses lunettes de myope rendaient le personnage crédible. Ils n'ont rien trouvé à y redire. La fille derrière le comptoir me regardait furtivement tout en nettoyant son comptoir et je voyais qu'elle se méfiait de moi depuis ma colère. La conversation s'est éteinte comme un vieux feu de camp, les gens n'ont pas tant de choses à se dire. Si elle s'étend, c'est que les alcooliques ont pris le relais. Je suis sorti du bar pour retourner à ma voiture.

9

J'ai suivi les indications de la fille. Un vendeur de voitures se trouvait bien sur la route à 3 ou 4 miles en roulant vers l'autoroute. Je m'attendais à un garage d'un meilleur standing, on était plus près de la casse que du concessionnaire. Un gros chien jaune à col noir barrait l'entrée en aboyant à se faire péter les cordes vocales. Dès qu'il m'a vu me déplier hors de la voiture, il s'est ravisé et il a croisé au large d'un air contrarié. Le garagiste avait plutôt la tête d'un fermier modèle qui pose sur l'étiquette d'un bidon d'insecticide.

— J'ai un break à vendre, je voudrais l'échanger contre une moto.

Le deal supposait qu'il devait me rendre de l'argent au final et ça n'avait pas l'air de trop lui plaire.

On a marché vers la voiture. Il en a fait le tour, il a jeté un œil à l'intérieur et puis il s'est essuyé les mains avec un chiffon qu'il a sorti de sa poche. Il s'est installé dedans, il a avancé le siège d'un bon mètre en me lançant un petit sourire complice, il a démarré pour faire un tour dans la cour. Il en est sorti convaincu.

— Pas de problème pour la voiture. Comme moto j'ai une Indian à te proposer. De toute façon c'est la seule moto qui corresponde à ton gabarit, sauf si tu veux faire la route avec les genoux qui traînent par terre.

Il était content de sa blague et il s'est mis à rire très fort. L'Indian était de l'autre côté du garage. Une moto magnifique comme j'avais toujours rêvé d'en piloter. Un monstre 450 kilos qui faisait passer une grosse Harley pour un vélo d'appartement. Elle était rouge et blanche, peinture et chrome rutilants, garde-boue enveloppants, pneus à bandes blanches, selle en cuir brun clair à franges. Il m'aurait fallu des années de travail pour me payer une bécane pareille. Pendant que je m'extasiais, le garagiste regardait les papiers de la voiture. Puis il est revenu sur la moto.

— Un modèle de 53, une des dernières motos de la marque, d'ailleurs le numéro de production est à cinq chiffres. Un bicylindre de 1 300 cm³, des fourches hydrauliques, tu peux faire le tour du monde avec ça, fiston. Pour le prix du break.

Je n'avais pas envie de discuter. Je sais ce qu'il advient si la discussion ne mène pas où je veux. Passé le point de non-retour, ma colère doit sortir, contre moi ou contre l'autre. Le plus souvent c'est contre moi et il me faut ensuite des jours pour m'en remettre. Je ne voulais pas gâcher un moment pareil. Je lui ai laissé une bonne partie des courses du grand-père en supplément, les sacoches de l'Indian ne pouvaient pas tout emporter. Quand je suis monté sur la moto, le garagiste nous a regardés ébahi :

— Combien tu pèses, fiston ?

— Dans les 120 kilos.

— Regarde-moi ça, la moto n'a presque pas bougé quand tu t'es assis dessus. Tu feras attention sur les petites routes, on peut facilement se faire surprendre dans les ornières.

Il a vérifié que les sacoches en cuir frangées étaient graissées comme il le fallait.

— Ne les laisse jamais sécher, c'est comme la selle. Tu fais ça avec de l'huile de pied de bœuf, toutes les semaines, surtout si elle dort dehors.

Sous une forme qui se voulait éloignée de la question, il a ajouté alors qu'on s'était tout dit :

— Pour le break, je pense que je vais attendre un peu pour le remettre sur le marché. Quelque chose me dit que ça vaut mieux.

Et comme je ne répondais rien, il a continué :

— Avec l'assassinat de Kennedy, on pourrait bien connaître une nouvelle crise, comme celle qui a foutu dehors mes parents de l'Arkansas en 31. Et quand ça va mal, c'est toujours l'automobile qui trinque en premier. Dis donc, fais bien attention à ne pas confondre le bouton de l'essence et celui de l'huile sur le demi-réservoir droit. C'est ce qui pourrait t'arriver de pire, ça ferait un mélange deux temps et alors là... Allez, bonne route.

Il n'avait pas fini sa phrase qu'il s'en retournait dans le garage reprendre son travail.

J'allais partir quand un éclair m'a traversé l'esprit. La winchester était restée sous la banquette arrière.

— J'ai oublié quelque chose !

Quand j'ai sorti l'arme de la voiture, il m'a regardé d'abord muet, d'un air malin, avant d'embrayer :

— Pendant la guerre, les motos militaires

étaient équipées d'un holster où tu pouvais mettre un fusil d'assaut. Je n'en ai pas et puis si tu roulais comme ça, tu aurais plus de flics à tes trousses qu'une chienne en chaleur n'a de clébards qui lui filent le train. Je te conseille de la couper. Si tu as une raison de t'en servir, c'est pas pour tirer loin, c'est pas une arme de chasse. On va scier le canon, elle tiendra dans une sacoche incognito.

Il s'était saisi de la winch et il marchait résolument vers son établi où se trouvait un étau. Il a serré l'arme dedans et, avec une scie, il a découpé soigneusement le canon.

Quand il a eu fini, il m'a tendu l'arme :

— Si les flics t'arrêtent avec ça, tu leur diras que tu te prends pour Josh Randall dans *Au nom de la loi*, il a le même flingue.

J'avais vu la série et il n'y avait vraiment que l'arme pour me faire ressembler à Steve McQueen. La moto peut-être aussi mais je n'en étais pas sûr. Plus tard, en tombant sur une photo de lui avant sa mort, j'ai vu qu'il montait la même bécane que moi.

10

En roulant vers l'Oregon, un État où les pumas tuent plus que les homicides, je me disais que j'aurais bien aimé appartenir aux forces de l'ordre, parce qu'au fond je n'avais rien contre l'ordre. Je me doutais qu'après ce que je venais de faire, je n'y étais pas le bienvenu.

J'ai croisé quelques policiers en Harley, pressés. Ils avaient une tête à chercher un break gris même si ce n'était pas le cas. J'ai roulé toute la journée sur des routes secondaires. Ma masse, ajoutée au centre de gravité particulièrement bas, me collait à la route qui serpente jusqu'à Crater Lake après qu'on a quitté une ligne droite sans fin, tracée dans un paysage où les arbres s'écartent devant d'énormes camions fumants. Avec l'altitude, j'ai commencé à sentir le froid malgré l'équipement que je m'étais acheté au fur et à mesure, un superbe blouson en cuir de cheval, des gants à manchettes doublés en mouton, des bottes de trappeur. Le bicylindre en V délivrait un ronronnement rassurant, alors que mes idées avaient tendance à partir un peu dans tous les sens. J'avais envie de téléphoner à ma mère et de lui

expliquer mon geste. Elle devait savoir maintenant. Mon père avait dû l'appeler. J'imagine
qu'elle n'avait pas fait la femme surprise même si
elle l'était. « Je t'avais dit que ce gosse finirait en
meurtrier. » De ce point de vue, elle avait raison,
elle n'arrêtait pas de le clamer sur tous les toits
comme si elle attendait que je donne foi à ses prophéties. Mais je me demandais tout de même si sa
joie d'avoir raison serait plus forte que l'inconvénient de devenir la mère d'un criminel. Elle l'a
bien porté dans son ventre, le tueur, et elle ne
pourra jamais dire le contraire. Ma mère, si pé-
remptoire, qui donne des leçons de morale à la
terre entière, qui méprise sans compter, avait en-
fanté un adolescent meurtrier. Je ne pouvais pas
lui infliger une pire vexation. J'avais fait de son
utérus un fusil à répétition, et j'en tirais une satisfaction qui vacillait quand je me représentais
l'avenir et toutes ses complications.

Je me suis arrêté au sommet d'un col. Un hôtel
de vacances estivales en marquait le point le plus
haut, au bord de la route. Il était fermé. Un chemin tirait sur la droite jusqu'à Crater Lake. Je
l'ai laissé pour suivre la route principale jusqu'à
un embranchement où j'ai pris à gauche pour
prendre la direction de la 101. Des petits chalets
étaient construits le long d'un ruisseau. J'ai re-
péré un cabanon de vacances plus isolé que les
autres et je m'y suis installé. J'ai enfoncé la porte
d'un coup d'épaule et j'ai eu peur que le reste de la
construction ne s'effondre sur moi. L'intérieur
était propre et rangé. J'ai allumé un feu dans la
petite cheminée en pierre en priant qu'il ne neige
pas dans la nuit. Je me suis descendu une bouteille de whisky en me préparant à manger dans

l'âtre. Ne sentir qu'une ivresse lointaine m'a déprimé. Le vent s'est levé au moment où je me suis couché, les yeux clos, allongé sur une couche dure, en chien de fusil pour ne pas dépasser. La nature ne connaît ni le silence ni le bruit. Ce n'est pas comme en ville, ce qu'on entend va toujours dans votre sens, celui de votre apaisement, pour peu que vous ayez confiance dans la vie sauvage. J'ai pensé à mes grands-parents. Je me demandais où ils pouvaient être maintenant, s'il y avait la moindre chance que quelque chose ne reste de ces charognes qui devaient se décomposer en attendant que mon père ne rapplique. Si leurs âmes avaient pris le chemin du ciel, j'espérais qu'elles ne se retrouveraient pas là-haut, je n'avais pas tué mon grand-père ici-bas pour qu'il se retape éternellement les crises de la vieille. J'ai fait un peu le point sur mon voyage. Je ne savais pas quand j'allais me rendre, mais je ne voulais pas que cette reddition intervienne avant l'enterrement. L'altitude et la fatigue ont eu raison de moi, je me suis endormi profondément. Je commençais à peine à cauchemarder quand j'ai entendu du boucan dehors. J'ai d'abord pensé que les flics venaient m'arrêter puis j'ai compris que les ours devaient tourner autour des sacoches de la moto où j'avais laissé plein de bouffe. Je suis sorti avec ma winch à la main et j'ai vu deux coyotes qui détalaient, la queue entre les jambes. Impossible de me rendormir. Au petit matin, je me sentais vaseux et le whisky me remontait à la tête. Un type est venu frapper, un café à la main, en panne de sucre. Je lui en ai donné. Mais cela ne lui suffisait pas, il a fallu qu'il parle. C'est souvent comme ça dans ce pays. Les gens recherchent la solitude on ne sait trop pourquoi et ils la font payer au premier pékin qui se présente en lui tenant le crachoir des heures. Il était fier de m'annoncer que l'assassin de Kennedy s'était fait lui-même descendre à la sortie d'un commissariat ou un endroit comme ça. Le tueur s'appelait Jack Ruby. Il avait buté mon héros. Ça m'a rendu triste. Le gars qui parlait vivait un peu plus bas de petits boulots de forestier. Je lui ai paru bizarre avec cette manie que j'ai de toujours penser à deux choses à la fois, ce qui fait que je suis parfois long à répondre. C'est toujours le sujet qui me stresse le plus qui prime sur l'autre. D'autant plus que je n'en avais rien à foutre de sa vie qui n'était vraiment pas extraordinaire. Si elle l'avait été, elle m'aurait ennuyé tout autant. Quand il a voulu en savoir un peu sur moi, j'ai fait l'escargot, sauf que l'escargot n'a jamais l'air méchant qu'on me prête quand j'ai décidé qu'une conversation a assez duré. Il s'est excusé du dérangement avant de partir en se retournant plusieurs fois. Quelque chose devait l'inquiéter dans mon comportement. Je me suis assis sur les deux demi-rondins fendus qui servaient de marches et j'ai regardé la moto. Je n'avais plus envie de rien. Je cherchais en moi quelque chose pour solliciter mon désir mais rien ne venait. J'ai quitté la cabane en refermant la porte derrière moi tant bien que mal, je l'avais sacrément amochée. L'Indian Chief a redémarré du premier coup et j'ai repris la route en direction du Canada, sachant très bien que je n'atteindrais jamais la frontière parce que je n'en avais pas plus envie que les flics. La descente vers la plaine à petite allure m'a rendu à la vie. J'enroulais les grands lacets et l'air frais galvanisait mon esprit. Je me suis mis à couper les virages en espérant qu'une voiture ou un camion viendrait mettre un terme à une vie trop mal emmanchée pour en attendre quelque chose de raisonnable. Mais je n'ai croisé personne.

11

J'ai accéléré dans la plaine. La température qui montait l'autorisait. Après quelques miles, une ville industrieuse où des trains de marchandises attendaient d'être chargés s'est étalée devant moi. Des types costauds avec des casques de chantier et des gros gants beiges s'activaient autour des wagons. Un peu plus loin des cheminées crachaient une fumée grise épaisse qui peinait à monter dans le ciel. L'avenue principale se réveillait péniblement. Cette ville foutait le bourdon avec son ordre angoissant. J'ai été tenté de mettre les gaz, mais je n'avais plus assez d'essence pour le faire. J'ai trouvé une station-service dans l'avenue principale. Un vieux, aux jambes arquées comme si enfant il avait chevauché un camion-citerne plutôt qu'un cheval de bois, m'a servi après avoir soigneusement écrasé sa cigarette.

— Belle moto !

J'ai pas répondu. De toute façon ma réponse se serait perdue, je ne le regardais pas.

— Ils ont arrêté d'en faire depuis 53, c'est ça ? Dommage, ça méritait de continuer.

— Où est le bureau du shérif ? j'ai demandé.

Il a tendu le bras.

— Mais vous ne le trouverez pas à cette heure. Il a été appelé un peu plus loin dans la montagne. Un forestier qui a mis une tournée à sa femme avec le plat de sa hache. Pas beau à voir à ce qu'on dit même si personne ne l'a encore vu. L'alcool est mauvais pour les gens. Mais il doit y avoir un de ses deux adjoints au bureau.

Il a jeté un œil à une montre dont le cadran était fendu.

— Devrait pas tarder à ouvrir.

Puis il m'a regardé comme un séquoia géant.

— Je crois bien que j'ai jamais vu de ma vie quelqu'un d'aussi grand que toi, fiston.

Qu'est-ce qu'on peut répondre à ça ?

Je lui ai donné le compte et j'ai repris l'avenue principale jusqu'au bureau du shérif. Il ressemblait à un bureau de poste et le drapeau américain qui flottait timidement devant n'était pas de la première fraîcheur. Je suis resté une ou deux minutes devant, sur la moto, au ralenti, hésitant. J'ai fini par couper le moteur.

Quand je suis entré dans le hall, j'ai cru qu'il n'y avait personne. Mais une tête de femme, ronde et blonde, a dépassé de la banque. Elle m'a souri, du même sourire niais que Clark Gable dispense sans compter dans ses films.

— Qu'est-ce que je peux faire pour vous ?

J'ai posé le casque sur la banque avec mes gants dedans et j'ai ouvert grand mon blouson de cuir.

— Je suis venu me rendre.

Elle a rigolé.

— Vous rendre ? Vous êtes pourchassé pour excès de vitesse ?

72

— Non, pour un double meurtre.

Elle m'a scruté pour voir si j'étais sérieux. On a continué sur le même ton badin.

— Dans notre comté ?

— Non, plus au sud à North Fork, Sierra Nevada, Californie. Vos collègues de Freno doivent être au courant.

— Comment peuvent-ils l'être ?

Elle n'adhérait pas encore à l'affaire.

— Mon père a dû les prévenir. D'ailleurs, il doit être arrivé sur place.

— Très bien, asseyez-vous sur la banquette, je vais les contacter. Tant que je n'ai pas de confirmation, je ne peux pas vous arrêter.

— En attendant je vais aller m'acheter un beignet, je reviens.

J'ai repris mon casque et mes gants et je suis sorti sous le regard médusé de la blonde.

J'ai enfourché la bécane sans précipitation, j'ai démarré et j'ai traversé ce qui restait de l'avenue principale à la vitesse légale. En roulant, je calculais ce que j'étais prêt à payer à la société pour le double meurtre de mes grands-parents : la moyenne des années qu'il leur restait à vivre. Quinze et neuf pour une espérance de vie de quatre-vingts ans, divisés par deux, on obtenait douze ans. Douze ans de bagne, je ressortirais à vingt-sept ans, je trouvais ça correct, mes grands-parents ne valaient pas plus.

Les flics m'ont trouvé en train de siroter un café allongé, un beignet à la main, assis sur les marches d'un entrepôt de bois, à la sortie de la ville. J'étais dans mes pensées, j'enviais tous ces types capables de se lever tous les matins pour faire le même boulot toute leur vie. De la voiture de police sont sortis les deux adjoints. Ils avaient tous les deux une main sur leur arme et j'ai trouvé ça pathétique. Je voulais ramener ma moto au poste et qu'ils m'indiquent un endroit abrité pour la garer. Je comptais bien que mon père vienne la récupérer. Comme je les voyais hésiter, j'ai dit :

— Pourquoi je me serais livré à vous si j'avais l'intention de fuir, vous pouvez me le dire ?

L'argument a fait mouche et j'ai pu ramener ma moto au garage des flics. Ensuite, ils m'ont lu mes droits.

Après avoir passé quelques coups de fil, ils m'ont emmené jusqu'à Freno. On a fait une halte dans un patelin où j'ai passé la nuit en cellule avec deux ivrognes. Ils n'arrêtaient pas de parler et de rire pour rien. Quand j'en ai eu assez, je leur ai dit que j'étais là pour un double meurtre et que j'avais besoin de me reposer. Ils se sont éloignés de moi et je ne les ai plus entendus. On a repris la voiture aux aurores. Dans la voiture, on ne s'est pas dit grand-chose de plus que la veille. Les deux flics discutaient de choses futiles et ne s'occupaient de moi que quand je me manifestais. Mon attention avait besoin de se fixer. La femme-flic m'a servi de cible. J'ai fantasmé sur elle tout le trajet en imaginant plein de choses que je ne lui aurais pas faites dans la réalité. Des images essentiellement sexuelles dont j'avais besoin pour sentir que je vivais encore.

12

À l'arrivée, quelques photographes de torchons locaux nous attendaient. Les deux flics ont posé à côté de moi comme Hemingway devant un espadon de 2 mètres pêché au gros. J'ai trouvé malhonnête qu'ils déclarent m'avoir arrêté alors que je m'étais livré. Ils m'ont amené au lieutenant chargé de mon dossier qui buvait du café, les jambes croisées sur son bureau, examinant des photos qui n'avaient rien à voir avec mes grands-parents.

Dans le long couloir qui menait à lui, je me suis senti tel un ours mené par son dresseur devant une foule de curieux sans compassion. Tout ce qu'il y avait de flics et de secrétaires me dévisageait. Il m'a salué d'un pauvre sourire plus accablé que revanchard. Il m'a conduit dans un bureau d'interrogatoire. Il a ouvert le dossier constitué à mon nom où se trouvaient les photos des cadavres de mes grands-parents, puis il les a étalées devant moi.

— Ça, c'est ce que tu as fait.

Il s'attendait à ce que je détourne les yeux. Au contraire, j'ai pris les photos une par une. Les vieux n'avaient pas beaucoup changé depuis que je les avais quittés. Un peu raides, parcheminés, rien de plus. J'ai été frappé de voir à quel point un cadavre contredit l'idée d'une éventuelle vie après la mort.

— Pourquoi tu as fait ça ?

J'ai respiré un grand coup, ce qui a pu le faire penser que je me préparais à un long discours.

— Je voulais voir ce que ça faisait. Depuis une bonne quinzaine de jours, je me demandais ce que ça ferait de tuer ma grand-mère. C'était une idée fixe. J'y pensais, puis ça passait. Ça revenait encore plus fort puis ça disparaissait. Et au moment de le faire, je ne me suis plus posé la question, l'évidence avait pris le pas sur toute autre forme de considération. Pour le vieux, c'est autre chose, je n'ai jamais eu envie de le tuer. J'y ai été forcé par les circonstances. Il était trop dépendant d'elle. Le laisser survivre à la vieille, c'était le condamner à la souffrance jusqu'à la fin de ses jours.

— Tu as pensé au mal que tu leur faisais, au mal que tu faisais à ton père ?

— Pour être honnête, je devais tuer ma grand-mère et la question de savoir si c'était bien ou pas ne me concernait pas. Pour le vieux, j'en ai été désolé et je le suis encore. Pour mon père, je lui ai rendu service. Et si je ne sais pas trop pourquoi, il me semble que c'est un grand service. Bien sûr, il est sous le choc, comme vous l'êtes, mais dans quelques semaines, quand l'émotion sera passée, les aspects positifs de mon acte feront surface comme le cadavre d'un noyé, pardon pour la métaphore. Où est mon père ?

— Il est en face, au bar. Il ne veut pas te voir.

Pas pour le moment. Il va s'occuper du transfert des corps à Los Angeles, et il m'a dit qu'il reviendra quand il aura une idée de ce qu'on voudra faire de toi.

— Vous devriez le surveiller.

— Pourquoi ?

— Il a tendance à boire dès que quelque chose le contrarie. Et il peut boire beaucoup, vous avez vu : c'est une masse lui aussi.

— On a contacté ta mère.

— Et alors ?

— Elle dit qu'elle n'est pas surprise. Que tu portes ça en toi depuis longtemps, que tu as déjà décapité un chat.

— Si tous les adolescents de mon âge qui ont décapité un chat dans ce pays descendaient leurs grands-parents, vous pourriez fermer les maisons de retraite.

— Bref, elle ne veut pas venir, elle attend de voir ce que la justice décidera.

— Et qu'est-ce qu'elle va décider ?

— Un expert va t'examiner. Comme tu es un mineur de moins de seize ans, il doit déterminer si tu es ou non responsable de tes actes. Ensuite, la California Youth Authority devra décider ce qu'elle va faire de toi, prison ou hôpital psychiatrique. Ça reste un peu flou pour moi, c'est la première fois de ma carrière que j'ai à traiter deux meurtres commis par un mineur. Pourquoi tu t'es rendu ?

— Parce que je n'avais plus le ressort pour continuer. J'aime rouler, des heures et des nuits durant. Et puis je sens comme une profonde décélération en moi. J'ai toujours été enfermé. Mais quand je suis libre au grand air, au bout de quelques jours, un vertige me rappelle que je ne suis pas fait pour cette liberté. Et pourtant je serais prêt à tuer n'importe quelle personne qui voudrait m'en priver. C'est ce que j'ai fait avec ma grand-mère. Son meurtre m'a donné quarante-huit heures de liberté.

— Tu crois que ça valait le coup ?

— Oui.

13

Il est assis depuis déjà une bonne minute quand il voit la porte s'ouvrir et sa tête boursouflée apparaître. Elle souffle bruyamment. Elle est encombrée. Par elle, par ce qu'elle porte, par tout.

— Ils me font signer à chaque fois ce formulaire, c'est ce qui m'a retardée.

— Quel formulaire ?

— La décharge qui stipule que je ne me retournerais pas contre l'administration pénitentiaire si vous m'agressiez.

Il rit.

— De toute façon, si je vous agressais vous n'auriez plus l'occasion de vous retourner contre quiconque.

Elle ne trouve pas cela drôle ou, si c'est le cas, elle ne le montre pas.

— Une fois, un type du FBI est venu m'interroger et je lui ai fait croire que j'allais l'étrangler tranquillement. Il a appelé à l'aide, mais personne n'est venu, c'était l'heure de la relève et du déjeuner. Il a prétendu être armé, j'ai rétorqué qu'on ne pouvait pas entrer dans une prison armé, même si l'on appartient au FBI. Il s'est mis à bredouiller sur les arts martiaux qu'il pratiquait et, voyant que cela ne m'impressionnait pas, il s'est pissé dessus. Quand ils sont venus le chercher, une large auréole ornait son entrejambe. Il fallait voir ce petit type musculeux en costume noir, chemise blanche et cravate noire, cheveux coiffés en brosse impeccable, marcher les pieds en dedans pour cacher sa honte. Les gardiens, qui savent à quel point je suis pacifique, se sont bien gaussés aussi.

Il a regardé la pile de livres qu'elle avait déposée non sans mal sur le bureau qui les séparait. Elle a murmuré :

— Joyeux anniversaire !

— Comment savez-vous que c'est mon anniversaire ?

— Parce que je suis née le même jour que vous à quatre ans près.

Elle se met à rougir pour s'excuser de cette coïncidence.

— Vous voulez dire que vous avez cinquante-neuf ans. C'est ce que je pensais. Prendre une année de plus, dehors, c'est un an de moins à vivre, un an de moins à s'ennuyer, ce n'est pas tout à fait la même chose. Je ne lirai pas tout ça.

— Vous faites ce que vous pouvez, comme d'habitude c'est une suggestion, mais nous sommes tellement habitués à votre célérité...

— Je me suis mis à écrire.

— Écrire ?

Elle se met à frémir.

— On ne me propose pas de critique littéraire, alors je me lance dans le roman. Une autobiographie romancée. Vous voyez un éditeur qui pourrait être intéressé ?

Elle répète :

— Écrire ?

Il fait oui, agacé.

— Vous allez tout raconter.

— C'est là la question. Je n'accepterai d'être publié que si on prend mon texte in extenso.

— Je vois, c'est que...

— C'est que rien... Vous connaissez un éditeur ?

— J'en connais.

Elle semble soudain terriblement bouleversée. Ça lui arrive souvent. Elle est émotive, instable pour tout dire. Elle est comme prostrée. Des prostrés, il en voit tous les jours dans cette prison. Si elle vient ici pour en rajouter, il va lui dire de foutre le camp. Ça lui a mis un coup sur la tête cette histoire de livre. Il ne sait pas pourquoi, mais ça lui en a mis un sacré coup. Alors il en rajoute...

— J'ai demandé mon transfert.

Elle est complètement perdue.

— Un transfert pour où ?

— Pour le paradis, mais ça m'a été refusé. Non, sérieux, j'ai demandé à partir pour le pénitencier d'Angola en Louisiane. Ça risque de prendre un peu de temps, parce qu'il faudrait qu'un détenu d'Angola du même âge, et qui purge perpète lui aussi, fasse la demande contraire. Mes états de service religieux ont impressionné le directeur d'Angola. C'est un type qui a une foi de charbonnier et les détenus prosélytes sont les bienvenus.

— Et ça serait pour quand ?

— Demain, dans un mois, dans dix ans, jamais.

— Mais vous n'aurez plus personne pour vous rendre visite là-bas ?

— Qu'est-ce que ça va changer ?

Elle ne répond rien, elle se contente de baisser la tête.

— Après tant d'années, on se demande parfois ce qui vous maintient debout. La lecture, maintenant l'écriture, ma contribution à la compréhension des tueurs en série. J'ai appris qu'à Angola les détenus s'occupent d'une ferme avec des chevaux. J'ai des souvenirs de chevaux lors de mon enfance dans le Montana. Ce sont à peu près mes seuls bons souvenirs. Il y a quelque chose de plus humain chez eux que chez nous. Je n'ai pas eu envie de me soustraire à la vie. Je me suis ouvert les veines deux fois. Pour voir couler mon sang comme un gamin regarde couler une rivière sale près de chez lui. Sortir de prison ne m'a jamais motivé non plus. J'ai fait une demande de liberté conditionnelle, mais quand je suis passé devant la commission, tout ce que j'ai trouvé à leur dire c'est : « Je ne pense pas que vous feriez une immense connerie en me libérant, mais rien n'est sûr. » J'aime bien vous voir. Mais vous ne passez qu'une fois par mois. Alors que là-bas j'aurai la compagnie des chevaux chaque jour, vous comprenez ? Et puis, tous les ans, il y a un rodéo. Les prisonniers montent des taureaux, des mustangs devant leurs familles et des étrangers payants. Cet argent leur finance les extras de l'année. C'est à l'épreuve reine que je voudrais participer. Quatre détenus s'installent autour d'une table plantée au milieu de l'arène. Ils jouent au poker. Ils doivent se concentrer pour suivre la partie où de grosses mises sont en jeu. À un moment donné, un taureau vraiment méchant est lâché dans l'arène. Il fonce sur la table. C'est le dernier qui se lève qui ramasse la mise.

Ils ne se voient qu'une demi-heure par mois et, au bout de cinq minutes, ils n'ont plus rien à se dire. C'est une ancienne hippie, c'est sûr. Elle en a encore l'odeur et les cheveux gras qui torsadent de fatigue. Cette jeunesse-là n'a pas mieux vieilli que les vétérans du Vietnam. Au moins, dans le temps, leurs yeux illuminaient, même si cette lumière venait du LSD. Parfois il pense à toutes ces filles qui prônaient l'amour libre, qui se faisaient baiser juste pour prouver qu'elles en étaient capables, qu'elles n'appartenaient à personne en particulier. Il n'en a même pas profité. Elles le dégoûtaient. Une taffe d'herbe, j'écarte les cuisses, je les referme, je sais pas le nom du type qui m'a inondée, mais j'appartiens à la grande fraternité humaine. Voilà le programme. On ne sait pas de qui sont les enfants, ça tombe bien, comme ça ils sont à tout le monde et donc à personne. Il a haï cette génération. Ce qu'il en reste maintenant c'est des gens comme Susan qui pensent avoir les idées larges alors qu'ils ont l'esprit rétréci par la came. Un psychiatre de sa connaissance aurait dit qu'ils ont vécu une grande schizophrénie collective avec morcellement de la personnalité, délire perpétuel, catatonie béate, marginalisation, bref, toute une série de symptômes qui auraient fini par rendre normaux ces schizophrènes s'ils étaient devenus majoritaires. Elle transpire. Même sans bouger. Elle vit dans l'insécurité, c'est pour ça. C'est pas un problème de poids. À 163 kilos, lui ne transpire jamais.

— Les bouquins pour les aveugles et toutes ces conneries, je ne suis pas persuadé que ce soit la principale raison qui vous ait conduite là. Mais je vais être franc avec vous, je n'ai pas envie de connaître cette raison qui serait plus forte que les autres parce qu'elle est cachée. Je m'en balance, Susan. On a une relation professionnelle, pour un temps donné, et c'est parfait comme ça. J'aime bien vos visites. Je pourrais tout autant m'en passer. Après vous, il n'y aura personne pour venir me voir, eh bien soit, qu'est-ce que j'en ai à foutre ? Vous êtes ma seule présence féminine dans un monde où je ne vois que des types qui se branlent huit fois par jour en espérant faire reculer les murs de leur cellule. Mais si je dois m'en passer...

Elle pique du nez et esquisse un sourire minable qui s'éteint aussitôt. Elle doit se demander si elle doit pleurer. Elle n'ose pas. Il examine la pile de livres et lit la quatrième de couverture. Pas d'histoire qui l'attire. C'est rarement le cas en général. Il élimine trois bouquins trop volumineux. Quand c'est trop long le lecteur se perd, même s'il est aveugle. Il se lève et s'étire :

— Pensez à parler de mon livre à un éditeur, vous me rendrez service. À bientôt.

Il se retourne une dernière fois avant de sortir.

— Si ma demande de transfert à Angola est acceptée, je vous écrirai pour vous le faire savoir.

14

Le diagnostic de l'expert du tribunal est tombé : schizophrène paranoïde. Ça m'a fait le même effet qu'au type qui n'a pas de billet mais à qui on annonce le numéro gagnant d'une loterie. Le juge qui présidait l'audience n'a pas eu l'air non plus très ému. La séance a duré un quart d'heure. Le psychiatre a lu ses notes d'un ton monocorde dont il essayait de sortir par de brusques accélérations. Il n'avait pas l'air d'aller bien. Il m'a déclaré psychotique, confus, incapable de fonctionner, dangereux pour la société et pour moi-même. Il a ajouté que le traitement qui pourrait éventuellement me guérir de mes troubles serait long, très long. Qu'en conséquence il considérait que je devrais être jugé irresponsable de mes actes.

Pendant que le juge écoutait cette litanie d'une oreille parce que l'autre s'était fermée pour s'économiser, j'ai murmuré à mon avocat commis d'office que je trouvais ces conclusions ridicules. Je voulais revendiquer la responsabilité de mes actes. Il m'a fait signe de ne pas jouer à cela, et m'a glissé à l'oreille : « C'est ta seule chance de revoir le jour, mon garçon. » J'ai pris sur moi.

J'avais passé une après-midi avec le psychiatre. C'est tout ce que la justice pouvait payer pour un type de mon espèce. Il était obsédé par le « passage à l'acte ». Il voulait savoir si avant de tuer ma grand-mère j'avais entendu des voix ou si j'avais eu l'impression que des forces supérieures s'étaient emparées de moi. « J'y réfléchissais depuis plusieurs semaines. Je savais que c'était mal, très mal même. À aucun moment je n'ai pensé commettre un acte excusable par la société, mais c'était une nécessité, une question de survie. C'était elle ou moi. Si je ne l'avais pas fait, je me serais certainement donné la mort dans les jours qui suivaient. J'ai échangé sa vie contre la mienne. Et je ne me sentais pas vraiment coupable d'échanger la vie d'une vieille contre celle d'un adolescent. Je l'ai fait pour mon père aussi. J'aurais voulu qu'il ait ce courage, cela m'aurait évité de le faire. »

La discussion sur mon enfance a été courte. Il en avait assez entendu pour se forger une opinion. Puis il est revenu sur ma grand-mère.

— Elle vous frappait ?

— Non.

— Elle vous humiliait verbalement ?

— Non, pas vraiment.

— Alors que lui reprochiez-vous ?

— De m'empêcher de respirer.

— Et, selon vous, c'est assez pour la tuer ?

C'est là que j'ai dû lui paraître confus. Je n'arrivais pas à organiser mes pensées pour lui expliquer quel avait été leur cheminement. Je n'étais pas certain qu'elles aient suivi une quelconque logique. Je ne me souvenais que de la conclusion. Mais la décision c'est moi qui l'avais prise, pas un autre ni une voix venue de je ne sais quelle galaxie.

Il régnait dans la salle du tribunal une atmosphère de désolation. L'heure matinale et la surchauffe du bâtiment engourdissaient les esprits. Le juge a éternué plusieurs fois avant de me juger irresponsable et de me confier à la California Youth Authority.

J'ai lu dans ses yeux que ce jugement le soulageait de ne plus avoir à traiter mon cas. Il est sorti sans me regarder en pensant au bon café chaud qui l'attendait dans son bureau.

La commission a ordonné le même travail que le tribunal. Plusieurs psychiatres et assistants sociaux ont défilé devant moi en me posant des tas de questions sur ma vie comme s'ils préparaient une biographie. D'après mon avocat qui avait lu leurs rapports, aucun des psys ne partageait la même analyse sur mon cas et ils étaient même en parfait désaccord avec les conclusions de l'expert du tribunal. Mais au final ils se sont accordés sur le fait que la prison ne me permettrait pas de recevoir un traitement adéquat et qu'elle ne ferait qu'intensifier mon sentiment de culpabilité. Je ne ressentais aucun sentiment de culpabilité, mais on ne devait pas accorder le même sens aux mots. Les quelques semaines passées en prison en attendant d'être fixé sur mon sort ne m'ont pas laissé de souvenir particulier. Je m'attendais à être pris d'une sorte de claustrophobie mais il n'en fut rien. On peut se sentir enfermé dehors, libre dedans, c'est une question d'état d'esprit. J'ai été bien traité et les codétenus m'ont foutu la paix, vu que je n'étais pas destiné à moisir dans le même trou qu'eux. J'ai senti du respect pour ma masse. Le truc qui vient toujours à l'esprit d'un détenu novice, c'est la crainte de se faire enfiler dans les douches. À moins que le type n'ait une grande échelle de pompier entre les jambes, je ne voyais pas très bien comment j'aurais pu être menacé. Je ne me suis lié avec personne. Ce n'est pas ma nature et je n'en voyais pas l'utilité.

Je suis sorti un peu tendu tout de même. Cela faisait plusieurs semaines que je n'avais pas pu me libérer de ma tension sexuelle, par pudeur. Se soulager avec d'autres types autour, c'est dégradant même si je comprends qu'après plusieurs années ce genre de scrupules se dissout dans la routine. Dans la voiture qui me transférait à l'hôpital psychiatrique d'État d'Atascadero, j'ai vu à travers la vitre des belles filles pleines de vie qui marchaient dans la rue, insouciantes, et j'ai eu envie de pleurer. La nostalgie de ce que je n'avais jamais connu. Le désir a vite chassé l'émotion. Ce désir n'était pas celui de les posséder, mais un truc plus compliqué que j'ai chassé de mon esprit. Je me suis enfoncé dans la banquette et j'ai pensé à ma moto que je retrouverais peut-être un jour, la batterie à plat, cela ne faisait aucun doute. D'un coup, je me suis mis à avoir les jetons. De devenir dingue pour de bon. Je ne voulais plus y aller. Je me suis mis à préférer la prison. Je me suis souvenu d'histoires qui circulaient sur des gens normaux internés pour des broutilles et qui en étaient sortis le cerveau lavé comme le pont d'un bateau. J'ai demandé aux deux policiers qui m'emmenaient comment c'était à Atascadero. Ils m'ont répondu qu'ils n'en savaient trop rien. D'après eux c'était le lieu où on protégeait les citoyens de Californie contre les dingues en tout genre. Je leur ai aussi demandé quel genre de malades il y avait là-dedans. Le chef a lissé sa moustache et m'a dit que selon lui il y avait un tiers de criminels et deux tiers de types cramés qui ne feraient pas de mal à une mouche. Celui qui n'avait rien dit jusque-là s'est mis en rogne contre tous ces salopards qu'on enfermait aux frais des contribuables et qu'on faisait semblant de soigner, comme si on pouvait soigner le mal. Il s'est retourné pour me regarder et m'a postillonné son mépris :

— Tu crois qu'un type qui a tué ses grands-parents peut redevenir un jour un bon citoyen américain ? Est-ce que tu le crois, petit ?

Je suis sûr que si je n'avais pas eu les menottes, il n'aurait pas ajouté « petit ». Je ne me suis pas dégonflé :

— J'avais des raisons de le faire.

— Ce qui fait de toi un dingue, c'est que tu puisses penser que tu avais de bonnes raisons de tuer tes grands-parents. Ils vont te garder là-dedans des années pour t'apprendre à regretter ce que tu as fait, mais le mal est en toi. Tu es passé de l'autre côté, c'est trop tard maintenant.

Il s'est allumé une cigarette en baissant la vitre de sa portière.

— Tu sais, j'aimerais croire qu'on puisse te soigner. Mais on ne soigne pas les maladies mentales. Un chien qui a mordu un gosse, tu ne peux plus jamais lui faire confiance, même si une minute après il se frotte contre toi en remuant la queue. On ferait mieux de se résigner. Tu as franchi la ligne. Moi, je ne te tuerais pas pour cela. Mais je ne te laisserais pas sortir de là.

15

Alors qu'on était en pleine campagne depuis un moment, on s'est mis à longer des champs où paissaient des vaches noires. De loin, l'hôpital ressemblait à un gros gâteau d'anniversaire à la crème posé sur une nappe aux couleurs trop vives. La glace avait commencé à fondre sur le côté. En se rapprochant, le gâteau a grossi, les hauts murs qui l'entouraient aussi. Des torsades de fil de fer barbelé cheminaient le long de l'enceinte. Je n'ai pas vu de miradors, mais l'ensemble me faisait l'impression d'un sacré centre de détention. Des infirmiers, qui se croyaient baraqués avant de me voir, sont venus me chercher à l'administration. Ils m'ont conduit ensuite à une dame aimable et ferme. Ils sont restés près de nous pendant qu'on remplissait un questionnaire destiné à leur donner un maximum d'informations sur moi. Je lui ai demandé si je pourrais avoir des visites. Elle a opiné avant de prendre un air navré pour m'informer qu'ils avaient contacté mon père et ma mère pour qu'ils soient présents lors de mon admission dans le centre, mais aucun des deux ne voulait entendre parler de moi pour l'instant. Elle s'est voulue rassurante, c'était souvent comme ça, avec le temps, les choses s'aplanissaient.

— Il faut les comprendre. Non seulement tu as tué, mais tu as tué des gens de ta famille, les parents de ton père. Il va falloir du temps pour qu'ils te considèrent à nouveau comme l'un des leurs. Il est possible que ton psychiatre veuille les rencontrer. Il faudra bien qu'ils se déplacent. Mais ne t'occupe pas de cela pour le moment.

Elle m'a congédié d'un sourire. Les deux infirmiers m'ont escorté jusqu'à ma chambre. Il a bien fallu faire 500 mètres pour y arriver. Tout était haut, long et étroit dans cet hôpital. Les couloirs n'en finissaient pas. Dans la section des malades non criminels, on a croisé des types qui déambulaient librement. Beaucoup ressemblaient à des victimes d'un accident de naissance, le front rabattu sur les sourcils ou la tête énorme qui partait en ogive. La lumière qui n'entrait que par des petites fenêtres découpées très haut ne leur donnait pas bonne mine. Pas un ne m'a regardé. Ils étaient ailleurs, un ailleurs dont j'avais le sentiment qu'on ne revient jamais. Certains étaient bourrés de tics, d'autres marchaient comme des poules en décomposant leurs mouvements. Je ne leur aurais jamais fait de mal, mais franchement cette humanité me donnait la nausée avec son incontinence cérébrale.

Le quartier de sécurité ressemblait plus à une prison qu'à un hôpital mais au moins les criminels avaient une tête normale. En tout cas pour le peu que je croisais. À cette heure de l'après-midi, chacun se tenait dans sa chambre. La mienne était étroite comme une jambe de pantalon. On ne pouvait pas passer entre l'armoire et le lit. La fenêtre placée haut mais sans barreau était hors d'atteinte pour un homme ordinaire. Les infirmiers se sont excusés en disant que personne ne les avait prévenus de ma corpulence. Ils m'ont laissé une bonne demi-heure avant de revenir et de me conduire dans une chambre à peine plus vaste où je pouvais me retourner sans me cogner aux murs. Quand j'ai vu que les chiottes étaient à l'extérieur, j'ai compris qu'on n'était pas là pour me punir même si, à part quelques détails, il était difficile de faire la différence avec une prison fédérale. Et puis, seul dans une chambre, les perspectives devenaient autres. Malgré l'apparente contradiction, je me suis mis à aimer cette chambre autant que j'aimais les grands espaces à l'occasion. Je m'y suis senti rassuré. La fenêtre percée à 2 mètres me laissait voir une bande de pâturage dans le lointain, largement obstruée par le mur et les barbelés qui le coiffaient. Je me suis allongé sur mon lit et je suis resté à regarder le plafond deux bonnes heures sans penser à rien, pris d'un curieux sentiment de sécurité.

Je ne pouvais pas passer des années dans cet hôpital à dormir en chien de fusil. J'ai appelé un gardien et je lui ai montré de bonne foi que je dépassais du lit de 30 bons centimètres. Les montants étaient solidaires des pieds et on ne pouvait rien faire. Il m'a promis d'aller jeter un coup d'œil à l'entrepôt voir si un lit médical pourrait faire l'affaire. J'ai attendu l'heure du dîner. J'ai passé l'uniforme réservé aux internés les plus dangereux qui était plié au pied de mon lit et, quand la trompe a sonné, un garde est venu m'ouvrir. Chaque détenu devait se tenir à distance des autres. On a rejoint le réfectoire au pas. On s'est ensuite alignés en file indienne devant les cantines fumantes où mijotait une bouffe broyée pour qu'on puisse manger sans couteau. J'ai pris une place au hasard. En prison c'est toujours risqué de le faire. Il y a toujours un type ou une bande pour la revendiquer. Mais là, on ne sentait aucune agressivité. Pas de gros bras, chacun regardait sans voir les autres. Aucune bande ne tentait d'imposer sa loi. Les tueurs classés comme des malades mentaux sont farouchement individualistes et repliés sur eux-mêmes. Je dirais même, après la longue expérience que j'en ai, que ce sont de grands peureux. L'affrontement direct les terrorise. La violence ne peut être initiée qu'à condition qu'ils aient la certitude d'avoir le dessus sur une victime forcément plus faible. Mais tout cela, je ne le savais pas encore à l'époque. Comment j'aurais pu le savoir, d'ailleurs. Les autres malades se sont contentés de me dévisager, le plus souvent à la dérobée. Ma masse les impressionnait. Moins la masse elle-même que l'idée qu'ils s'en faisaient en pleine action, lors du fameux passage à l'acte. Chacun des détenus qui s'est assis près de moi a fait mine de m'ignorer sauf un type près de la cinquantaine qui détonnait par une allure raffinée. Il m'a lancé plusieurs sourires furtifs de bienvenue et des clins d'œil comme si on était complices. De quoi, je n'en savais rien. Je me suis demandé s'il n'était pas gay, même si je n'ai jamais vraiment ressemblé à un adolescent tel que ces gens-là fantasment dessus. J'ai remarqué deux ou trois types qui avaient des têtes effrayantes, en particulier un homme dans la cinquantaine, drôle de mélange entre un chef

93

indien et un camionneur irlandais. Une tête large à faire blêmir un chapelier, des yeux tout étirés mais surtout des yeux noirs égarés par un strabisme divergent. La bouffe était correcte. Mieux qu'en prison, sachant qu'on ne pouvait pas faire pire qu'en prison. Personne ne m'a parlé, mais j'ai bien senti que cela en démangeait quelques-uns, curieux de savoir ce que je faisais là à mon âge. Un petit tout maigre, moche comme si ses parents l'avaient fait exprès, s'est installé en face de moi. Il frétillait sur sa chaise en grimaçant. Un rictus de dédain lui secouait le visage toutes les trente secondes. Sa calvitie n'avait rien à voir avec celle des gens qui perdent leurs cheveux. Les siens avaient plutôt l'air de n'avoir jamais vraiment poussé comme si quelque chose les en avait découragés. Je voyais qu'il voulait me parler, mais rien ne venait. Après chaque tentative il se caressait le haut du crâne. La pointe de bave qui ornait la commissure de ses lèvres m'a foutu la nausée et j'ai arrêté de le regarder pour finir de dîner tranquillement. Quand je ne veux plus croiser le regard de personne, c'est très simple, je fixe devant moi, ce qui me cale très au-dessus des autres. Pour employer une métaphore militaire propre à mon père, j'emprunte un couloir aérien qui me met à l'abri de l'artillerie. C'est un truc que faisait souvent mon paternel, qui était à peine plus petit que moi. Je l'ai vu faire quand ma mère se mettait à hurler comme une possédée. Il restait debout, les bras croisés, appuyé contre un mur, les yeux à l'horizontale.

Je lui en voulais de ne pas s'être manifesté une seule fois depuis mon arrestation. Ma mère c'était différent, elle devait vraiment être en colère. Je suis sûr qu'elle n'avait pas voulu s'absenter pour ne pas avoir à dire à ses collègues de bureau pourquoi. Je n'étais même pas certain qu'elle en ait parlé avec mes sœurs. Ou alors j'imagine la conversation. Les deux grosses rentrent l'une du boulot, l'autre du lycée. Ma mère est assise à éplucher des pommes de terre. De la graisse crépite dans une poêle. Elles se disent bonjour sans s'embrasser. Le nouveau mec de ma mère est dans le salon. Il lit le journal au chaud dans ses pantoufles parce que, sans pantoufles, elle ne l'aurait jamais laissé arriver jusque-là. Je ne pourrais pas vous le décrire, j'étais déjà parti quand il est venu remplacer mon père. Ça n'a pas été long. Ma mère a besoin de se faire secouer au moins deux fois par jour sans jamais croiser le regard de l'autre. Enfin, c'est l'analyse que j'en fais à la suite d'un faisceau d'indices que j'ai recueillis au fil des quatorze années où mes parents dormaient au-dessus de moi, au rez-de-chaussée. Mais elle a surtout besoin de balancer à la gueule du type en train de s'ajuster qu'elle n'a pas joui parce que c'est un incompétent, ignare du plaisir des femmes, un bon à rien etc., jusqu'à ce qu'ils recommencent. Bref, mes sœurs rentrent. Ma mère sans lever la tête balance : « Votre frère a tué vos grands-parents. » Ma plus jeune sœur, qui a un cerveau de flétan, a dû demander sans affectation particulière : « Lesquels ? », sachant pourtant que nos autres grands-parents sont morts de leur belle mort depuis longtemps et qu'on ne les a jamais connus. Quant à ma sœur aînée, je la vois bien dire : « Oh ! le con », pendant qu'elle ouvre le réfrigérateur à la recherche d'un truc bien lourd qu'elle pourrait s'enfiler avant le repas. Quand elle a trouvé le coupe-faim, l'information s'est évaporée. C'est une hypomnésique sans émotivité. Je ne l'ai jamais vue ni joyeuse ni triste et, même quand elle est méchante, on sent qu'elle se force, que ce n'est pas naturel. La gentillesse lui demande trop d'efforts d'imagination, elle ne saisit pas le concept.

Le dîner terminé, on est repartis en rang jusqu'à nos chambres. Le gardien a fermé le verrou de la mienne. Je lui ai demandé où je pouvais trouver quelque chose à lire. Il m'a dit qu'il allait me faire une faveur, me ramener un magazine, pour cette fois, en même temps que mes médicaments et que j'aurais accès à la bibliothèque le lendemain. Les magazines et les médicaments sont arrivés une demi-heure plus tard. Je n'ai pas demandé pour quoi étaient les médicaments. Forcément pour soigner la maladie qui m'avait conduit à tuer mes grands-parents. Je n'étais pas à la troisième page du magazine en train de dévorer des yeux la croupe de Marilyn Monroe morte depuis plus d'un an et demi, ce qui ne changeait rien à l'érotisme de la photo, que j'ai senti mes paupières se plomber. Les bons petits fantasmes que je m'étais préparés n'ont pas résisté au somnifère et j'ai dormi sans cauchemar, chose qui ne m'était jamais arrivée de ma vie.

Au réveil, j'étais sans forces. Avant le petit déjeuner j'ai eu quand même le réflexe de découper la photo de Marilyn Monroe et de la plier dans mon placard. Le repas fut encore plus silencieux que la veille, même si deux ou trois patients semblaient remontés comme des jouets. Les autres ont recommencé à me fixer. Mon jeune âge les intriguait. J'étais le plus jeune et de loin. Mon café et le beignet infect qui l'accompagnait avalés, on m'a ramené à ma chambre dans l'attente de mon premier entretien avec le psychiatre. Je me suis rendormi comme si j'avais des années de sommeil en retard. Un infirmier est venu me réveiller pour me conduire titubant dans une pièce qui ressemblait à une salle d'interrogatoire de police avec une vitre à travers laquelle le personnel veillait à ce que le médecin ne risque rien. Je suis resté là un moment sans rien faire et j'ai fini par me rendormir la tête sur la table devant moi, les bras ballants. Un infirmier m'a réveillé aussitôt.

16

Quand le psy est entré, il m'a invité à m'asseoir. Je lui ai répondu que j'étais assis et il a souri.

— On ne sera pas toujours dans cette salle. C'est juste pour voir si tu te comportes bien, ce dont je ne doute pas.

Je l'ai senti tout de suite bienveillant. Bienveillant, c'est le mot. Il m'a regardé longuement en essayant de déjouer le reflet de mes grosses lunettes pour voir mes yeux.

— Il t'est arrivé une chose terrible. On va essayer de réparer ça pour que tu sortes un jour d'ici. C'est ce que tu souhaites ?

Mon cerveau tournait au ralenti.

— Qu'est-ce que je dois souhaiter ?

Il a encore souri.

— Sortir d'ici. Tu en as envie ?

J'ai hésité.

— Je ne sais pas trop pour le moment.

— Est-ce que tu as envie de retourner à la vie des jeunes de ton âge, à une vie normale ?

J'ai repris mes esprits.

— Ça se voit que vous ne savez pas comment vivent ces types soi-disant normaux. Je veux bien sortir d'ici. Mais pas pour devenir aussi cons qu'eux.

— J'ai vu dans ton dossier que tu es quelqu'un de supérieurement intelligent, Al. Pour être honnête avec toi, je n'ai jamais été confronté à quelqu'un d'aussi intelligent.

Et il a ajouté :

— Je suis impressionné. Je vais essayer d'être à la hauteur. Tu sais, je suis heureux de m'occuper de toi. Mais ton intelligence ne vaudra jamais rien si elle ne s'accompagne pas de souplesse. Ton intelligence hors norme est mal dirigée pour le moment. Tu sortiras d'ici le jour où une commission considérera que tu n'es plus un danger, ni pour la société ni pour toi, et que ta souplesse d'esprit fait de toi quelqu'un d'adaptable.

— Mais je ne suis pas un danger pour la société. J'ai buté ma grand-mère parce qu'elle m'étouffait et que je la jugeais responsable de ce qu'est mon père, quant à mon grand-père...

— Je sais tout cela. Tu es en train de me dire que tu es parfaitement responsable de tes actes. Je ne veux pas l'entendre. Surtout après m'avoir dit que tu n'es pas certain d'avoir envie de sortir d'ici. C'est ce type de contradiction que nous devons gérer toi et moi. On va se voir tous les matins. L'après-midi tu vas faire un vrai travail avec d'autres détenus. Dans quelques semaines, si je juge que c'est possible, on te fera reprendre tes études. Dis-moi ce que tu aimes faire dans la vie, tes hobbies.

C'est pas le genre de question qui amène une réponse immédiate pour quelqu'un comme moi. Il a senti mon hésitation.

— La moto. J'aime prendre le vent dans le nez

et rouler. Ça, c'est quand je me sens bien. Sinon, j'aimais tirer au fusil. Maintenant, je crois que ça va passer de mode.

— Je le crois aussi. Quoi d'autre ?

— Rien d'autre.

— Tu ne vois rien qui t'intéresse ?

— Comment vous expliquer ? Chaque fois que quelque chose m'intéresse, je m'en lasse parce que des mauvaises pensées viennent polluer mon intérêt. Des pensées qui prennent le dessus sur n'importe quel sujet et ça m'empêche d'aller plus loin.

— Je vois, on aura le temps d'en reparler. Donc tu ne parviens pas à lire un livre jusqu'au bout, c'est ça ?

— C'est ça.

— Alors je te propose un marché. Tu vas prendre un livre à la bibliothèque et tu vas te forcer à lire tous les jours, sans penser à autre chose. Dix, vingt pages, ce que tu peux. Tu vas essayer de repousser au maximum ces pensées. Tu sortiras d'ici le jour où les médecins seront convaincus que c'est toi qui décides à quoi tu penses. Compris ?

— Compris.

La question me brûlait la langue :

— Dites-moi, c'est quoi un schizophrène paranoïde ?

Il m'a regardé longuement en se grattant le menton.

— Pourquoi tu me demandes ça ?

— C'est ce qu'a dit l'expert au tribunal, ma maladie quoi...

— Ah oui, je vois. T'occupe pas de ça. C'est du jargon de psychiatre. Personne ne sait très bien ce qu'est un schizophrène. Pour faire court, c'est tout ce qui n'est pas normal, quelques maladies bien identifiées mises à part. Mais la plupart des gens qui tuent sont normaux. Peut-être es-tu normal après tout, Al?

— Si vous me trouvez normal, vous allez m'envoyer en prison?

Il a bien vu que ce n'était pas ma crainte.

— Oh non, mon garçon. Tu ne saisis pas toutes les finesses du système. Si tu avais été reconnu comme quelqu'un de normal au moment des faits, tu serais en prison à vie. Mais si tu redeviens normal ici, c'est que tu auras guéri de quelque chose. Si je peux te donner un conseil, tiens-toi à l'écart des autres. Essaie de ne pas te lier avec eux. Ils ont beaucoup à te prendre et peu à te donner.

Il s'est levé, m'a donné une tape amicale sur l'épaule.

— On se voit demain. Dans mon bureau cette fois.

Pardon, je n'ai pas pensé à vous le décrire. C'est bien moi, l'apparence physique des gens n'a pas beaucoup d'importance. Le plus souvent, quand je les regarde, je ne les vois pas. Mais j'imagine la manière dont ils me perçoivent. Leitner avait les yeux très bleus derrière des lunettes carrées à montures noires. Pas un bleu qui se délave avec les années. Il avait l'âge d'avoir eu vingt ans au moment du débarquement en Normandie. Il n'avait rien du psychiatre qui traîne derrière lui toute la misère des déviations humaines. Ni du type qui s'occupe des fêlés pour se convaincre qu'il va mieux qu'eux. Plutôt un optimiste. Il devait savoir faire la part des choses. En dehors de l'hôpital, il devait vivre normalement. Il avait une tête à aimer les cabriolets et à rouler des heures sur la côtière mais je ne savais pas s'il avait les moyens de se payer une voiture qui sort de l'ordinaire. J'ai du mal à définir ce que j'ai ressenti après cette première rencontre. En général je ne ressens rien. Il m'arrive de ne pas aimer quelqu'un au sens où je ressens une menace instinctive. Je méprise beaucoup aussi, parce que je ne suis pas avare de ce côté-là, j'ai vu tellement de gens pitoyables par leur manque flagrant d'intelligence. Bref, le docteur Leitner n'avait pas l'air de me vouloir du mal.

J'ai filé à la bibliothèque, qui était comme tous les autres bâtiments, longue, étroite et haute. Je me demande ce que l'architecte qui avait dessiné cet hôpital pouvait bien avoir dans la tête. En deux secondes, j'ai compris que le bibliothécaire était là depuis longtemps et pour toujours. Ça m'a foutu les jetons de réaliser que la psychiatrie n'est pas une science exacte et qu'on ne guérit pas à tous les coups. Je me suis vu dans cinquante ans avec cette mine blafarde, les cheveux en bosquets, des valises sous les yeux, et j'ai prié pour que Leitner soit compétent. L'infirmier qui m'accompagnait l'a salué par son nom mais l'autre n'a pas répondu. Il classait des livres qu'il sortait d'un carton en deux piles qui correspondaient visiblement à deux pastilles différentes, l'une jaune, l'autre rouge. Un livre semblait lui poser un problème, il ne savait pas de quel côté le mettre. Quand il a fini par me demander ce que je voulais, il a longuement regardé mon uniforme qui disait que j'étais un criminel. Il a remonté ses lunettes sur son nez et il est parti dans une allée. Il est revenu avec un exemplaire de *Crime et châti-*

ment et l'a posé devant moi comme le ferait un épicier d'un article bon marché.

Pourquoi les gens écrivent-ils? Souvent parce qu'une sourde vanité les rend fiers de leurs malheurs et qu'ils veulent les partager avec le reste de l'humanité parce que, au fond, ils sont trop lourds pour eux. Je crois aussi que beaucoup de gens écrivent parce qu'ils ne trouvent aucun réconfort auprès de leur famille. C'est même pire, c'est souvent leur famille qui est à l'origine de leurs déboires. Avoir des lecteurs leur donne le sentiment d'être moins seuls sans l'inconvénient d'une promiscuité assommante avec des gens bien intentionnés. Souvent aussi, ils écrivent pour laisser une trace de leur pauvre petite vie. Mais pourquoi eux plutôt qu'un autre. Alors le livre, publié on ne sait pourquoi, passe de l'éditeur aux poubelles de l'ennui. Moi je sais pourquoi j'écris. Je veux juste recoller au train de l'humanité.

Dostoïevski c'est autre chose. Je me suis plongé dedans, allongé sur ce lit maigre dont je débordais des deux côtés. J'ai tenu une vingtaine de pages avant que les mauvaises pensées ne me submergent. Je me laisse alors porter des heures et je ne vois plus le temps passer. Il arrive qu'elles se terminent sur un orgasme violent. Il arrive aussi que je m'endorme avant, rassuré du plaisir qu'elles auraient pu me procurer.

17

Leitner aurait pu être un des hommes du président Kennedy. Il en avait l'allure décontractée, l'assurance, les lunettes à la mode de l'époque et le regard ferme des démocrates persuadés de changer le monde. Son blouson Baracuta beige et léger lui donnait un air sport. Bref, il était comme toute cette engeance que mon père détestait par-dessus tout depuis l'affaire de la baie des Cochons. Mon père ne leur pardonnait pas d'avoir laissé crever sur une plage à Cuba ses frères des forces spéciales, sous prétexte que le beau gosse n'avait pas eu le cran d'ordonner le soutien de l'aviation lors du débarquement. Des trahisons de l'autorité supérieure comme celle-là, il n'en avait jamais vu, de mémoire de militaire. Que ce fils de riche confortablement installé dans son bureau ovale ait pu décider, cigare à la bouche, le sacrifice de l'élite de ce pays, c'était quelque chose qu'il devrait forcément payer un jour, disait mon père quand il jouait au poker avec des survivants de son régiment qui étaient restés à Helena comme lui après la démobilisation. Ses trois copains approuvaient, bien sûr, et il leur arrivait d'en re-

mettre une couche sur ce salopard et les raffine-
ments de cruauté que l'enfer lui réservait.

Dans les premiers mois de ma thérapie, Leitner
ne m'a jamais parlé de mes grands-parents. Quand
j'abordais le sujet, il prenait un air absent, comme
s'il s'agissait d'une préoccupation subalterne. Leur
mort et ses circonstances n'étaient pas sa prio-
rité. Pour notre première séance de travail, il a
établi les règles du jeu. Il s'est enquis de savoir si
je jouais aux échecs. Mon grand-père m'en avait
appris les rudiments. Je l'en avais bien mal re-
mercié en lui mettant une balle dans le dos et une
derrière la tête, mais on ne peut pas aller contre
les faits. La simple évocation de mon grand-père
à ce sujet m'a troublé. J'ai dit à Leitner que je regrettais vraiment de l'avoir tué. Il a fait une exception à la règle en me demandant si j'avais de
l'empathie pour lui. Je ne savais pas trop ce
qu'empathie voulait dire. Il m'a expliqué que cela
consistait à me mettre à sa place dans ce qu'il
avait pu subir. La question m'a surpris. Comment
je pourrais me mettre à sa place ? Comment peut-
on se mettre à la place d'un mort ? Un dixième de
seconde avant les coups de feu, c'est un vieux type
qui sort les courses de son break. Qu'est-ce qu'il
peut se dire à part : « Est-ce que je n'ai rien oublié
de la liste que m'a faite ma femme ? Sinon elle va
m'engueuler. De toute façon, elle trouvera bien
une raison de m'engueuler, juste pour marquer
son territoire. » Peut-être pense-t-il aussi au déjeuner en se faisant une joie d'ouvrir une bouteille
de bière de sa marque préférée, ou encore il se
réjouit du jardinage qu'il projette pour l'après-
midi. Ou, autre possibilité, il se fait un peu de
souci pour moi, il se dit que mon père ne leur a

pas fait un cadeau, ou alors il reconnaît que ma grand-mère est vraiment trop pénible avec moi, qu'il devrait lui dire, mais qu'il n'en a pas le courage et qu'après tout c'est pas ses oignons, ses oignons à lui étant que la vieille avec qui il vit depuis cinquante ans n'ait pas de raison de s'agiter et de lui empoisonner ce jour de retraite comme un autre. Le dixième de seconde qui suit cette belle réflexion, il n'est plus rien. Mort. Alors j'ai demandé à Leitner, où était la place pour l'empathie? On ne peut avoir d'empathie que pour quelqu'un qui sait qu'il va mourir. Mon père disait que de voir ses copains mourir en Italie lui avait fait moins de peine que de les voir se voir mourir. « Je te jure, Al, leurs yeux appelaient leur mère. On aurait dit des enfants désemparés. » Mais pour le vieux, mon grand-père, il n'y a eu aucun temps entre sa dernière pensée et la mort. Je l'ai convaincu, il n'a pas poursuivi. Leitner a juste étalé le jeu d'échecs devant nous sur un tabouret. J'ai profité de ce petit temps pour lui demander ce qu'il faisait de ses fins de semaine. Je l'ai senti hésitant sur le fait de répondre à un patient sur un sujet personnel. Mais ses réticences n'ont pas tenu longtemps. « Je viens de m'acheter une Harley de 1957 et je fais la route numéro un avec. » Je n'en revenais pas. Il a compris qu'il avait marqué un point.

— Quel modèle?

— La XL Sportster.

— Quelle couleur?

— Bicolore crème et or mat.

— Le premier moteur à soupape en tête de 900 cm^3. Transmission intégrée au carter.

Il a dû me sentir légèrement exalté.

— Tu as l'air passionné.

J'ai bien réfléchi à sa proposition et j'ai corrigé :

— Intéressé. Je suis intéressé. Mais passionné, non. Passionné, j'imagine que c'est quand un sujet vous porte. Aucun sujet ne me porte longtemps. Je suis trop lourd, il s'essouffle. Je suis très heureux de parler de moto avec vous, là, maintenant, mais si le sujet devait s'éterniser, il finirait par me peser et je m'en détournerais. Vous voyez ?

— Je vois.

Je lui ai tout de même raconté mon périple en Indian avant mon arrestation. Je lui ai parlé aussi de celle que mon père avait ramenée du camp Harrison à Helena avant la fin de la guerre. Un monocylindre de 1934. J'ai ajouté que j'aimerais bien la récupérer un jour si je sortais de cet hôpital, sans oublier mon Indian qui devait moisir dans un entrepôt des flics. Je ne me suis pas dégonflé, je lui ai carrément demandé s'il ne pourrait pas la récupérer pour moi, vu que je ne connaissais personne qui puisse le faire. Il trouvait cela délicat, mais il m'a promis d'y penser. On est restés là un bon moment à parler de moto et de grands espaces. Je lui ai avoué que les deux me manquaient, mais ce qui me faisait le plus de mal, jusqu'à en pleurer parfois, c'était de penser que j'étais mieux là, enfermé. Je lui ai raconté que ma mère, quand j'avais onze ou douze ans, m'avait forcé à travailler comme assistant du maréchal-ferrant d'un ranch à 20 miles d'Helena. Les pieds d'un cheval sont comme les mains d'une femme, ils en disent long sur son propriétaire. Il en connaissait un rayon lui aussi, vu que son grand-père avait élevé des quarter horses dans le nord de la Californie, pas très loin de Mount Shasta, là où justement j'avais échangé le break de mon grand-père contre la magnifique Indian. J'ai souligné que cela nous faisait pas mal de points communs. Bien sûr ce qui nous séparait c'est que j'avais tué mes grands-parents et pas lui, que j'étais malade et pas lui. Ce que je n'ai pas mentionné évidemment, cela me paraissait un peu obscène, c'est que lui, je le savais à l'alliance qui brillait à son annulaire, devait avoir une femme à la maison et peut-être même des enfants. Alors que moi, même si j'avais à peine un peu plus de quinze ans, quelque chose me disait au fond de moi que c'était râpé pour toujours. Cette impossibilité, je la voyais se dresser devant moi comme un ours kodiak dans une forêt d'Alaska. Cela ne m'attristait pas d'ailleurs. Pas plus qu'un homosexuel qui réalise qu'il ne verra jamais un vagin de sa vie, c'est comme ça, pourquoi le regretter ?

On a commencé à jouer aux échecs et il m'a expliqué les règles du jeu. Pas celles des échecs. Il a précisé qu'il était recommandé de parler entre les coups et de prendre tout le temps que je voulais pour les exécuter. Une partie pouvait durer une heure comme une semaine cela n'avait aucune importance à ses yeux. Dans cet intervalle, je devais lui raconter ma vie, toute ma vie. De temps en temps, à son choix, il déciderait de m'interrompre pour me raconter une histoire qui avait un rapport avec mon problème. Et puis, comme gage de sa bonne volonté dans cette aventure que nous allions partager des mois durant, il me donna son accord pour essayer de récupérer mon Indian auprès de la police de l'État de l'Oregon, si toutefois mon père ne s'en était pas occupé avant lui. Pour en finir sur le sujet, il m'a annoncé deux mois plus tard, un peu dépité, que l'Indian avait été vendue par la justice pour couvrir certains frais liés à mon affaire.

18

« Imagine que tu es romancier, comment voudrais-tu raconter ton histoire ? » Je n'avais jamais lu un roman jusqu'au bout pour la raison que vous connaissez. Mais j'en ai quand même commencé un bon nombre, souvent plus par curiosité qu'autre chose et, je peux l'avouer, pour me convaincre que beaucoup de livres ne valaient pas l'effort d'aller plus loin. J'ai remarqué que le romancier américain démarre souvent par la genèse de sa famille. Comme si on ne pouvait pas parler d'un arbre sans évoquer ses racines. J'ai demandé à Leitner si je devais suivre un ordre chronologique et il a été catégorique : « Aucune obligation d'aucun ordre. » N'empêche que j'ai fait comme tout le monde. J'ai avancé un pion et c'est parti. Il avait un bloc-notes à côté de lui mais il s'en servait rarement. Je lui ai dit qu'enfant j'avais eu longuement le temps de méditer sur la vie et sur la mort pour des raisons dont je lui parlerai plus tard. Je sais que les gens opposent violemment les deux et on peut les comprendre. Déjà gosse, j'étais fasciné par le prix que les adultes accordaient à la vie et par la peur qu'ils avaient de la mort. Même les plus croyants. Je me suis souvenu d'une voisine. C'était une grosse bonne femme handicapée par son poids, que ses enfants transportaient parfois dans une brouette. Elle était dévote. Un pasteur évangéliste lui rendait souvent visite. Elle avait vraiment ce qu'on appelle une pauvre vie, sans argent, sans mari, ses déplacements réduits, trois jeunes enfants dont une fille autiste et plus même le droit de respirer en silence car elle soufflait comme un bœuf. Il arrivait aux enfants de la poser dans le jardin aux premiers beaux jours du printemps. Elle y restait deux ou trois heures sans rien faire. Nous, de l'autre côté de la clôture, on évitait de se trouver dans son champ de vision car elle vous alpaguait pour vous infliger des monologues sans fin. Il m'est arrivé de me faire choper par hasard. Elle m'a tenu la jambe une bonne heure. Se préoccuper des autres était au-dessus de ses forces, mais la contemplation du désastre de sa vie était un sujet inépuisable. Elle m'a parlé de sa peur de la mort. Elle a dû croire, parce que j'avais dans les onze ans, que je ne comprendrais rien à ce qu'elle dirait. « J'ai peur du néant, Al, tout ce que je vis ici-bas vaut mieux que le néant. Il n'y a rien après la mort, les mouches bouffent en quelques jours cette âme qui est censée nous distinguer du reste de l'univers. » Pendant qu'elle parlait, une grosse mouche noire venait se goinfrer de sa peau grasse et moite. Cette mouche qui s'acharnait sur cette femme horrible, c'était l'image d'un combat perdu d'avance. Elle la chassait d'un geste rendu lent par les replis de ses bras. Cette peur de la mort qui approchait, inexorable, lui gâchait la vie à un point que j'étais le seul à comprendre dans son entourage. J'ai pensé la tuer, pour la soulager, puis je me suis dit que c'était pas mes oignons et que de toute façon personne ne percevrait la générosité de mon acte. J'en étais là de mon développement quand j'ai senti une terrible lassitude. Leitner s'en est étonné.

— Je n'irai pas jusqu'à dire que j'ai envié cette femme d'avoir peur de la mort, sentiment que je n'avais jamais éprouvé, mais j'ai senti qu'il y avait là une source de jouissance potentielle. Sans plus.

J'avais repris comme si de rien n'était. Puis j'en suis venu sans transition à la taille des pieds de mon père.

— Mon père ressemble à John Wayne. Il est beaucoup plus grand que Wayne, mais de visage on dirait deux frères. On y lit que ce sont de braves types courageux. Ils ont surtout la même démarche. Je me suis longtemps demandé pourquoi avant de découvrir qu'ils ont tous deux de petits pieds pour leur taille. Moi par exemple, je fais du 49 pour 2,20 mètres. Mon père pour presque 2,10 mètres faisait du 42, vous imaginez du 42 ? Autant marcher sur des moignons.

Je voyais que Leitner se réjouissait de ma volubilité. Un patient qui parle sans qu'on le lui demande c'est certainement mieux que le contraire.

— Mon père a tué plus de types que moi. Une bonne trentaine, et c'est loin d'être un vantard.

— Mais la cause était bonne, a rétorqué Leitner. Pour reprendre une formule, l'État a le monopole de la violence légitime. Moi aussi j'ai tué, Al, en 1944 en Normandie.

Il n'en avait pas l'air fier non plus.

— Vous pensez que, dans deux ans, je pourrais m'engager au Vietnam ?

— Pour quoi faire ?

— Peut-être que tuer avec la bénédiction de mon pays pourrait me réhabiliter. C'est comme cela qu'a commencé l'histoire de mon père. Il avait volé une moto près de Los Angeles et il a insulté les flics venus l'arrêter. Ils se sont rendu compte qu'il était une sorte de déserteur pour avoir quitté son travail dans une entreprise qui produisait des avions de guerre. Il travaillait comme électricien chez McDonnell. Il montait des systèmes électriques sur des B-25. Le virus de la route l'avait touché et il s'était offert une petite pause. Comme il n'avait pas les moyens de se payer une Harley, il en avait volé une et il était monté le long de la route 101 jusque vers Olympia. Il n'avait pas l'intention de passer la frontière. Avec une présomption de désertion, ils lui en ont collé pour trois ans. Quelques semaines après son incarcération, il s'est vu proposer d'intégrer une brigade des forces spéciales qui rassemblait des types comme lui. Il a quitté la prison de Los Angeles pour rejoindre Helena dans un train encadré par la police militaire. Mon père disait qu'à son arrivée il a pris Fort Harrison pour un décor de film. Des cabanes en planches s'alignaient sur un vaste terrain plat entouré de montagnes menaçantes. La plupart des hommes stationnés là avaient eu maille à partir avec la justice, mais on s'apercevait qu'aucun de ces types n'avait commis de meurtre ou de délit grave. Leur profil de petits délinquants bagarreurs les rendait plutôt sympathiques. Mon père en imposait par sa taille, pourtant je l'ai entendu parler de sa peur viscérale de la violence physique. Une telle peur qu'il s'était juré de la vaincre, convaincu qu'on ne pouvait pas vivre décemment avec la trouille au ventre. La bande de soudards a fini par se plier à l'entraînement qui devait faire d'elle une troupe d'élite, un des commandos les plus affûtés de l'armée des États-Unis. Un hiver à escalader les Rocheuses, à descendre à ski au milieu des arbres, à apprendre à piloter des avions légers et à se servir de toutes les armes de la Création les a rendus prêts pour le service. Mon père ne m'en a jamais raconté plus. Je sais qu'il a été envoyé en Italie. Trop de morts parmi ses copains avaient découragé sa tentation de faire parade de son expérience. Mais pour moi, c'était un héros, cela ne faisait aucun doute.

Je n'ai jamais vraiment aimé le Montana. Les hivers y sont plus froids qu'une tombe et les étés accablants de chaleur.

J'en étais là de mon récit quand j'ai réalisé que j'allais mettre Leitner échec et mat.

19

Ma mère est née dans une ferme dans le Montana où elle a grandi avec ses trois sœurs. Je n'ai pas connu mes grands-parents maternels, ils sont morts dans un accident à la fin de la guerre. Le grand-père était d'origine allemande, du côté de la Bavière. C'était son grand-père à lui qui avait quitté l'Allemagne pour le Montana. Mes grands-parents sont morts de l'ivresse de mon grand-père qui avait descendu ce jour-là quelque chose comme cinq litres de bière. Ils ont quitté la route dans une épingle à cheveux et la voiture a fait une bonne vingtaine de tonneaux avant de s'immobiliser. Cela s'est passé quelques semaines après la rencontre de mes parents un samedi soir dans un bar d'Helena. Il y était avec trois de ses copains, dont deux ont survécu à leur guerre. Ils avaient bien éclusé et mon père s'est senti attiré par cette grande femme, elle fait près de 1,90 mètre, disqualifiée auprès des hommes normaux à cause de sa taille. Je pense que ma mère s'est précipitée sur mon père parce que la chance de croiser un type plus grand qu'elle de 20 centimètres, qui lui donnerait un air de petite chose quand il la tiendrait par le cou, risquait de ne pas se représenter de sitôt. Mon père n'avait pas de type de femme bien précis. En restant flou, on finit par se retrouver au plumard avec une femme qui est la copie conforme de sa mère.

Leitner s'est carrément mis à rire quand je lui ai dit ça.

— D'où tu tiens cette règle ?

Je me suis creusé un moment sans trouver la réponse.

Mais c'est la vérité. Grandes toutes les deux, autoritaires et méprisantes avec les hommes une fois qu'elles les ont ferrés. J'ai vu faire ma mère avec son nouveau type. Après le départ de mon père, j'ai cru qu'elle allait devenir folle à l'idée de sa solitude. Elle a rencontré un employé de banque. Il faut voir comment elle lui parlait les premiers temps. J'entendais forcément leur conversation depuis ma chambre du sous-sol. Elle lui disait plein de mots gentils, et ensuite elle lui faisait un strip-tease, puis lui disait de la prendre comme une chienne. Ensuite je ne sais pas s'il la prenait comme une chienne ou pas, tout ce que je sais c'est qu'au-dessus de ma tête il y avait un tremblement comme un train qui passe sur un pont de bois. Une fois que le type avait mordu à l'hameçon, elle n'était plus la même femme.

J'ai été étonné d'apprendre que ma mère avait été soulagée par la mort de ses parents. Elle l'avait avoué lors d'une de ses nombreuses disputes avec mon père qu'elle amorçait aussitôt la porte de leur chambre refermée sur eux. Vexée de ne pas avoir réussi à faire réagir mon père, elle lui a parlé du sien qui pratiquait des attouchements sur ses filles. Seul dans sa ferme du Montana avec cinq fendues, le vieux avait dû perdre les pédales. Ma mère ne s'était jamais laissé faire, mais la cadette avait dû tout supporter. Y compris de se faire sodomiser, avait insisté ma mère. Je ne savais pas ce que ça signifiait à l'époque et il a suffi que j'entende mon père lui dire : « Tais-toi, le petit va t'entendre », pour que je saute sur le dictionnaire. Le dico en avait une définition assez alambiquée comme s'il était gêné de devoir définir ce mot, mais j'ai bien compris qu'il s'agissait d'une forme de pénétration un peu... animale et...

— Je ne crois pas que cette forme de pénétration soit répandue dans le monde animal, Al, c'est assez spécifique à notre espèce et à son exercice du pouvoir.

Il a bien eu l'impression furtive qu'il avait été un peu loin dans son explication à un gamin de seize ans, mais j'ai vu immédiatement qu'elle était effacée par la certitude qu'il pouvait me parler en adulte.

Là où je venais de placer ma reine, Leitner n'avait qu'une solution : roquer. Mais à trois coups de là, je savais qu'il était cuit.

Avec mon père, ma mère avait épousé un héros qui l'avait mise enceinte de ma sœur aînée. Elle s'est retrouvée à vivre avec un petit électricien dans une boîte de construction quelconque qui passait ses loisirs à chasser et à jouer aux cartes avec ses copains. Il jouait au poker fermé, toujours avec les mêmes. Bruce Gaberty et Andrew Stamp, deux anciens des forces spéciales qui, comme lui, ne remuaient jamais aucun souvenir. Mon père avait besoin de les sentir près de lui, silencieux. Ils parlaient de plein d'autres choses, mais de la guerre jamais. Quand Jo Benford, le quatrième, abordait le sujet avec la volubilité des types qui ont fait trois ans planqués dans un mess d'état-major, il se heurtait à une conspiration du silence. Ils jouaient tous les samedis soir dans la cave à côté de ma chambre. En général, ils plaisantaient beaucoup mais quand d'un seul coup tout s'arrêtait, c'était que Benford avait lancé le sujet de la guerre. La cave était le seul endroit autorisé pour les jeux de cartes par ma mère. La maison lui appartenait. Elle l'avait achetée avec sa part de la vente du ranch de mes grands-parents après leur mort accidentelle. Au moins deux ou trois fois par jour, elle faisait savoir qu'elle était chez elle et c'était un peu humiliant pour mon père. Elle ne passait jamais non plus une journée sans lui rappeler à quel point elle le décevait. Elle voulait quitter le Montana, que mon père retourne dans l'industrie aéronautique, franchisse les échelons un à un pour qu'ils puissent avoir une vraie vie sociale dans une belle maison de la côte Ouest. Mon père répondait qu'il n'était pas mûr pour quitter le Montana, qu'il avait besoin de ses grandes étendues sauvages pour survivre. « Pour survivre à quoi, espèce de connard ? » Et comme il ne répondait pas, elle en rajoutait : « Si j'avais su que j'épouserais une espèce de fillette perdue dans le souvenir de la disparition de ses copains, eh bien je ne t'aurais jamais approché, j'aurais croisé au large, je ne t'aurais pas fait trois enfants, je ne t'aurais pas sacrifié mon ascension sociale. » Mon père ne réagissait jamais aux insultes. Je ne le sentais fébrile que quand ma mère s'approchait de lui avec des intentions violentes qui le laissaient complètement désemparé. Dans ces moments-là, il re-

gardait ses pieds, rien que ses pieds. Et moi je cre-
vais d'envie de lui dire « lève la tête, Papa, lève la
tête, nom de Dieu ». Mais il restait sans bouger
comme un petit garçon qui attend que sa mère se
calme. Elle n'a jamais osé le frapper. Elle en était
capable mais elle n'avait aucune idée de ce qu'il
aurait pu faire, poussé à bout. S'il est parti un
matin sans prévenir, c'était pour s'empêcher de la
tuer. Il avait tenu vingt ans sans lever la main sur
elle. Il avait préféré éviter. Je suis encore plus
convaincu qu'il aurait tué ma mère si elle avait
levé la main sur lui devant moi. Devant mes sœurs,
elle aurait encore eu une chance de s'en sortir,
parce que mon père n'était pas dupe, mes sœurs
n'étaient que deux grosses dindes. Alors que moi,
j'étais tout ce qu'il aimait même s'il peinait à me le
montrer. Je ressentais souvent chez lui comme
une honte de ne pas être un père admirable. Il
n'allait pas bien, c'est une certitude, il n'allait vraiment pas bien. Difficile de dire ce qui le tracassait.
Il donnait l'impression de cohabiter avec des fantômes qui ne lui laissaient que très peu de répit.

Je sentais que Leitner jubilait et qu'il avait
envie de me freiner, que tout allait trop vite, qu'à
tout déballer dans l'empressement on allait briser
les objets les plus fragiles. Pour lui donner une
porte de sortie, je l'ai mis échec et mat. Il n'en revenait pas. C'était certainement la première fois
qu'un gosse de bientôt seize ans lui faisait un
coup pareil. Une blouse orange venait de dérouiller une blouse blanche. Au lieu d'en prendre om-
brage, j'ai bien vu qu'il s'en délectait. Ce type avait
un profond respect pour l'intelligence même si on
pouvait considérer que dans mon cas elle était légèrement dévoyée. Et puis il devait en avoir par-

dessus la tête de tous ces énormes mutiques auxquels il devait faire face tous les jours. Il a enlevé ses lunettes et les a posées à côté de lui avant de les frotter longuement.

Je me souviens de cet instant avec précision et il s'est gravé dans ma mémoire comme un des rares moments de vraie jubilation, d'enthousiasme et d'espoir qu'il m'ait été donné de vivre.

La séance s'achevait mais Leitner voulait savoir comment s'était passée ma lecture.

— Tu as choisi quel livre ?

— Dostoï...

— *Crime et châtiment*. Je sais, c'est le livre que le bibliothécaire adore fourguer aux nouveaux arrivants de ta section. Tu es arrivé à te concentrer ?

— Je crois.

— Et les mauvaises pensées ?

— Elles ont attendu.

— Tu peux dire quelque chose de ta lecture à ce stade ?

— Une ou deux phrases. « En ce temps-là, il ne croyait pas encore à la réalité de ses rêveries, et se laissait seulement émoustiller par leur audace abjecte et séduisante. » Et un peu plus loin : « Il s'était presque malgré lui habitué à considérer "le rêve abject" comme une entreprise à réaliser... ». C'est bien exprimé, non ?

Leitner a noté et m'a payé d'un sourire en regardant sa montre. On avait largement dépassé le temps qu'il avait prévu pour cet entretien.

— Le passage sur l'alcoolique dans la taverne aussi. Mes parents boivent tous les deux, mais pas au point de se transformer, de sombrer ou quelque chose comme ça. Disons que quand ils boivent ils sont tout juste un peu plus eux-mêmes.

20

Au déjeuner, dans un premier temps, personne n'est venu s'asseoir à côté de moi, comme si les autres internés cherchaient à créer une distance de sécurité. Stafford, qui me reluquait depuis un moment, a longuement hésité. Il a fini par se lever et il est venu se poser. Il essayait de se donner de l'allure en tenant sa tête haute. Il avait entre quarante et soixante ans. Ce qui plaidait plutôt pour soixante, c'était son cou de poulet avec la peau fripée qui tombait en guirlande. À l'évidence il voulait se lier avec moi, et c'est le genre d'intention que je considère a priori comme une agression. Je me suis contenté de rester droit dans ma chaise et de regarder devant moi. Il a fini par me tirer la manche de mon uniforme.

— Tu ne veux pas parler, fiston ?

J'ai pris le temps d'engouffrer une grosse cuillère de purée et de l'avaler tranquillement. Puis je l'ai regardé de haut :

— Parler, c'est la chose la plus facile au monde. Tout le monde parle, bavarde, on a l'impression que ça n'en finira jamais.

Il a opiné. Mais pas une fois : dix fois, vingt

fois. Et puis il m'a demandé à voix basse qu'est-ce qui m'avait amené là comme si c'était un secret d'État. Quand je lui ai dit que j'avais dessoudé mes grands-parents, il a semblé dubitatif et même déçu. Il s'attendait à mieux.

— Quel âge tu me donnes ?

J'ai hésité à répondre et, voyant tous les efforts qu'il faisait pour sympathiser, j'ai dit dans les cinquante.

Il s'est mis à rire comme un possédé.

— Je suis né un an avant que ne débute ce siècle.

Le calcul était vite fait.

Je me suis souvenu de la recommandation de Leitner. Aucun des types de cette section n'était vraiment dangereux pour moi, mais je n'avais rien à gagner à me lier avec ces pervers. Je n'avais rien à voir avec les violeurs, des aliénés qui ne faisaient pas la différence entre une femme, un homme, un enfant ou une chèvre pourvu qu'ils prennent leur pied. À l'idée qu'on m'ait confondu avec cette engeance, une sourde colère est montée en moi. Ils ne s'y seraient pas pris autrement s'ils avaient voulu me faire culpabiliser.

Je suis retourné dans ma chambre. Il était prévu qu'à cette heure-là je participe à une psychothérapie de groupe mais on ne savait pas encore dans quel groupe m'intégrer. Je suis resté à lire allongé sur mon lit une bonne heure et demie. Je m'y suis installé à l'envers, face à la lucarne qui ouvrait sur le ciel. C'était tous les jours le même bleu brossé au blanc de nuages d'altitude. L'intimité avec mon livre prenait lentement. Je m'en suis méfié un peu avant de me laisser aller.

Un surveillant est venu interrompre ma lecture

pour me conduire à la lingerie. Elle était à l'autre bout de l'hôpital, il fallait pour s'y rendre suivre un mile de couloirs jaune pisse, qui est aux murs d'hôpitaux ce que le rouge est au sang. Je savais que je jouais gros dans cette lingerie. C'est là que serait jugée mon aptitude au travail et donc à la réinsertion. Je m'étais mis dans de sales draps, maintenant on me demandait de les laver, tout cela paraissait logique.

Deux mille draps transitaient par la lingerie chaque semaine ainsi qu'un bon millier d'uniformes de tailles différentes, sans parler des sous-vêtements. L'organisation était démesurée. Des internés étaient préposés à collecter le linge sale, d'autres à l'enfourner dans de grosses machines à laver industrielles, d'autres au séchage, au pliage et à la redistribution. C'était, avec les cuisines, l'activité qui demandait le plus de main-d'œuvre. Deux ou trois patients avaient intégré l'encadrement de l'activité mais on sentait qu'ils servaient de caution à tous les autres cadres qui venaient de la surveillance de l'établissement. Après tout, à part moi, et je le dis en toute sincérité, tous les hommes internés dans cet établissement étaient de grands malades mentaux. On pouvait comprendre que, s'agissant de tâches aussi sérieuses, on ne les ait pas confiées à des patients. J'avais bien l'intention que cela change. Du moins jusqu'à mon entrée dans la lingerie, où j'ai cru que j'allais tourner de l'œil. L'odeur de lessive mélangée à une humidité de bain maure m'a rappelé la buanderie de la maison du Montana. Je me suis senti tellement mal que j'ai failli faire demi-tour. Ma détermination à prouver que je n'appartenais pas à cette communauté de dingues m'en a dissuadé. La seule façon qu'il me restait de montrer que ma raison avait commandé ces deux crimes, c'était d'agir à tout propos comme l'homme normal que j'étais. À ce moment précis, j'aurais volontiers échangé vingt ans de prison contre la reconnaissance de ma responsabilité.

J'avais buté la vieille à cause de sa voix de crécelle rouillée qui se mettait en branle chaque fois que je m'éloignais un peu de la maison au-delà d'un périmètre qu'elle avait arbitrairement fixé, lequel correspondait à la partie des terres qu'elle avait complètement domestiquée, taupes et lapins mis à part. Le pire, c'est que je n'avais même pas envie de m'éloigner de cette putain de maison. Ça m'oppressait. Mais qu'elle vienne m'interdire quelque chose que je ne parvenais pas à m'autoriser moi-même, ça méritait une solution radicale. Je dois avouer que quand j'ai tiré, je n'ai pas pensé à tout ça. Vraiment pas. Je ne sais pas si j'ai un QI supérieur à Einstein mais je dois reconnaître que je n'ai pas passé beaucoup de temps à réfléchir dans la première partie de mon existence, j'étais trop pris à lutter contre des pensées que je n'avais pas initiées. L'addition de cette réflexion aux effluves lessivés de la lingerie m'a plongé dans une colère sourde. Dans ces moments-là, je pouvais tuer quelqu'un mais je ne voyais pas qui, alors ma colère s'est apaisée en quelques secondes. Le surveillant qui m'avait conduit là m'a présenté à un cadre qui a pris son temps pour m'expliquer mon emploi. Les petits boulots que j'avais faits à l'adolescence me sont revenus à l'esprit. Les gens qui m'employaient étaient toujours surpris de la vitesse à laquelle j'assimilais les tâches. J'avais assisté un maréchal-ferrant dans un ranch, j'avais été préposé au marquage du bétail et j'avais vendu des journaux dans une rue passante d'Helena, en plein hiver. Il faisait tellement froid qu'on entendait les roches des montagnes se fendre dans un craquement sinistre. Ma mère pour m'endurcir m'avait interdit de porter des gants. Je devais avoir dans les onze ans. Je me souviens d'un vieux qui s'était détourné de sa route pour m'acheter un journal sous prétexte que, dans l'État où j'étais, les nouvelles devaient être plus fraîches qu'un poisson congelé sur sa ligne. Elle disait que l'éducation de mon père allait faire de moi une fille. Ça, c'est quand elle était à jeun. Mais quand elle avait bu, elle l'engueulait carrément en l'accusant de faire de moi un gros pédé de 100 kilos et moi je ne comprenais rien à l'incidence du poids sur mon futur statut. Mon aversion pour le Montana est certainement née de cette époque où ma mère ne faisait qu'amplifier le mal des températures. Quand il faisait froid, elle s'arrangeait pour que je gèle plus qu'un pèlerin ordinaire. Elle m'envoyait à l'école en chemise avec une veste en toile sans doublure, sans gant ni bonnet, au point que l'attente du car de ramassage scolaire était devenue un calvaire. Si quelqu'un venait à le lui reprocher, elle répondait que je n'étais jamais malade, à l'inverse des gosses trop couverts. Si la canicule s'installait, elle en profitait pour m'imposer des tâches épuisantes.

Je n'ai su ce qu'était l'homosexualité que dans cet hôpital. Quelques mois après mon arrivée, alors que j'avais déjà pris des responsabilités à la lingerie, j'ai surpris trois types qui se livraient à ce genre de rapports entre des piles de linge à l'entrepôt. J'ai eu l'impression que l'un d'eux n'était pas complètement consentant et je suis intervenu pour les séparer. Ils sont repartis chacun de leur côté sans mot ni honte. Cet épisode n'a rien éveillé en moi, ni désir, ni répulsion.

Au début j'ai été affecté au pliage des draps. On était une dizaine à bosser, deux par deux. On m'a désigné un binôme, un vieux aux yeux tristes qui souriait tout le temps. Il n'était pas très grand, sur son crâne chauve des veines bleues avaient remplacé les cheveux. Il avançait vers moi à la fin du pliage avec un petit pas de danse ridicule. Il me semblait que c'était un copain de Stafford, le type qui m'avait entrepris. Autant Stafford avait l'air à peu près normal, autant ce type était dingue. Je me suis senti mal quand il m'a raconté qu'il avait lui aussi tué ses grands-parents à mon âge, bien avant d'être arrêté pour viol de mineurs, accusation qu'il contestait parce que, selon lui, non seulement ces mineurs étaient consentants mais ils l'avaient provoqué. Les médicaments le travaillaient, on le voyait à ses yeux enfoncés et à son teint parfois plus pâle que celui d'un mort. J'ai pris les choses en main quand j'ai compris qu'il mettait trois fois plus de temps qu'il n'en fallait pour exécuter notre part de boulot. Je l'ai un peu bousculé. Il a dû songer à se rebiffer mais ma taille et ses médicaments ont eu raison de sa résistance. Les jours suivants, il s'est comporté avec moi comme un chien perdu qui vient de s'attacher un nouveau maître. J'étais assez fier de mon ascendant. Je lui dois d'avoir décidé de ne jamais prendre les cachets que l'on me distribuait chaque soir avant la coupure d'électricité.

J'ai été franc avec Leitner, je lui ai dit que je ne voulais pas ressembler à tous ces fantômes qui déambulaient dans l'hôpital. Il m'a assuré que la molécule que l'on m'administrait n'avait pas d'autre objet que de me détendre et de m'éviter des crises d'angoisse liées à la culpabilité de ce que j'avais fait.

— Je me suis senti souvent coupable, mais c'était quand je ne savais pas de quoi.

Il ne voulait pas faire de ces médicaments une affaire de principe et il m'a laissé libre de les prendre ou pas. Puis la question de la culpabilité a eu l'air de le retourner.

— Tu n'es jamais triste pour ton grand-père ?

— J'ai essayé, mais je ne trouve pas de raison de l'être. Pourquoi vous me demandez ça ?

Il a allumé une pipe que je ne lui connaissais pas et qui ne collait guère avec son visage, il a passé sa main dans ses cheveux et puis il a dit, évasif et un peu goguenard :

— Mon travail c'est de poser des questions, plein de questions. Je ne sais pas toujours pourquoi je les pose et je ne sais jamais quand la réponse va arriver. Parfois elle vient quand je ne l'attends plus. Tu vois, quand tu me parles de ton grand-père, je pense à un autre grand-père. Je ne l'ai pas connu mais je me suis intéressé à sa vie. Cet homme qui vivait dans le Middle West s'était beaucoup occupé de son petit-fils quand il était enfant. L'enfant avait été abandonné par son père, et sa mère ne le voyait pas beaucoup parce qu'elle était toujours sur les routes, elle conduisait des poids lourds. Puis elle s'est mise en ménage avec un brave homme et a repris le gosse avec elle. C'était devenu un adolescent perturbé. Un jour, sans raison apparente, il a tué sa mère et son nouveau mari. Il a ensuite été condamné

127

à mort. Puis exécuté. Son grand-père n'est pas venu à son exécution, il est mort quelques jours après, de peine. Tu penses que le gosse aurait dû tuer aussi son grand-père pour lui éviter tout ce chagrin ?

— Je pense qu'il n'y en avait qu'un à tuer, c'était ce fils de pute qui était son père et qui l'a abandonné. Et puis ça n'a rien à voir, mon grand-père ne s'est jamais occupé de moi. Pour tout dire, je ne le connaissais pas très bien. Il m'a acheté une winch 22 pour mon anniversaire, mais c'était moins pour me faire plaisir que pour m'employer à la destruction des nuisibles, car les taupes et les lapins étaient l'obsession de ma grand-mère. La ferme s'étendait sur une bonne cinquantaine d'hectares, elle était obsédée par les 2 000 mètres carrés de jardin qu'elle avait déployés autour de la maison. Si j'avais eu l'impression que mon père tenait vraiment à ses parents, j'aurais peut-être hésité à leur tirer dessus. Je suis sûr qu'il a été choqué mais maintenant il ne fait pas la différence. Je lui fais peur, je le sais. Il ne m'en veut pas, c'est certain. Il a tué lui aussi, il sait ce que c'est et il sait que parfois on ne peut pas faire autrement, sauf à mourir soi-même. Et pourquoi j'aurais échangé ma vie contre celle de la vieille ? Pourquoi ? Pour en revenir au jeune dont vous m'avez parlé, je pense qu'il faut être un drôle de taré pour se tromper de cible comme ça. Il a perdu la raison.

— Et toi, Al, est-ce que tu as le sentiment d'avoir perdu la raison à un moment ou à un autre ?

— Renvoyez-moi en prison si vous le voulez mais je n'ai jamais perdu la tête. Il faut que je vous dise, docteur Leitner, ça me ronge qu'on ne m'ait pas envoyé en prison. On s'est contenté de m'écarter d'un geste de la main en me traitant comme un pauvre gosse et un irresponsable. Ça continue, vous comprenez. Ma mère avait pour moi les yeux d'un cheval pour son propre crottin, mes sœurs me regardaient comme un obstacle entre elles et le réfrigérateur, ma grand-mère comme son souffre-douleur et mon grand-père comme le type qui allait lui causer des ennuis avec sa femme. Après avoir vécu tout cela, il y avait des raisons de culpabiliser, de se dire qu'on doit bien être un monstre pour mériter un traitement aussi unanime même si mon père cherchait à aller vers moi quand ma mère l'y autorisait. Vous voyez, j'en connais un rayon aussi sur la culpabilité. Alors quand je dis que je n'ai pas de raison de culpabiliser de mon acte, j'aimerais bien qu'on le reconnaisse.

Leitner était vraiment préoccupé quand ses yeux devenaient encore plus bleus.

— Il n'est pas question de te renvoyer en prison, Al. Mon objectif c'est de te permettre de retourner dans la société à un terme plus ou moins long, quand nous penserons que tu ne présentes plus de danger pour elle. Tant que tu seras convaincu que tu étais dans ton droit en tuant ta grand-mère et en soulageant ton grand-père de sa propre vie, tu seras aux yeux de tous un cas pathologique. On ne se connaît pas depuis longtemps, Al, il y a quelque chose en toi qui te rend attachant. Mets-toi dans la tête que la société te reconsidérera le jour où tu te sentiras coupable de ce que tu as fait, que tu auras de l'empathie pour tes grands-parents. Sans culpabilité, il n'y a pas de civilisation, Al, on redevient des animaux. Je te l'ai déjà dit, il n'y a que l'État, donc la société elle-même qui puisse justifier de tuer, dans l'intérêt de la communauté. Mais la société te tiendra toujours pour un criminel ou un malade, si tu t'autorises seul à tuer. Elle se débarrassera de toi d'une façon ou d'une autre, fais-lui confiance. La société a normalement un représentant dans le cerveau de chaque être humain qui donne les limites de ce qui est admissible. Son représentant n'a pas fait son boulot dans le tien. Tu ne fais pas la différence entre le bien et le mal, parce que certainement personne ne t'a fait assez de bien, ni ne te l'a enseigné. Du coup la frontière entre les deux est poreuse. Je vais essayer de la reconstruire, et tu vas m'aider dans ce sens. Ta raison a été altérée par l'entreprise de destruction de l'affectif qu'est ta famille. La raison et l'affectif marchent ensemble, si l'un des deux se déconnecte, les ennuis commencent. C'est ce qui t'est arrivé. Maintenant, dis-moi, tu prétends que ce qui a déclenché ton geste, c'est la voix de ta grand-mère quand tu as franchi la ligne du jardin. Pourquoi, ça t'a rappelé quelque chose ? Ou plutôt, non, on va procéder différemment, tu m'as dit que tu avais ressenti parfois un très fort sentiment de culpabilité dans ton enfance. C'était à propos de quoi ?

Je me souvenais d'angoisses diffuses, violentes. Qui me prenaient en haut des escaliers qui menaient de la cave au rez-de-chaussée de la maison, là où les autres étaient autorisés à vivre. Dès que je pénétrais dans la clarté et dans l'espace, j'avais le sentiment de ne plus être à ma place. L'espace était gigantesque autour de la maison. Il exerçait sur moi une attraction phénoménale et, dès que j'y cédais, je sentais l'angoisse fourmiller dans mes membres et je me mettais à suffoquer.

En plus de la chambre de mes parents, il y avait trois chambres au rez-de-chaussée, une pour chacune de mes sœurs et une chambre d'invité où jamais personne n'était invité. Mais elle devait rester libre. L'étage était aménagé en grenier. Il m'arrivait d'y monter en cachette.

La chambre où on m'avait collé depuis ma naissance n'était pas si petite que cela même si les yeux d'enfant ont pour les proportions une générosité excessive. Elle était même trop grande pour un enfant. Elle occupait un bon tiers de la cave. Je ne sais pas si on peut parler de chambre, vu qu'il n'y avait aucune séparation avec la chaudière. Une grosse chaudière au pétrole qui marchait sans répit, car quand elle ne chauffait plus la maison, elle continuait à chauffer l'eau. Elle se déclenchait toutes les heures pour un bon quart d'heure. De son foyer ouvert, je la voyais cracher les feux de l'enfer. Alors qu'au catéchisme on nous enseignait que Dieu déciderait au terme de nos vies de nous conduire au paradis ou en enfer, je pensais que tout était déjà joué pour moi. Je m'en étais ouvert au prêtre qui veillait sur la petite communauté catholique d'Helena. C'était un grand type plutôt bon, pour ce que je pouvais juger de la bonté. Il a rendu visite à ma mère un jour où elle ne s'y attendait pas. Elle l'a très mal pris car elle n'aimait pas les surprises. Elle a d'abord été cinglante sous prétexte que même un envoyé de Dieu doit s'annoncer. Le prêtre ne s'est laissé intimider ni par la taille de ma mère ni par sa voix grave entamée par l'alcool et le tabac. Ma mère pensait qu'il venait se plaindre de ma conduite au catéchisme, alors elle ne l'a pas laissé parler avant de lui avoir dit que j'étais un enfant qui portait le mal en lui. Le prêtre lui a répondu qu'il en doutait puis il s'est lancé sur l'objet de sa visite. Elle l'a regardé longuement en silence, le temps de se transformer en femme compréhensive et ouverte. Elle lui a expliqué ensuite que la proximité de cette chaudière devait me rappeler où je finirai si je n'étais pas meilleur. Avant qu'il ne lui demande de visiter les lieux, elle s'est excusée de ne pas pouvoir lui montrer la chambre que je maintenais selon elle dans un désordre indescriptible. Puis elle s'est levée pour le congédier sans lui avoir proposé une tasse de café. Après son départ je suis parti me cacher pour ne pas subir ses foudres. Mais quand l'heure du dîner est arrivée, elle avait bien d'autres reproches à faire à mon père qui ont occulté ceux qu'elle me destinait. Le jour suivant je l'ai punie. Ma mère aimait les chats. Je crois que c'est tout ce que je l'ai vu aimer. Elle en était fière parce qu'ils gagnaient des concours de beauté. Pour mes sœurs, qui n'étaient ni chat ni homme, elle avait une indifférence bienveillante qui consistait à les laisser s'empiffrer et à faire mine de les encourager à plus de tempérance. Elle avait une chatte noire à poils longs, une race très prisée, qu'elle avait fait se reproduire. Elle avait gardé un chaton et vendu les autres. Le lendemain de la visite du prêtre, en rentrant de l'école, seul dans la maison, je me suis saisi du chaton. Il s'est agrippé à mes mains avec ses petites griffes comme s'il pressentait ce qui l'attendait. J'ai balancé entre la pitié que m'inspirait son innocence et un besoin irrépressible de punir ma mère. Et puis soudain, le chaton est passé dans le foyer de la chaudière. J'ai beaucoup goûté le moment où ma mère assise devant moi, me fixant impitoyablement, m'a demandé où était passé le chaton. Je me délectais du silence que je lui opposais sans détourner mon regard. Elle a été tentée de me battre pour me faire parler, puis elle a renoncé en se servant un verre de scotch. C'est la dernière fois que j'ai incinéré vivant un de ses chatons de concours. Six mois plus tard, j'en ai décapité un, j'ai enterré son corps et j'ai gardé la tête dans ma chambre dans une boîte de rustines de vélo. Je ne sais pas comment cette boîte est arrivée dans ma chambre alors que je n'avais pas de vélo. Ma mère fouillait régulièrement ma chambre. Elle la passait en revue de fond en comble à la façon des matons en prison. On ne sait pas ce qu'ils cherchent mais eux le savent sûrement. Elle est tombée sur la boîte dans laquelle pourrissait la tête du chaton. Elle s'est mise à hurler. Au début c'était de la colère, ensuite du désespoir d'avoir engendré un tortionnaire. Mais comme souvent, plus sa colère grondait, plus elle s'éloignait de moi. Elle ne venait jamais hurler à cinq centimètres de mon visage. Curieusement, cet événement m'a rapproché de ma sœur, la cadette.

Là, je fais une halte dans mon récit. Tout ce que je vous raconte n'est peut-être pas le reflet exact de ce que j'ai pu dire à Leitner. Un gosse de seize ans même très évolué comme je pouvais l'être ne se livre pas aussi spontanément, il n'a pas la confession dans le sang, vous comprenez. Souvent, il devait me tirer les vers du nez et remettre lui-même de l'ordre dans mes souvenirs qui s'écoulaient à un débit saccadé. Ce que j'aimais avec Leitner, c'est qu'il ne me jugeait pas. Je ne l'ai jamais entendu qualifier moralement un de mes actes. L'histoire de la décapitation l'a fait bondir même s'il devait déjà la connaître. Elle figurait dans un procès-verbal de police où étaient consignés les propos de ma mère au moment de mon arrestation. Elle avait déclaré que mon acte ne l'avait pas étonnée puisque j'étais capable de décapiter un chat. Il s'est levé et s'est mis à tourner dans son bureau. J'ai remarqué pour la première fois que la fenêtre de son bureau donnait sur la campagne et qu'il ne la fermait jamais à clé même si un verrou avait été posé à cet effet. Mais je n'avais pas envie de partir. Même si on m'avait ouvert grand les portes de l'hôpital en me déroulant un tapis rouge, je n'aurais pas eu envie de quitter ce lieu, car je n'aurais plus eu quiconque à qui parler. Quand il s'est rassis, la satisfaction éclairait son visage. Il parlait pour lui-même :

— Elle te fait perdre la tête. Elle te fait perdre la tête, tu coupes la tête de ce qui compte le plus à ses yeux. Tu lui fais perdre la tête. Vous êtes quittes. Tu commences par balancer le chaton dans la chaudière. C'est une réaction au premier degré par rapport à la chaudière qu'elle t'impose. Mais ça ne suffit pas. Tu décapites son chat et tu le laisses dans une boîte dans ta chambre, en sachant très bien qu'elle tombera dessus un jour ou l'autre. Tu me suis ?

Je le suivais.

— C'est symbolique. Tu tues son chat en le décapitant, parce que tu ne t'autorises pas à le faire à ta mère. Tu as pensé à décapiter ta mère ?

— Non, jamais.

— Pourtant c'est elle qui te fait perdre la tête.

Il est resté un long moment à réfléchir.

— Jusque-là, tu contrôles tout. Les choses se gâtent quand tu arrives chez tes grands-parents. Tu ne connais pas bien ta grand-mère. Tu l'as vue combien de fois avant ?

— Deux fois.

— Mais elle t'est étrangère ? Tu ressens de l'affection pour elle ?

— Je ne crois pas que j'aie jamais ressenti d'affection pour personne.

— Même pas ton père ?

— Si, certainement.

— Ta grand-mère te rappelle ta mère. C'est un peu le même profil de tueuse d'âme. Ce n'est pas pour rien si ton père a épousé ta mère. C'est parce qu'elle ressemble à la sienne. Et quand il s'en rend vraiment compte, il la quitte, il divorce, parce que c'est intolérable de coucher avec sa mère. Pour toi, ta grand-mère c'est le modèle que ton père a épousé dans ta mère. Inconsciemment, tu la tiens responsable de l'union entre tes parents. Tu me suis ?

Je le suivais toujours et, en toute modestie, je n'apprenais pas grand-chose.

— Tu tiens ta grand-mère pour responsable de ta naissance. La vraie responsable. Ce que tu peux endurer de ta mère, parce que c'est ta mère, tu ne peux pas le supporter chez ta grand-mère. C'est là que germe l'idée de la tuer. Ce qui t'a retenu de tuer ta mère ne te retient pas de tuer ta grand-mère. Les portes s'ouvrent grandes devant toi, tu n'attends plus qu'un signal. Ce signal vient quand tu entends sa voix alors que tu franchis les limites du jardin. Les limites du jardin te rappellent celle d'un autre lieu où tu as été assigné à résidence : la

135

cave de la maison. Alors il ne fait plus de doute que tu dois agir. C'est elle ou toi. C'est sa vie ou ta folie. C'est la folie que tu évites en la tuant, la folie. Donc tu n'es pas fou. Tu n'es pas responsable pour autant car c'est tout de même une pulsion folle qui t'a fait agir. Mais tu n'as pas fait non plus œuvre de bienfaisance, Al. On ne se fait pas justice soi-même, surtout quand la justice des autres n'est pas capable de comprendre ton geste et, de toute façon, il est dit : « Tu ne tueras point. »

Il a soufflé comme s'il avait fait le plus dur. Il a enlevé ses lunettes qu'il a posées devant lui pour voir par transparence si leurs verres étaient sales et il s'est reculé en allongeant les jambes.

— Dans notre pays, les gens sont passionnés par leurs racines géographiques. Ils feraient mieux de se passionner pour leurs racines psychologiques. Le début de ton histoire, Al, remonte très loin. Qu'est-ce qui a fait de ton grand-père maternel un pervers incestueux, on ne le saura jamais. Toujours est-il que ta mère doit haïr les hommes à cause de lui. Elle aurait pu s'en tenir éloignée mais non, elle préfère les rapprocher d'elle, pour mieux les broyer. Ton père est tombé dans la nasse parce que sa mère l'y avait prédisposé. Elle s'est acharnée sur lui. Quant à toi, tu es son être, sa chose, elle peut en disposer comme elle veut. Il fallait bien que tu te défendes contre le poids aliénant de cette lignée. Et comment se défendre contre ce pourrissement ? En coupant les branches. C'est un miracle que tu n'aies pas mis fin complètement à cette dynastie de la perversion, Al. J'ai connu des cas où le dernier-né avait tué tout le monde avant de s'éliminer lui-même. Cela ressemblait étrangement à un acte d'épuration de la race.

Il est resté silencieux un bon moment.

— Attends-toi à ce que ton père fasse d'autres enfants. Le croisement de sa lignée avec celle de ta mère a été calamiteux pour lui. Son fils a fini par tuer sa propre mère. C'est la pince de crabe, ascendance et descendance brisées. Tu décris tes sœurs comme des êtres sans consistance, le héros de la guerre doit repartir de zéro pour survivre. Je sais que c'est un peu brutal, Al, mais tu ne reverras jamais ton père. Quand il s'est débarrassé de toi à Los Angeles en t'envoyant chez tes grands-parents, il avait commencé à se protéger. Il ne pouvait plus avoir les conséquences de son union désastreuse devant les yeux. Il sait que tu n'y es pour rien, mais te voir l'oppresse.

Il a réfléchi une seconde comme si quelque chose l'inquiétait.

— Je suis certain que tu as pensé à mettre fin à tes jours avant de partir pour Los Angeles.

— Oui, deux fois.

— Combien de fois as-tu pensé tuer ta mère ?

— Deux fois aussi.

— Tu as pensé à te suicider tout de suite après avoir projeté de tuer ta mère ?

— Oui, tout de suite.

Il a ensuite mis fin brutalement à la séance comme si tout avait été trop vite. La partie d'échecs n'avait pas commencé. La satisfaction se lisait sur son visage. Je m'en suis senti exclu. Je me demandais si comprendre changeait quelque chose à ma situation.

Les séances suivantes se sont succédé comme si l'essentiel avait été dit. Mais on a continué à dérouler le fil de l'histoire. Ma relation à la plus jeune de mes sœurs l'intéressait. Elle m'accompagnait dans des jeux particuliers. Un vieux fauteuil de coiffeur remisé dans la maison, on ne savait pourquoi, nous avait servi à improviser une chaise électrique. L'un après l'autre, on s'attachait les avant-bras au fauteuil avec du fil conducteur. Un transformateur à variateur récupéré dans le matériel de mon père nous servait à faire passer le courant et à en monter progressivement l'intensité. Poussé au maximum, il envoyait du jus à faire reculer un taureau dans un enclos. On éprouvait ainsi notre résistance à la douleur. Le variateur était gradué de 1 à 6. Chaque fois que l'un de nous deux commettait une faute relevée par notre mère, on la soumettait à notre justice domestique. La découverte de la tête momifiée du chaton de concours m'a valu une électrocution de niveau 6. Nous savions l'un et l'autre qu'à cette intensité je pouvais y rester. La tentation était plus forte que la raison. Je me suis assis sur la chaise, ma sœur m'a méticuleusement attaché les poignets. Le transformateur était entre ses mains et je sentais que cela lui procurait une jouissance supérieure. Elle a envoyé le courant d'un coup et je me suis évanoui. Elle a pris peur et elle est montée immédiatement voir ma mère qui recevait des flics pour une histoire de conduite en état d'ivresse. Celle-ci est descendue sans se presser, et voyant que je m'étais réveillé, m'a promis une punition. Je venais de passer à la chaise électrique, qu'est-ce que je pouvais craindre de plus ? Mais elle n'en a jamais reparlé, comme si risquer sa vie dans des jeux morbides ne méritait pas qu'on s'y attarde. Il faut dire qu'elle était tracassée par cette histoire de conduite en état d'ivresse. L'amende était lourde et elle craignait pour sa réputation, elle qui se donnait l'allure d'une femme stricte.

21

De séance en séance, Leitner semblait de plus en plus confiant sur mon cas. Une petite commission a été réunie pour décider de mon aptitude à reprendre mes études. J'y participais, à la disposition de ses membres pour répondre à leurs questions. Ils ne m'en ont posé aucune, confortés par l'exposé convaincu de Leitner. Leur obsession était de savoir si je pouvais me montrer violent avec mes camarades de collège. C'était une sacrée responsabilité pour eux. Imaginez qu'ils aient donné leur accord et que dix jours après mon admission j'aie abattu une dizaine d'élèves dont la tête ne me revenait pas. Leitner a été catégorique : « Al Kenner a tué dans une impulsion irrépressible liée à une histoire familiale. Rien ne le prédispose à tuer en dehors de ce contexte, il n'en a ni l'envie ni le goût. » Les autres experts sont revenus sur le premier jugement qui avait été porté sur moi, cette fameuse schizophrénie paranoïde. « Je ne pense pas qu'on puisse nommer le cas d'Al Kenner, l'enfermer dans une pathologie ou une autre. Je crois qu'il a tué par défense contre la psychose, en réaction à un milieu familial totalement destructeur. Mais il n'est pas fou, et il est d'une intelligence très supérieure à la moyenne. Il va rester ici pour qu'on lui apprenne à ne plus tuer les siens. Je ne vois vraiment rien qui puisse le pousser à s'en prendre à une personne étrangère à son contexte familial. Je travaille depuis plusieurs mois sur son cas et rien ne permet de le définir comme un vrai schizophrène au sens de la construction d'un univers délirant. J'ai vu un garçon ancré dans le réel avec une vraie capacité d'analyse de ses propres faits. Quant à la paranoïa, on ne peut nier une certaine méfiance envers les autres, compréhensible quand on sait à quel point ils lui ont été hostiles depuis sa naissance, mais il n'y a pas de syndrome de la persécution à proprement parler. »

Il y a deux façons d'être prudent dans la vie, faire les choses prudemment ou ne rien faire du tout, et j'ai bien vu que les experts inclinaient pour la seconde solution. Mais Leitner a insisté sur les objectifs de réintégration à la société qui avaient prévalu à cet internement.

— Kenner est déscolarisé depuis près de huit mois. On ne peut pas se permettre de le tenir éloigné de l'enseignement plus longtemps. La chose la plus terrible qui pourrait arriver pour cet esprit supérieur, ce serait d'être rétrogradé socialement par un niveau d'études trop bas. Son intelligence a besoin de fonctionner sur du réel. Si vous le laissez là à travailler dans la lingerie, il en deviendra le patron, c'est certain. Et alors ? N'oubliez pas qu'il n'a que seize ans. Cet hôpital lui a été bénéfique jusqu'ici au sens où il a pris conscience de lui-même et de ses entraves psychiques. Nous allons entrer dans une phase où cet internement, s'il n'est pas ponctué par des études, va devenir négatif. Les mauvaises fréquentations vont l'emporter sur la thérapie. Je vais même être très honnête avec vous. Il ne s'agirait que de moi, je le libérerais dans les six à dix mois qui viennent avec interdiction absolue de revoir quiconque de sa famille (« ou de ce qu'il en reste », a ironisé un expert qui me fixait depuis le début de la séance) et en particulier sa mère. Quoi qu'il arrive, je suis formel sur ce point, il ne doit jamais revoir sa mère. Jamais.

— Mais la question n'est pas là pour le moment, Leitner, a rétorqué un des membres de la commission, un homme avec des airs de vieux sage indien.

— Pourriez-vous nous signer un papier selon lequel vous affirmeriez formellement que ce jeune homme n'est plus dangereux ? a demandé un des experts que j'avais surpris à deux reprises en flagrant délit de somnolence et qui ne s'était vraiment réveillé que pour la conclusion qui l'engageait.

Leitner a été formel. La commission est passée au vote. L'unanimité était requise. J'en ai remarqué un ou deux tentés de reporter mon intégration scolaire mais ils ont fini par donner leur accord.

J'ai intégré le collège trois semaines plus tard, le temps que la paperasse trouve la bonne pile pour libérer l'action. Un infirmier m'y emmenait tous les matins et venait me récupérer tous les soirs, ce qui me donnait des airs d'huile avec mon chauffeur attitré. Retrouver le ciel de Californie avec ses vraies couleurs m'a un peu ébloui. Tous ces mois de pénombre et de lumière artificielle avaient assombri ma vue. L'infirmier n'était pas très loquace sur le parcours. Malgré ses gros muscles qui tiraient sur les boutons de sa chemise, la question de savoir s'il pourrait me maîtriser en cas de nécessité devait l'obnubiler. Le bétail qui paissait paisiblement dans de vastes prés clôturés me semblait irréel. Le trajet durait une bonne vingtaine de minutes pendant lesquels l'idée de retrouver le monde libre ne m'a jamais traversé l'esprit. Leitner m'avait donné des clés, mais pas assez pour revenir dans la société pour le moment. Contrairement à ses allégations, je me sentais capable de tuer quelqu'un qui se dresserait sur mon chemin en essayant de me nier comme individu, de m'effacer des tablettes de l'humanité ou de me convaincre que je vivais pour rien, car encore une fois il en allait de ma propre survie. Je ne voulais pas en parler avec Leitner de crainte de contrarier son bel optimisme et puis il devait savoir mieux que moi si j'étais capable de passer à l'acte ou pas. C'est une expression qu'il employait souvent, l'ultime barrière entre les gens normaux et les types comme moi. Il prétendait que le meurtre était présent en nous dès notre petite enfance, symbolique puis souvent fantasmé. Il m'entretenait des heures sur le rapport entre le fantasme et l'univers délirant, entre le fantasme et le passage à l'acte. Il prenait le Vietnam comme exemple pour me montrer qu'une fois que l'interdiction sociale de tuer était levée, très peu d'hommes étaient capables de résister à cette liberté. Il avait une façon bien à lui de désacraliser le meurtre pour me le rendre odieux par ce qu'il avait au final de dérisoire.

Pendant une longue période, il m'a laissé lui

poser plus de questions qu'il ne m'en posait lui-même. Le cadre de nos échanges était invariable, son bureau et la petite table où était installé le jeu d'échecs. Je ne lui avais jamais permis de me battre et plus le temps passait plus les parties se concluaient vite. Il nous arrivait de faire trois ou quatre parties pendant une séance de thérapie. Leitner n'oubliait jamais rien. Nous avions la même forme d'hypermnésie qui me permettait de me rappeler la couleur et la forme des boutons du chemisier de ma mère à n'importe quel stade de la narration de mes scènes avec elle. Je suis capable de me souvenir très précisément de l'odeur de son haleine au moment de nos échanges et du type d'alcool qui la nourrissait, bière, whisky, vin, Martini, de son maquillage léger ou outrancier, de son rouge à lèvres contenu par le dessin de ses lèvres ou débordant sur sa peau comme sur celle d'un clown pour souligner son déni de féminité.

Des faits majeurs qu'on croyait inhumés à jamais, il les exhumait subitement. Ce fut le cas pour ce que j'avais appelé les mauvaises pensées qui gênaient un temps ma concentration jusqu'à la rendre impossible. Ces mauvaises pensées persistaient en se faisant plus discrètes depuis que nous en avions parlé sans qu'il le sache. J'ai compris alors que nommer quelque chose permettait de le désamorcer en partie. En levant l'interdiction d'en parler, ses essences s'évaporaient doucement, un peu comme un parfum laissé ouvert. J'étais toutefois très mal à l'aise pour les évoquer directement. Quand je dis mal à l'aise, j'avais l'impression de me mettre à poil en pleine rue un jour d'Halloween. Face à l'étrange pudeur qui m'avait assailli, Leitner n'insista pas. Mais je me souvenais que devant la commission il avait parlé du délire comme critère de la schizophrénie. Je voulais qu'il m'ait exclu des symptômes de cette maladie mentale pour de bonnes raisons.

— J'ai parlé de schizophrénie parce qu'elle rentre dans leur classification mais je n'ai pas besoin de mettre un nom sur quelque chose pour le comprendre. L'esprit humain, avec toutes ses déviances, n'a rien à faire d'un meuble de pharmacie où chaque plante, chaque remède est ordonné. Mais qu'est-ce qui te tracasse ?

22

Il fallait bien parler d'obsession. Cette pensée
était installée en meublé dans mon esprit et le ty-
rannisait en me rendant dingue, mais je savais en
mon for intérieur que sans elle je deviendrais fou
pour de bon, par l'impossibilité d'éprouver autrement du plaisir. J'ai tout avoué d'un coup.

Je lui ai parlé de la fête de l'Indépendance l'année de mes douze ans. Une immense fête foraine
avait été installée sur un terrain municipal. Les
habitants d'Helena s'y étaient rendus par centaines. Ma mère avait fini par céder à la pression
de mon père pour faire le déplacement en famille.
C'était une occasion pour elle de boire des bières
sans compter et c'est ce qui l'avait décidée. Il faisait une de ces chaleurs lourdes et humides telles
qu'on en connaît dans le Montana au début de
l'été. Toute l'humidité remonte du sol, fouettée
par un soleil de plomb. On s'était garés loin et ma
mère n'arrêtait pas de râler car elle détestait marcher. Il nous arrivait de croiser des visages connus
d'elle et là, comme si l'hypocrisie était une seconde nature, elle se montrait avenante et préoc-
cupée des autres. Devant ses collègues de la mai-

146

rie elle allait jusqu'à me gratter la tête d'un geste affectueux et elle ne manquait jamais de parler du passé de mon père dans les forces spéciales quand elle le présentait. Mes sœurs suivaient endimanchées, en scrutant chaque garçon de leur âge, comme s'il allait s'en trouver un pour vouloir de deux grands manchots essoufflés. Elles me faisaient honte avec leurs habits trop féminins, j'aurais préféré qu'elles s'habillent en hommes. On marchait derrière avec mon père, ma mère devant, encadrée par ses deux filles. Mon père a pris l'initiative de nous séparer mais ma mère a refusé. Elle ne voulait pas faire face à de nouvelles rencontres seule avec sa progéniture sans compenser cette détresse visuelle par l'évocation des faits d'armes de mon père. Et comment en parler s'il n'était pas là ? Pour une fois mon père ne s'est pas laissé faire. On s'est taillés en se donnant rendez-vous une heure plus tard devant une grande potence qui avait tout d'une guillotine. On a traîné au stand de tir un bon moment. Mon père a fait un sans-faute devant une troupe de chasseurs médusés qu'on puisse tirer avec autant de précision. Plusieurs d'entre eux lui ont demandé dans quelle arme il avait servi pendant la guerre mais il n'a pas répondu. Il s'est contenté de faire un second sans-faute sur cibles mouvantes. Et ainsi de suite, rien ne pouvait le déloger. Il a fini par se lasser et on pouvait lire sur son visage qu'il avait payé cher la satisfaction d'exceller ainsi en public. À l'épreuve de force, on est tombés sur plus fort que nous. La taille ne fait pas tout et certains bûcherons descendus de la montagne étaient capables de faire reculer la machine d'un bon demi-mètre de plus que lui. Un orage s'est formé au-dessus de nos têtes et mon père a jugé qu'il était temps de rallier le point de rendez-vous. Les trois femmes étaient là, à quelques mètres de la potence, ne sachant où regarder. Ma mère a joué l'ulcérée. Je voulais voir le spectacle de la potence. Je l'ai dit à mon père qui l'a dit à ma mère qui a refusé. Mais mon père n'en a pas tenu compte, on n'insulte pas en public quelqu'un qu'on a présenté comme un héros. Derrière la potence, les montagnes s'étaient rapprochées, signe qu'il allait pleuvoir. Il restait à vue de nez un bon quart d'heure avant que la foule ne soit dispersée par l'averse et, alors que je jaugeais le ciel, le forain à qui appartenait la potence a présenté une très jolie jeune fille. Je n'en avais jamais vu de si belle. Elle était blonde et ses cheveux ondulaient jusqu'à ses seins naissants car elle devait être de mon âge. De là où j'étais, je n'apercevais pas ses yeux mais je ne pouvais pas imaginer qu'ils fussent d'une autre couleur que d'un bleu ardent. Je voyais plein d'autres gars autour de moi passés sans transition de la fanfaronnade au mutisme, interdits devant cette grâce qui aurait résisté à n'importe quelle mauvaise intention vulgaire. Elle s'est agenouillée pour offrir sa tête tendue à la guillotine. Mais déjà je ne la voyais plus, ma vue obstruée par le mouvement de foule. Le ciel s'est fendu d'un éclair au moment où le forain a actionné le mécanisme de chute de la lame. Elle reluisait en chutant. Difficile de croire que la jeune fille n'allait pas avoir la tête tranchée même si c'était pour de faux, on s'en doutait. Cette perspective a déclenché chez moi un orgasme et une extase désordonnée s'est emparée de mes sens comme je n'en avais jamais ressentie dans ma courte existence. Au même moment, de grosses gouttes ont commencé à se précipiter sur l'assistance avec un bruit d'applaudissements. La foule s'est dirigée vers le parking sans s'affoler. J'ai cherché désespérément la fille du regard mais elle avait disparu.

Au soir, pour la première fois, mon père s'est indigné de mon confinement à la cave. Comme ma mère ne voulait rien entendre, il a menacé d'appeler la police pour constater les mauvais traitements dont je faisais l'objet. Ma mère a fini par céder. Elle a envoyé mon père passer la nuit sur le canapé du salon par mesure de rétorsion et j'ai pu dormir dans la chambre d'invité. J'ai mal dormi, regrettant mon antre et les bruits de canalisation d'eau qui rythmaient mes nuits. Au petit matin, mon père a fait sa première fugue et plus rien n'a été comme avant entre ma mère et lui, je veux dire que l'équilibre de la terreur était rompu. Il est revenu deux jours plus tard et a parlé ouvertement de divorce. Mais il n'en avait pas encore le courage et je veux croire que c'est de me laisser seul entre les mains de ma mère qui le retenait encore dans cette maison. Il ne m'aurait pas défendu ainsi, je n'aurais peut-être pas tué ses parents pour lui prouver ma reconnaissance.

Leitner a pris longuement sa tête dans ses mains et j'ai senti que mon récit l'avait un peu contrarié. Il m'a demandé si par la suite j'avais eu des envies précises de passer à l'acte. Notre relation était trop poussée pour que je lui mente. Je lui ai avoué que deux mois plus tard j'avais projeté de décapiter un de mes professeurs, une femme récemment nommée qui me montrait, je ne sais pourquoi, beaucoup de sollicitude. Je lui trouvais une élégance qui sortait de l'ordinaire. Un soir, j'ai préparé tout mon matériel et je me suis approché de sa maison qui était isolée dans une résidence où rien n'était clôturé. Son chien qui dormait sur le perron m'a accueilli en remuant la queue. Je l'ai observée à travers les vitres sans rideau du rez-de-chaussée. Elle faisait la cuisine avec un tablier vert noué autour de la taille tout en tirant sporadiquement sur une cigarette avant de la laisser fumer dans un cendrier. Une musique moderne et très enjouée filtrait des fenêtres. Chaque fois qu'elle passait devant un miroir fixé sur un des murs, elle vérifiait sa coiffure puis la relevait un peu. Elle portait un jean qui la moulait, mais ses formes n'avaient pas sur moi l'effet de ses yeux transparents. Elle se serait promenée nue que j'aurais encore cherché son regard. De loin j'ai vu les phares d'une voiture bouger puis se rapprocher. J'espérais qu'elle s'en irait ailleurs, mais malheureusement elle s'est arrêtée devant la maison. Il en est sorti un beau type qui a marché vers le perron. J'ai reculé derrière un bosquet. Elle lui a ouvert sans son tablier en se balançant d'une jambe sur l'autre, signe de timidité. L'homme avait l'air plus sûr de lui. La porte s'est refermée sur eux et je suis retourné chez moi. Si j'avais été jaloux de l'homme, si j'avais eu des envies de le tuer ? Non, certainement pas. Avec son physique et son âge, je le jugeais parfaitement légitime de séduire cette femme. Non, vraiment, l'idée de lui faire du mal ne m'a pas traversé l'esprit. Si je pensais que j'aurais été capable de mener mon entreprise jusqu'à son terme ? Je ne sais pas, je ne crois pas, même si pour être honnête plus je me rapprochais d'elle plus je res-

sentais de désir pour cet acte. Mais rien d'irrépressible. Elle serait restée seule, je me serais
contenté de prendre mon pied à cette idée et de
repartir chez moi sans bruit.

Leitner, qui réfléchissait souvent à haute voix,
cherchait une nouvelle signification à mon fantasme. Le « faire perdre la tête » ne lui suffisait
plus. Il recherchait une dimension liée à la castration, à l'autorité, mais ne savait pas très bien laquelle. La question la plus directe est arrivée
quand il m'a demandé si j'étais capable d'avoir
du plaisir en solitaire autrement que par un fantasme de décapitation. J'ai dû avouer que non.
Nous avons évoqué la fréquence du plaisir qui lui
était lié. J'ai parlé de deux à trois fois par jour. Le
plus souvent pour avoir la paix et me débarrasser
un moment de ces mauvaises pensées qui s'impo-
saient à moi, comme pour me rappeler que j'étais
bien un être de chair et de sang, que le plaisir ne
m'était pas interdit.

Leitner était de plus en plus préoccupé et moi
de plus en plus soulagé. Il n'y avait plus un recoin
de mon esprit que je ne lui avais pas livré. J'avais
joué le jeu jusqu'au bout.

— Je t'en suis reconnaissant, Al.

Il a dit cela en posant sa main sur mon avant-
bras. Il s'est levé, s'est bourré une pipe, l'a allumée avant de tourner en rond dans son bureau. Il
a ouvert grand la fenêtre qui donnait sur une
vaste pelouse comme on en trouve sur les campus
d'université. De l'autre côté de la route au loin, on
distinguait à peine un pré clôturé par des doubles
lisses dans lesquelles bougeaient des taches
noires que je me figurais être du bétail. D'ailleurs
il n'y avait que cela dans le coin, du bétail et cet

hôpital. L'idée que cette confession allait m'y maintenir encore un bon bout de temps m'a traversé l'esprit mais Leitner s'est mis à marmonner.

— Défenses perverses contre la psychose. On a encore du boulot toi et moi pour chasser ces mauvaises pensées. J'ai un peu sous-estimé ma tâche. Cela dit, si on repassait devant la commission je dirais la même chose. Je pense que tu n'es pas fondamentalement dangereux pour autrui. Et certainement pas pour tes camarades de classe qui ne sont que des garçons. Tu n'as jamais eu envie de décapiter un homme, Al ?

— Oh bon Dieu non. Je crois que ça me ferait vomir.

Il s'est mis à rire. Et moi aussi. Pour la première fois de ma vie. J'en suis resté interdit. Puis je suis retombé un peu dans la tristesse à l'idée qu'il allait tout faire désormais pour m'ôter ces sombres pensées. Alors qu'est-ce qui allait me rester ? C'était ça la question. Bien sûr, je ne pouvais pas lui en parler de cette façon mais qu'est-ce que j'en garderais à part mes escapades sur la route à moto. Je vois bien chez les autres types qu'une bonne dizaine de choses au moins les intéressent. Ils ont des familles, des hobbies, un Dieu, un chien, une maison, un jardin et plein de rêves qu'ils ne pourront jamais réaliser. Ils peuvent prendre n'importe quelle page centrale de *Play Boy*, fantasmer sur la fille, s'astiquer si affinités. Ils pensent que leurs petites vies valent de l'or, que la foi les empêchera de mourir vraiment, qu'il n'y a pas de commencement et pas de fin. Moi je n'ai que ce fantasme et une envie de faire la route qui s'éteint dès les premiers kilomètres parcourus.

23

Je regardais Leitner plongé dans sa réflexion et je ressentais toute ma dépendance envers lui. J'étais comme une vaste maison hantée dans laquelle il ne reste qu'un meuble et il me proposait de m'aider à le déplacer dehors pour le brûler. Je voulais bien jouer le jeu à condition qu'il s'engage à me donner les moyens de meubler à nouveau. En était-il capable ? Pour la première fois je doutais de lui. Pas dans ses capacités à faire table rase. Mais à reconstruire quelque chose qui me tienne en vie toutes ces années qui me séparaient de la mort. Je savais bien ce qui se cachait derrière ce fantasme, une froide envie de me foutre en l'air et d'en finir avec cette putain d'existence qui n'a aucun sens, pas même celui qu'on veut bien lui donner. À cet instant précis, je voyais Leitner comme ces entrepreneurs qui ouvrent des carrières de sable dans la montagne et qui promettent aux voisins de les refermer. Ils ne le font jamais pour la simple raison qu'ils ne savent pas comment. Et quand ils le font c'est pour enfouir des immondices ou des produits toxiques.

Je suis retourné au lycée le lendemain, sombre

comme je ne l'avais jamais été depuis mon arrestation. Mais cela ne se voyait pas. C'est l'avantage de ne jamais parler à personne, on passe définitivement pour un ours, jamais pour un lunatique. Je ne m'adressais qu'aux profs quand ils me le demandaient. Ils étaient les seuls à savoir d'où je venais et ils avaient un œil sur moi. Je me serais encore plus éloigné des autres élèves si j'avais pu, j'aurais voulu être là sans l'être. Je me demandais ce qu'il pouvait y avoir de commun entre eux et moi. Qu'est-ce qu'il peut y avoir de commun entre un jeune qui rentre du Vietnam et un autre du même âge qui ne connaît la guerre qu'au cinéma ? Un homme qui a tué est comme un être qui vit à très haute altitude, il vieillit prématurément. Je ne me sentais pas plus d'affinité avec mon entourage à ce moment-là que je n'en avais eue avec mes camarades de classe avant mon double meurtre. De temps en temps j'avais envie de me vanter, de leur en foutre plein la vue avec mes histoires mais je craignais que cela ne me desserve. Surtout que je n'avais pas vraiment de raison de le faire vu que tous ces types étaient des campagnards sans arrogance. Il fallait voir comme ils étaient à la peine avec leurs études. Ceux qui n'avaient pas complètement décroché produisaient un effort démesuré pour résoudre des équations triviales ou dire un mot sur une nouvelle d'Edgar Poe. Si je n'avais pas été un peu désaffectivé, comme disait Leitner, j'aurais aimé la littérature plus tôt. À part quelques auteurs purement cérébraux, il faut un peu de sensibilité pour profiter d'un écrivain. Le plus bel écrit qu'il m'ait été donné de lire à l'époque, c'était une nouvelle de Faulkner qui se trouvait dans le recueil qu'on étudiait en classe. L'histoire d'une vieille fille qui cache chez elle son seul amour mort.

Puisqu'on en est à parler de littérature, c'est à cette époque-là que j'ai reçu une lettre de ma mère, un peu comme celle que Raskolnikov lit au début de *Crime et châtiment*. Le parallèle m'a frappé parce que, dans sa lettre, ma mère m'annonçait aussi le mariage de ma sœur. Il s'agissait de l'aînée, avec laquelle je n'avais jamais eu plus de conversation qu'avec une génisse dans un coral. Je n'en revenais pas. À aucun moment ma mère ne me demandait de mes nouvelles ni ne se préoccupait de ma santé. C'était ce genre de lettre informative qu'on écrit quand on n'a rien d'autre à faire. Ma sœur bossait à K-Mart et allait se marier avec un employé de K-Mart, pas n'importe quel employé bien sûr. Je comprenais à la lettre que ce type était un nul, mais ma mère ne pouvait pas s'empêcher de lui inventer un avenir professionnel exemplaire. Il avait été déjà désigné deux fois meilleur employé de l'année et il allait bientôt avoir une promotion en Californie comme directeur adjoint des achats ou une connerie comme ça. Ce type devait avoir une sexualité désespérée pour s'engager devant Dieu à se taper ma sœur jusqu'à sa mort. Elle en profitait pour en mettre une couche à mon père qui avait disparu corps et âme. Elle m'expliquait qu'un de ses amis flics, comme si ma mère avait des amis, avait fait des recherches sur tout le territoire sans trouver trace de mon père. Elle comprenait qu'il ait déserté devant son fils qui n'était qu'un malade criminel, mais abandonner ses filles, comment pouvait-il faire une chose pareille ? Elle ne s'est pas appesantie sur son propre mariage avec un plombier très en vue. Comment un plombier d'une ville pourrie du Montana peut-il être en vue ? Elle écrivait aussi que si son gendre était nommé en Californie, elle les accompagnerait là-bas car elle commençait à en avoir marre du climat et de la mentalité des habitants d'ici, mentalité qui était la sienne puisque à ce jour elle n'avait jamais quitté le Montana. À aucun moment elle ne se réjouissait de l'éventualité de se rapprocher de moi. Pour finir, elle m'annonçait qu'elle avait téléphoné à l'administration de l'hôpital et qu'ils lui avaient déclaré après s'être renseignés auprès des thérapeutes que j'en avais encore facilement pour trois à quatre ans, ce qui n'était pas assez long selon elle pour redevenir un garçon normal. Elle se payait le luxe au passage de répéter que si elle avait été étonnée que son fils soit devenu un criminel, plus elle se plongeait dans ses souvenirs, plus elle trouvait une logique à ma déchéance. Quelle logique ? Elle ne prenait pas la peine de développer. Sans doute la décapitation de son chaton de concours la travaillait-elle encore. Elle rechignait à terminer, elle avait ajouté un post-scriptum où elle m'interrogeait pour savoir si j'avais des regrets, non pour ce que j'avais fait mais pour la honte et l'opprobre que j'avais jeté sur notre famille, une famille honorable et respectée, et comment je comptais m'y prendre pour réparer le préjudice fait à notre réputation. Elle y allait de sa propre opinion sur mon cas. Non, je n'étais pas malade et ceux qui m'avaient considéré ainsi avaient été bien généreux de le faire, je n'étais, modestement, ajoutait-elle, qu'une des multiples incarnations du mal. Elle affirmait qu'un exorcisme serait plus approprié qu'une psychothérapie. Elle se félicitait que l'État de Californie ne lui ait pas présenté la note de mon internement, ce qui aurait ajouté la ruine à la honte. Puis elle revenait sur mon père en me demandant de me souvenir du nombre de fois où elle lui avait dit que son éducation ferait de moi un être déviant. Si elle m'avait logé douze ans dans la cave, c'est qu'elle avait soupçonné dès ma naissance que j'avais partie liée avec le diable. Elle a signé en grandes lettres lisibles, Cornell Paterson. Paterson devait être le nom de son nouveau mari. C'était moins pour se vanter de ce nouveau mari que pour enlever Kenner de son nom.

24

Stafford était le seul type avec lequel je me sois lié au cours de tous ces mois. C'est lui qui avait fait le premier pas. Sans doute avait-il pressenti que nous étions du même niveau intellectuel, même si je n'avais ni son âge ni son éducation et encore moins sa culture. C'était une sorte d'aristocrate. Il avait été professeur de littérature dans une des plus grandes universités de la côte Ouest. Il était tombé pour le viol de onze de ses étudiantes et le meurtre de la dernière. Il n'était pas avare d'explications sur son passé. C'était quelqu'un qui avait une haute opinion de lui-même. Il m'avait raconté qu'à l'époque où il enseignait, les étudiantes étaient folles de lui. Son charisme, ses connaissances, son physique, tout cela créait un ascendant sur les jeunes filles et même sur les jeunes hommes, qui néanmoins ne l'avaient jamais intéressé. Plutôt que les séduire, il préférait les violer. Il savait qu'il m'était arrivé de chasser. Je m'étais vanté auprès de lui d'avoir abattu des cerfs et des élans bien que je n'aie jamais tué que des taupes et des lapins. Du coup il avait utilisé cette métaphore : « On ne déguste pas la viande d'un animal qu'on a suivi à la trace pendant des heures comme celle qu'on achète emballée dans le compartiment réfrigéré d'un supermarché. » Ce qui pouvait sembler contradictoire, c'est qu'il considérait que violer des étudiantes était moins dangereux pour sa carrière que les séduire. Séduites, elles auraient fini par se vanter et un jour ou l'autre le doyen l'aurait su et l'aurait exclu. S'agissant de viol, il ne tenait qu'à lui de ne pas être démasqué. D'ailleurs il ne l'avait jamais été. Il s'était dénoncé lui-même après son dernier viol parce qu'il avait tué la fille. Il prétendait que c'était un meurtre involontaire. Il l'avait empêchée de respirer en plaquant sa main sur sa bouche et son nez alors qu'elle s'était mise à crier. Sa grande fierté venait qu'il était parvenu à violer toutes ces filles sans les bâillonner et sans qu'aucune ait jamais crié. Il opérait masqué. Il s'introduisait chez elles et, une fois le premier effroi passé, il parvenait à les convaincre de la nécessité d'un rapport sexuel sans violence. Il n'éjaculait jamais en elles, jugeant « qu'elles ne le méritaient pas et qu'en ce sens-là il démontrait qu'il n'agissait pas sous la pression d'une pulsion sexuelle bestiale mais d'une prise de pouvoir d'un tout autre ordre ». Bon Dieu, le type pensait que son sperme était béni ! À la possession des filles il préférait la perfection de sa préparation, filage, repérage des issues, ouverture des portes, effacement des traces. Son excellence dans ces domaines expliquait qu'il n'avait jamais été inquiété. Il s'était livré parce que tuer n'avait jamais été dans ses intentions et qu'il venait chercher le juste châtiment de sa faute. La commission d'experts psychiatriques l'avait jugé irresponsable d'une courte voix. Il croupissait dans cet hôpital depuis une bonne dizaine d'années. Leitner, sachant que je m'étais lié avec lui, m'en avait parlé même s'il n'était pas son patient. Il m'avait confié qu'en dix ans Stafford n'avait pas progressé parce qu'il mobilisait toute son intelligence pour ne pas se soigner. Il était obsédé à démontrer sa supériorité à son thérapeute.

J'avais de vraies responsabilités à la lingerie. Je dirigeais une bonne vingtaine de types, tous plus âgés que moi. Mais je ne pouvais plus progresser et je commençais à trouver le travail routinier. Mon problème avec la routine était ancien. La répétition des choses selon un ordre immuable me rassurait avant de me peser au point d'être empêché de poursuivre. Sans routine, je ressentais de sourdes angoisses. Une fois la routine installée, l'absurdité de ces répétitions se signalait à moi sous forme d'un mal-être explosif. J'en étais là. Stafford était bien vu à la bibliothèque. Je lui ai demandé s'il pourrait me pistonner pour un boulot là-bas. Il s'est remis dans la peau du prof d'université pour me demander ce que j'avais lu. Je me suis fait passer pour un spécialiste de Dostoïevski. C'était assez gonflé parce que je n'avais rien lu d'autre que les trente premières pages de *Crime et châtiment* même si j'avais l'intention de m'y remettre bientôt. Je voulais m'astreindre désormais à finir ce que j'avais entrepris. Ma vie ne pouvait se résumer à entreprendre quelque chose pour l'abandonner en chemin. Je comprenais que ce syndrome était lié à mon rapport à l'espace, un besoin effréné de faire la route aussitôt contrarié par la culpabilité de prendre le large. Stafford aurait gratté un peu, il aurait vite compris que j'étais le spécialiste de rien du tout. Mais il s'en fichait. Ce qui comptait c'était que mes 2,20 mètres à côté de lui se dressent comme un rempart contre l'agressivité de quelques internés violents qui auraient bien aimé à l'occasion dérouiller sa suffisance. J'ai été intégré à la bibliothèque quelques jours après en avoir fait la demande, appuyé par Stafford et par le patron de la lingerie qui vantait « mon remarquable sens de l'organisation ». Je n'avais pas réclamé la bibliothèque pour rien. Je voulais vraiment me mettre à lire et apprendre autant que mon cerveau me le permettrait. Je caressais au fond de moi le projet de m'initier à la psychiatrie et, à terme, d'en savoir assez sur le sujet pour me comprendre moi-même. Mes premiers travaux ont porté sur Stafford. Grâce à lui et aux livres que j'ai lus, la question de la perversité m'est devenue assez rapidement familière, et je n'ai pas été long à comprendre le rôle du père dans cette maladie. Un soir, alors que les autres malades de notre section regardaient un match de football à la télévision, Stafford s'est mis à me parler de son père, de sa violence, de sa lâcheté, de son absolu mépris pour son fils. Puis il a changé complètement de sujet en me conseillant de lire *L'Amérique* de Kafka mais sans me dire pourquoi. Je ne l'ai jamais lu, je ne saurai donc jamais s'il y avait un rapport avec son père, même lointain.

Averti de mes bonnes dispositions, je me suis rapproché de l'aumônier de l'hôpital. C'était un prêtre d'une cinquantaine d'années au regard morne. Les catholiques n'étaient pas nombreux parmi les internés. Sa première question a été pour ma motivation. Je lui ai expliqué ma naissance sous le signe du diable et les rites sataniques auxquels je m'étais livré seul ou avec la plus jeune de mes deux sœurs. J'ai bien été obligé de lui dire que si Dieu existait, il m'avait complètement oublié. Je ne l'avais jamais vu se manifester ni montrer une quelconque bienveillance à mon égard. Mais je croyais au Christ, non pas comme fils de Dieu mais comme gourou de l'espèce humaine. Il m'a demandé si je comptais croire en Dieu un jour. Ma réponse l'a rassuré, j'avais toute la bonne volonté pour cela. Nous sommes convenus de passer deux heures ensemble chaque semaine.

Comme un serpent se débarrasse de sa vieille peau dans un désert hostile, je ne voulais plus être l'otage de mon enfance, ne plus jamais me réveiller en érection entre deux rêves obsédants. À ces périodes d'optimisme succédaient des périodes de pessimisme noir. J'imaginais que je ne m'en sortirais jamais et qu'un jour je perdrais le contrôle de moi-même. Cette pensée me rendait maussade comme un être condamné à ne jamais se soustraire à son destin. Puis venait l'abattement. J'étais victime de ce que Leitner appelait le syndrome du mort-vivant. J'avais l'impression d'être déjà mort tout en continuant à vivre automatiquement sans qu'aucun de mes sens ne me procure une joie qui vienne me prouver que j'étais vivant. J'avais le sentiment d'une mort imminente, presque naturelle, qui ne se déclarait pas pour des raisons mystérieuses et contre toute logique. Le contraste était saisissant entre les phases volontaristes et ces moments d'effondrement où je me sentais complètement étranger à ma vie, indifférent à ma propre existence.

— L'enfant humain, même quand il naît à son terme biologique est encore prématuré. C'est un être aquatique qui depuis neuf mois s'ébat dans une bulle amniotique qui est le ventre de sa mère, nourri par un cordon qui ressemble au tuyau du scaphandrier. La naissance de l'être humain est à mon sens, de loin, la plus violente. Où que l'on soit dans le monde, dans les villes, dans la savane, en mer, dans les forêts, on n'a jamais entendu cri plus déchirant que celui d'un nouveau-né de l'espèce humaine. La mort est dans une proximité effrayante, bien plus que chez n'importe quelle espèce animale où le nouveau-né trouve une relative autonomie en quelques heures. L'enfant crie sa faiblesse, son absolue précarité d'animal aquatique jeté sur une terre où il n'a aucun repère ni fonction appropriée à une indépendance même relative. Il crie d'être l'otage de sa mère, pour longtemps. La vie intra-utérine se poursuit en plein air dans un état de soumission de l'enfant à la mère. L'histoire de l'homme est celle du paradis perdu. Et ces périodes de prostrations que tu me décris ressemblent à s'y méprendre au repli sur lui-même de l'autiste. C'est le retour au silence, à la sensation de flottement en apesanteur, à l'insouciance loin de la menace d'anéantissement perçue par la suite. Je ne dis pas que tu es autiste, Al, tu en es loin mais toute personnalité emprunte de façon plus ou moins légère à des symptômes classifiés. Tu te replies sur toi parce que, dans ton esprit, la violente insécurité que t'a révélée ta mère par son comportement déstabilisant réapparaît sous forme d'angoisse de mort que tu combats en te préparant à son imminence. Je sais par exemple que tes fantasmes de décapitation s'atténuent quand tu es dans cet état de lévitation un peu morbide. Au contraire, quand tu es dans des phases actives, ces fantasmes accompagnent ton désir de vivre. Cela peut paraître un peu contradictoire mais il en est ainsi. C'est ce clivage que je dois parvenir à briser pour que tu puisses sortir d'ici dans un état psychologique constant. Il ne faut pas que ces crises de prostration menacent ton lien social, tu dois retrouver de la constance dans tes envies. Tu sais, Al, j'ai beaucoup réfléchi à ton fantasme, à ce que tu appelles tes mauvaises pensées. J'ai beaucoup hésité, mais je crois finalement que le lien avec des angoisses de castration est envisageable. Je te demande d'être vraiment sincère dans tes réponses, je peux compter sur toi ? D'accord. Alors dis-moi si tu es capable de jouir autrement que quand tu imagines décapiter une femme ? C'est donc qu'au fond de toi tu as le sentiment que ta mère t'a castré. Par son influence elle a détruit ton désir normal pour une femme. Cette castration, tu t'en défends en coupant des têtes de femmes dans tes rêves. C'est une façon de leur renvoyer ce que tu as subi. Je ne suis pas encore complètement certain de mes conclusions mais je crois que je n'en suis pas loin. On y arrivera, Al.

25

C'est la dernière fois que nous nous sommes parlé. Un vendredi soir. Il venait de me dire qu'il pensait en avoir encore pour un ou deux ans avec moi, avant de me rendre à la liberté dans des conditions où je puisse en jouir. Le lundi suivant nous avions rendez-vous en début d'après-midi. Je me suis présenté à son bureau. Il s'y trouvait deux huiles de l'administration en costume noir et cravate avec des mines sinistres. Ils m'ont ordonné de rejoindre ma chambre sous prétexte que ma séance de thérapie était annulée jusqu'à nouvel ordre. Je n'ai pas pu m'empêcher de leur demander où était le docteur Leitner, mais ils n'ont pas répondu et j'ai vu à leur air préoccupé qu'il s'était passé quelque chose d'anormal. L'après-midi je suis parti au lycée et le lendemain je me suis rendu à ma consultation où se trouvait un nouveau psychiatre inquiet de l'ampleur de sa tâche. Il m'a fait asseoir et sans me regarder m'a déclaré être mon nouveau thérapeute. Il était plus âgé que Leitner.

Plongé dans mon dossier, sans relever les yeux, il m'a dit que Leitner était mort. Pour moi quelqu'un n'est mort que quand on sait comment il est mort. Je le lui ai dit et il a précisé qu'il s'était noyé en pêchant à la mouche dans le nord de l'État dans un rapide particulièrement dangereux. Le courant l'avait emporté, on avait retrouvé son corps 2 miles plus bas. Mon interlocuteur semblait atteint. On ne sait jamais dans ces moments-là si la personne est vraiment émue par la disparition de l'être vivant qu'elle a connu ou si c'est la perspective de sa propre mort qui l'épouvante. Cette nouvelle m'a surpris. Dire qu'elle m'a bouleversé serait mentir. Son effet sur moi a été neutre sur le plan émotionnel. J'appréciais Leitner, je l'aimais bien. C'était quelqu'un de bienveillant à mon égard comme jamais personne ne l'avait été avant lui, sauf mon père peut-être. Il s'était d'ailleurs beaucoup défendu sur ce risque de transfert avant de réaliser que je ne suis pas le genre de type à transférer quoi que ce soit vers quiconque. Vous dire que j'ai ressenti une émotion profonde, que les larmes me sont montées aux yeux ? Non. Vous voyez, ce qui est curieux et je ne saurais pas vous expliquer pourquoi, je l'imaginais maintenant aussi bien mort que quand il était vivant. L'expérience de la mort est vraiment quelque chose qui manque à chaque être humain. J'ai senti comme une fébrilité mais je serais incapable d'en expliquer l'origine.

Le nouveau psychiatre n'avait rien à voir avec les méthodes de Leitner. Il m'a été reconnaissant de reprendre rapidement le travail comme si rien ne s'était passé. D'autres patients jouaient la comédie, s'enfermaient dans la douleur de la perte de leur seul lien avec le monde. Moi non, mais une chose était claire dans mon esprit, je n'avais aucune intention d'être soigné par lui. Je voulais retrouver le chemin de la liberté. On ne fait pas confiance à deux personnes sur un même sujet. J'ai vite compris que Welton était tout le contraire de Leitner. Il avait besoin de se rassurer en nommant les pathologies. C'était un adepte des classifications et il était persuadé d'évoluer dans une science exacte. Avant d'atterrir dans cet hôpital, il avait été psychiatre militaire, d'abord chargé de détecter tous les appelés qui se faisaient passer pour des fous afin d'éviter d'être envoyés au Vietnam. Ensuite, il s'est occupé de soigner ceux qui en revenaient complètement dingues. Je lui ai aussitôt parlé de mon père et de son rôle dans les forces spéciales et un lien s'est créé. Ma stratégie n'a pas été longue à se mettre en place. Leitner, par chance, avait laissé très peu de notes de travail me concernant. Mon cas était traité dans plusieurs rapports dont celui qui m'avait permis d'être scolarisé. J'ai compris que ce type n'attendait de mon cas qu'une classification claire et la preuve de ma guérison. Je ne lui ai jamais dit un mot sur mes fantasmes, mes mauvaises pensées. En quelques mois, je me suis avalé toute la bibliothèque de psychiatrie. Welton était impressionné par mes connaissances. Il a fini même par me prendre comme assistant pour faire passer des tests psychologiques aux autres malades. Je ne l'aimais pas. Je ne saurais dire pourquoi mais je me suis tout de même laissé pousser la moustache comme lui. Je crois qu'il y a été sensible. Je lui ai dit que quand j'avais tué ma grand-mère, je m'étais senti la même responsabilité qu'un type d'une unité d'intervention d'élite qui tue un agresseur pour sauver une famille. Ça m'a rendu sympathique à ses yeux parce que je n'ai pas été long à comprendre que ce médecin était un militaire avant d'être psychiatre. Il m'aurait été définitivement sympathique s'il n'avait pas masqué un certain manque de confiance en lui derrière la sismothérapie, un nom compliqué pour désigner les électrochocs. Il n'était pas sûr que j'en avais besoin mais pensait du fond de son fauteuil en cuir que je devais suivre le traitement à titre préventif. Il imaginait probablement que mon cerveau fonctionnait sur un voltage particulier et il a décidé d'en normaliser le courant. La ressemblance avec la chaise électrique de mon enfance était flagrante mais j'ai préféré ne pas lui en parler. Ils m'ont administré un sédatif puissant qui m'a envoyé dans le cosmos avant de me foudroyer comme une souris de laboratoire. Un des effets de cette thérapie de sauvage est d'effacer la mémoire des moments où elle est pratiquée. Au bout de dix séances, Welton a dû juger que j'étais redevenu compatible avec le réseau électrique des États-Unis d'Amérique et les séances se sont arrêtées.

26

On dit toujours qu'un accident d'avion est la conjonction de plusieurs facteurs. Il en va un peu de même pour obtenir une conditionnelle. Le manque de place à l'hôpital m'a poussé dehors. Beaucoup de types du Vietnam démobilisés et rentrés chez eux souffraient de troubles mentaux graves. Il en rentrait tous les jours dans les services, hallucinés, délirants. Certains, qui avaient commis là-bas des viols, ne parvenaient pas à se soustraire à leur addiction. On voyait aussi de plus en plus de junkies qui explosaient à force de s'envoyer des doses massives de LSD, un acide qui était devenu à la mode dehors disait-on.

Mes résultats scolaires me permettaient d'intégrer une université. Si j'avais joué au basket, j'aurais pu me faire inviter, mais je ne savais pas courir. Je n'ai jamais fait de sport et, comme tous les gens immenses, j'ai poussé un peu de travers. Mes genoux font un x et à la visite médicale qui a précédé ma sortie le généraliste m'a dit que je risquais une usure prématurée des cartilages. Il m'a recommandé de maigrir, jugeant que 130 kilos c'est excessif même avec ma taille.

Entre la décision de me laisser sortir et le moment où j'ai quitté l'hôpital il s'est passé deux mois. Ils ont essayé de retrouver mon père. Mais il avait disparu et il n'y avait même pas une plaque d'immatriculation à son nom dans tout le pays. Ils ont mis du temps ensuite pour repérer ma mère, qui avait déménagé du Montana en Californie. Elle était désormais secrétaire à l'université de Santa Cruz au sud de San Francisco. Le document de conditionnelle stipulait que je ne devais pas revivre avec elle, mais on ne pouvait pas non plus me libérer dans la nature sans ressources. Elle a accepté de me reprendre pour me relâcher aussitôt. L'agent de probation viendrait vérifier sous trois mois que je n'habitais pas sous le même toit qu'elle.

27

Quand je l'ai vue dans le hall de l'administration, j'ai eu envie de reculer. Les quatre ans passés l'avaient légèrement voûtée. Elle avait toujours plus un air de quarterback d'une équipe de
football que d'une femme d'intérieur mais de
nouvelles lunettes la posaient en femme d'affaires. Elle avait certainement vieilli mais je ne
l'avais jamais assez regardée pour me rappeler
son apparence passée. Elle m'effrayait toujours
autant. La pauvreté affective de son regard me
faisait me sentir comme un pauvre bout de
plasma qui traînait derrière elle. Sans me saluer,
elle s'est plongée dans mes papiers de sortie. Elle
a lu à plusieurs reprises les clauses qui l'enga-
geaient en demandant des tonnes de précisions
sur des alinéas. On est bien restés comme ça trois
quarts d'heure. J'ai passé tout ce temps-là en
apnée. L'extérieur me foutait le vertige et ma
mère la nausée. Mes sens se déréglaient. J'ai hésité à regagner ma chambre. Mais elle a signé la
dernière feuille et elle s'est tournée pour voir si
tout était là. On est sortis, elle devant, moi derrière. La lumière extérieure m'a ébloui encore

plus que le jour de ma naissance. Je regardais tout autour de moi et je voyais les champs courbes comme la terre. Le bleu clair du ciel rebondissait sur l'asphalte. Je me suis senti comme un petit garçon et j'ai été pris d'une subite envie de détaler. J'ai songé à lui piquer les clés de sa voiture et à partir sans elle, mais on m'aurait tout de suite reconduit à l'hôpital et maintenant que j'avais goûté quelques secondes au grand air du large, j'avais envie d'en profiter.

Je me suis assis à côté d'elle. Elle a fait marche arrière sans dire un mot. Quand on est arrivés sur la route, elle a explosé :

— Qu'est-ce que tu leur as dit ?

Je ne me suis pas dégonflé.

— C'est une question qui n'a pas de sens. Tu t'imagines qu'en quatre ans on a eu l'occasion de parler ?

Elle tapotait avec ses doigts sur le volant en conduisant mais ça ne suffisait plus, elle lui a mis un grand coup avec le poing fermé comme un marteau.

— Arrête de te foutre de moi, Al, qu'est-ce que tu leur as dit pour qu'ils exigent que tu te tiennes à distance de moi, hein ! Je suis une pestiférée ? Qu'est-ce que tu as bien pu leur raconter ? Tu ne vaux pas plus qu'une fiente d'oiseau, tu m'entends.

Elle était rouge comme le velours des housses de ses sièges.

— Tu leur as chanté le couplet des criminels qui se défaussent de leurs responsabilités sur leurs parents. Qu'un manipulateur de ton espèce ait pu sortir de mon ventre, ça me donne mal aux ovaires, tu m'entends. Même pas capable d'assumer tes conneries. C'est peut-être moi qui ai mis le fusil entre tes mains et qui ai appuyé sur la détente !

Elle a freiné d'un coup sec, et la fumée des pneus devait se voir depuis la prison. Elle a inspiré profondément puis a fait mine de se calmer.

— Écoute-moi bien, Al. Tu es peut-être mon fils, mais rien ne m'oblige à t'aimer, comme rien ne t'oblige à m'aimer. J'ai une situation importante à l'université, où je suis l'assistante personnelle d'un doyen. Je ne veux pas que tu continues à salir ma réputation. S'ils t'ont laissé sortir, c'est qu'ils t'ont jugé guéri. Maintenant, tu vas chercher du travail et foutre le camp. Je t'héberge trois jours, compris, trois jours et tu déguerpis. En tuant tes grands-parents, tu as quitté ce monde, si tu veux y revenir ce sera sans moi.

Elle a redémarré calmement en adoptant une voix doucereuse :

— Qu'est-ce que tu comptes faire ?

Très honnêtement, je n'y avais pas encore pensé. Je voulais faire quelque chose dans le domaine de la moto ou un travail au grand air mais mon désir n'était pas plus précis.

— Je vais m'engager pour partir au Vietnam.

Elle a trouvé l'idée intéressante, sans doute parce qu'elle était radicale.

— Ils t'ont vraiment changé là-dedans. Moi je me souviens d'un grand trouillard qui pissait dans son pantalon à la moindre menace physique. Mais c'est compatible avec ta conditionnelle ?

— Je ne sais pas.

— Tu ferais bien de te renseigner. Et tout de suite.

On a fait demi-tour et on est retournés à l'administration. La femme nous a vus revenir, médusée. Sur le sujet de l'engagement, elle ne savait pas trop. Il y avait beaucoup de types qui passaient du Vietnam à cet hôpital, mais de cet hôpital au Vietnam j'étais le premier à en faire la demande. Puis un de ses supérieurs a passé la tête dans son bureau à ce moment-là. Elle lui a posé la question. Il a été affirmatif. Tant que j'étais sous le drapeau, j'étais considéré sous surveillance, donc ça ne compromettait pas ma conditionnelle. Il m'a laissé ses coordonnées pour que les militaires le contactent et il s'est engagé à faire la jonction avec le département de la Justice. Avant même d'y avoir pensé, je m'étais engagé pour la guerre. Je m'étais exercé depuis plusieurs mois à décrypter mes réactions, mon inconscient pour ainsi dire. J'avais sauté sur l'opportunité qui m'envoyait sans frais le plus loin possible de ma mère.

On est arrivés à 3 heures de l'après-midi à Santa Cruz. Ma mère m'a déposé dans le centre puis elle est repartie à l'université en hésitant à me donner un double de ses clés de maison. J'ai filé m'acheter un hamburger avec les quelques dollars qu'elle avait consenti à me lâcher. J'avais à peine fini de l'avaler que j'ai poussé la porte du bureau de recrutement de l'armée. C'était un bureau étroit et le type en faction, rasé de près avec sa chemise immaculée, avait un regard torve. Il a reculé la tête en voyant ma masse et m'a demandé ce que je voulais. Une fois un petit questionnaire rempli, il m'a orienté vers un gradé qui lisait une bande dessinée dans un bureau encore plus étroit derrière le sien. Le gradé a pris un air d'importance mélangé d'une simplicité calculée et on en est venus aux faits. Je n'ai menti sur rien. L'évocation du meurtre de mes grands-parents l'a laissé perplexe. Il en est très vite venu à mon physique qui limitait mes emplois. Il a regardé mes pieds qui symbolisaient la difficulté de mon cas. Sa moue semblait dire qu'on ne trouvait pas de chaussures à ma taille dans l'armée. Le type avait l'air tracassé. Les volontaires n'étaient pas légion pour le Vietnam. En même temps, mettre un type comme moi dans un hélicoptère c'était le coller au sol. Il aurait pu gérer un petit modèle qui avait tué ses grands-parents ou un géant sans casier judiciaire. Mais un géant criminel, c'était trop pour lui. Il a pris mes coordonnées et m'a promis de me rappeler si on avait besoin de moi.

Ma mère louait une maison qui ressemblait aux autres maisons de sa rue. Elle n'était pas très ancienne, une quinzaine d'années peut-être. La lumière y entrait sans fracas. Un jardin d'une vingtaine de mètres la séparait des voisins. Une propreté de classe moyenne stérilisait le quartier. La porte qui donnait sur l'arrière du jardin complètement clos par un mur blanc de faible hauteur était fermée à clé. À travers la vitre je voyais qu'elle en avait fait le paradis de ses chats de concours qui s'étiraient au soleil. Les pièces dans l'ombre me donnaient le cafard. Ma mère m'avait attribué une chambre au rez-de-chaussée près de l'entrée. Mes affaires devaient rester dans mon sac en cas de visite inopinée d'un agent de probation. En attendant le dîner, je suis allé faire un tour en ville. Je n'en croyais pas mes yeux. En quatre ans le monde avait plus changé qu'entre le début et la fin de la guerre pour ce que j'en savais.

Des centaines de jeunes déambulaient, habillés et crasseux comme des clochards, en chemises, robes longues à fleurs et sandales. Les mecs portaient des cheveux longs et gras comme les filles et se laissaient pousser la barbe. Ils marchaient en chaloupant, les yeux injectés de sang, le cou et les poignets ornés de breloques artisanales. On n'avait jamais vu une humanité si loqueteuse, peinturlurée des pieds à la tête, et je me suis dit qu'il devait y avoir une sacrée crise pour voir autant de jeunes sans-abri déambuler sans but précis. Ce parti pris de l'enlaidissement devait bien correspondre à quelque chose. Je me suis fait même aborder deux ou trois fois par des filles qui voulaient me parler de choses obscures où se mêlaient Jésus, la paix au Vietnam, la réincarnation et tout un tas de conneries embrouillées par leur cerveau défoncé. Il y en a même une qui s'est arrêtée devant moi, les bras en croix, et qui m'a traité de totem blanc, d'exterminateur d'Indiens. Je n'ai pas eu besoin de la pousser pour l'écarter de mon chemin, elle est tombée toute seule dans un rire de petite fille demeurée. Je n'étais pas d'humeur à me lier avec cette engeance. Je voulais seulement qu'on me fiche la paix. Une sourde envie de me foutre en l'air me caressait l'esprit et j'essayais d'y résister. Je me suis assis dans un parc où une bonne cinquantaine de ces phénomènes décadents zonaient dans un drôle de voyage intérieur. J'étais fier, contrairement à eux, de porter une chemise propre. Elle était bleue à manches courtes. J'en imposais trop pour que quelqu'un ose partager mon banc. Je suis resté ainsi une bonne heure à regarder les gens en me disant que toute cette histoire de vie n'avait aucun sens. Pas un de ces promeneurs n'avait la moindre chance de survivre aux cent ans à venir et l'histoire de notre espèce m'apparaissait comme celle d'un génocide par le temps. Chaque génération se débattait dans ses petites histoires avant de peupler en masse les cimetières. J'avais un sacré coup de blues, je ne le nie pas. J'aurais pu me mettre une balle dans la tête aussi bien que flinguer tous ces freaks ou ces vieux qui marchaient dans le parc, animés par des raisons obscures et connues d'eux seuls. Santa Cruz ne me faisait pas un très bon effet. J'enrageais que ce putain d'hôpital m'ait remis entre les mains de ma mère, dans une dépendance de nouveau-né, sans argent ni projet. J'ai senti monter une haine contre tous ces types qui s'étaient soi-disant appliqués à me soigner pendant quatre ans et qui maintenant m'avaient abandonné. Je voulais retourner à l'hôpital pour retrouver ma dignité. Mais bordel, pourquoi ils faisaient une chose pareille ? Ils ne savaient pas de quoi j'étais capable moi, quand je me fous en rogne ! J'aurais bien voulu voir leur tête à tous ces psys s'ils apprenaient demain matin que j'avais tiré sur une vingtaine de promeneurs dans ce parc et puis sur deux ou trois flics avant que leurs potes ne se ramènent et m'abattent. Avant de me faire sortir, ils auraient pu me trouver un boulot. N'importe où, n'importe quoi, même un boulot que personne ne veut faire, laver des morts à la morgue ou un truc comme ça mais au moins m'assurer mon indépendance. J'en ai pleuré de rage sur mon banc.

28

Ma mère est rentrée chez elle avec de quoi manger pour deux, sans plus. J'étais allongé sur son canapé à franges mauves. Je me suis relevé pour éviter une réflexion. Ça sentait le poulet frit et le papier d'emballage chaud. Les frites étaient à part dans des cornets dégoulinant d'huile. Elle en avait mis pour plus cher de bière que de bouffe, en cela elle n'avait pas changé. Elle regardait alternativement en haut et en bas mais rarement à hauteur d'homme. Elle s'est envoyé deux bouteilles d'un demi-litre avant de maugréer :

— Je t'ai trouvé un boulot dans une station-service à la sortie de la ville. Et une chambre en meublé chez une dame honnête pour un peu plus d'un tiers de ton fixe. Si tu te fais de bons pourboires, le loyer ne pèsera presque rien. Qu'est-ce qu'ils ont dit pour le Vietnam ?

— Ils n'ont rien dit mais je crois qu'ils avaient peur de ne pas pouvoir me chausser.

— C'est tout ?

— Non, t'imagines bien. J'aurais tué des Indiens, j'aurais été incorporé, mais mes propres grands-parents, je les ai sentis hésitants. Ils doivent me rappeler.

— Ils ne te rappelleront jamais. Un type capable de tuer ses grands-parents est aussi bien capable d'ouvrir le feu sur ses camarades de régiment dans leur dos.

Je me suis levé comme un fauve.

— Tu ne peux pas dire une chose pareille !

— Si, je peux le dire, parce que je le pense.

Je me suis rassis. Elle a ouvert une autre bouteille de bière sans m'en proposer. Ma colère est retombée comme un soufflet. On a mangé en silence. Elle a allumé le poste de télé sur un reportage sur le Vietnam. Elle a changé de chaîne pour un match de base-ball. Ma mère aimait le base-ball, je l'ai vue frétiller.

— Ta sœur est enceinte.

J'ai pris le temps de répondre.

— De quoi ?

Elle m'a regardé médusée.

— Comment, de quoi ?

— D'un mammifère marin ?

Elle a pincé les lèvres, signe d'un grand effort sur elle-même.

— J'aurais tant aimé être fière de toi, Al.

Qu'est-ce qu'on peut dire à ça ?

— Je vois tous ces étudiants à l'université et je me dis que tu pourrais être un des leurs.

— Qu'est-ce qui l'empêche ?

— Tu n'auras jamais de bourse, et je n'ai pas les moyens. Maintenant que ton père a disparu, il ne faut pas compter sur moi pour payer sa part de quoi que ce soit. De toute façon, ce serait de l'argent jeté par les fenêtres. Je ne nie pas que tu sois intelligent, Al, mais tu n'as aucune volonté.

Tu es un velléitaire. Tu n'as aucune suite dans les idées. Sais-tu seulement ce que tu veux faire de ta vie, à part la bousiller ?

Elle s'est levée pour débarrasser la vaisselle et la laver. Je suis resté assis. Elle s'est mise en colère :

— Tu me prends pour une domestique ? Tu ne peux pas te lever pour m'aider ?

Je me suis levé lentement. J'ai pris un papier et un crayon pour noter l'adresse de la station-service et de la logeuse qu'elle m'a dicté d'un air excédé. Quand elle en a eu terminé, j'ai déchiré le papier.

— Qu'est-ce que tu fais ?

— Tu vois bien, je l'ai déchiré. Je n'ai pas besoin de papier pour me souvenir d'une adresse. Mais surtout, je n'ai pas besoin de toi pour trouver du boulot. Je n'irai ni dans cette station-service ni chez ta logeuse. Je ne veux rien te devoir. Même pas la nuit ici. Je vais prendre mon sac et me tirer. Mais pas avant de te dire une chose. Je regrette vraiment d'avoir tué les grands-parents.

— Tu regrettes, bonne nouvelle !

Elle s'en fichait complètement. Elle cherchait du feu pour allumer une cigarette.

— Oui, je regrette, je n'aurais jamais dû les buter. C'est toi que j'aurais dû flinguer.

Elle a eu un petit rire mauvais, mais je voyais bien qu'elle avait peur. Mon expression avait dû changer sans que je m'en aperçoive.

— Bon, puisque je ne peux pas compter sur toi pour la vaisselle, je vais la finir toute seule. Tu peux y aller.

Elle faisait la fière mais elle est quand même allée se chercher une autre bière.

— Je serais toi, Al, je ne sortirais pas trop souvent ce genre de menaces. Sinon, j'en parlerai à ton agent de probation et tu repartiras illico en hôpital psychiatrique. Ce n'est pas ce que je veux. Prends tes affaires, disparais comme ton père, fais ta vie, n'importe quelle vie, ça m'est égal, mais disparais.

Elle m'a dit tout cela en me tournant le dos pendant que je regardais sa nuque. Je suis parti dans ma chambre. J'ai remis les quelques affaires que j'avais sorties dans mon sac en jute kaki et je me suis éclipsé sans rien ajouter avec le vague sentiment que je venais de lui sauver la vie.

Dehors, j'ai réalisé que sa maison était humide car l'air était sec et tiède. La nuit était tombée sur la ville comme un rideau de théâtre sur une scène illuminée et le noir restait imparfait. J'ai repris le chemin du parc où je m'étais arrêté l'après-midi. Il m'est difficile de décrire le plaisir que j'éprouve à me promener quand un danger diffus plane dans l'atmosphère. Il peut ne rien se passer mais on sent qu'il n'en faudrait pas beaucoup pour que la situation dégénère en drame. C'est l'heure où l'insatisfaction, la rancœur et la folie rôdent. Tout est question d'opportunités, de circonstances, et de lune.

Ma mémoire exceptionnelle enregistre souvent des détails insignifiants pour le commun des mortels. Mais elle peut aussi effacer des pans entiers de mon existence. L'hôpital me semblait loin. Leitner plus encore. En marchant dans les rues désertes de Santa Cruz, je me demandais si je l'avais vraiment connu. Je pensais à mon père évanoui et je comptais le retrouver. Je voulais lui expliquer mon geste pour qu'il puisse juger en connaissance de cause. Je me serais bien vu m'installer à côté de lui. On s'entendait bien quand on vivait ensemble à Los Angeles. Les femmes nous ont toujours séparés. Ma mère et mes sœurs qu'il a fuies comme le choléra. Sa seconde femme qui s'imaginait que je lorgnais dessus. Et puis la nouvelle, dont je ne savais rien. Mais par-dessus tout sa mère, ma grand-mère. En la tuant j'avais créé chez lui un étrange sentiment de culpabilité. De ne pas l'avoir pleurée, car je suis certain que la mort de sa mère ne l'a pas ému.

Il règne à Santa Cruz une fausse quiétude nonchalante de ville universitaire. Difficile d'imaginer ce coin en tas de cendres si la faille de San Andreas venait à bouger. Un massacre, voilà ce qu'il adviendrait, toute la côte californienne ne serait que drame et désolation. L'enfer n'est jamais loin du paradis, mais les gens ne veulent pas le savoir, ils dorment comme si une bonne étoile veillait sur eux. Ils passent leur temps à se construire des enclos pour les chèvres naines qu'ils sont. Ils amassent, collectionnent, le regard fixé sur la pointe de leurs chaussures. Il ne leur vient jamais à l'idée de se demander ce qu'ils fichent là. Dès que quelqu'un se fait trucider autour d'eux, leur propre vie prend une saveur insoupçonnée. Les meurtres ne les horrifient pas, ils donnent une valeur inespérée à leur cheminement mesquin.

À ma grande surprise, le parc était plus animé à cette heure tardive qu'en pleine journée. J'ai dû tourner un peu afin de trouver un banc où dormir seul. Je n'avais jamais vu une telle concentration de freaks. Il en venait de partout avec la même

démarche chaloupée. Une bonne dizaine d'attrou-
pements s'étaient formés en cercle pour jouer de
la musique avec des poses très inspirées. Les plus
défoncés d'entre eux dormaient à même le sol, les
bras en croix, les yeux ouverts scrutant la galaxie.
Je ne regrettais pas de m'être rasé de près avant le
dîner, d'avoir taillé ma moustache et d'avoir repassé ma chemise. Je me suis posé au milieu du
banc pour marquer mon territoire et je me suis
convaincu de bien dormir avant d'aller chercher
du boulot. Je pourrais vous en faire des tonnes
sur ces Martiens qui puaient le chanvre mais ces
dégénérés m'étaient indifférents, je ne leur voulais aucun mal. Je ne comprenais pas d'où ils sortaient et où ils allaient comme s'ils étaient d'un
monde immatériel se déplaçant en nuées transpa-
rentes.

Bercé par les musiques indiennes, je commençais à m'endormir le menton sur ma poitrine
lorsque j'ai senti une présence. Mes yeux se sont
ouverts sur une fille de mon âge ou un peu plus.
Ses cheveux blonds lâchés tombaient très bas
jusqu'à la cambrure de ses reins. Le haut de ses
seins amples était découvert par une robe blanche
fripée presque transparente, étagée par de nombreuses frises. Elle me regardait avec bienveillance. J'ai répondu à son salut parce que je la
trouvais vraiment très jolie. Je sortais de la colère
dans laquelle m'avait plongé ma mère et elle
n'avait pas complètement cédé à la quiétude qui
est un état inhabituel pour moi.

— Tu fais la route ?

Elle s'est assise au bout du banc. Ne pas me regarder la rendait confiante.

— C'est tout le contraire. Je cherche à m'implanter.

— Tu as fait le Vietnam ?

— Non. Ils n'ont pas voulu de moi, je suis trop imposant.

Elle a hoché la tête.

— C'était écrit.

— Qu'est-ce qui était écrit ?

— Depuis ta naissance, il était écrit que tu n'irais pas mourir là-bas parce que tu fais une trop grande cible. Tant mieux. Tu as un bon karma. J'ai un frère là-bas. Je sens du plus profond de mon ventre qu'il ne va pas en revenir. C'est pour cela que je fais la route. Je suis de Sacramento. Je ne veux pas être là le jour où des hommes en uniforme sonneront à la porte de chez mes parents pour leur annoncer la mort de mon frère. Je voulais qu'il déserte. Il n'a pas voulu. Je suis une communauté qui se forme au fur et à mesure des rencontres. On est déjà une quinzaine. Si ça te tente, tu es le bienvenu.

— Quel genre de communauté ?

— On va essayer de vivre selon nos principes. Abolir la propriété des biens et des gens.

J'ai dit :

— Un truc communiste ?

— Oh non ? Rien à voir. Enfin... je ne sais pas vraiment ce qu'est le communisme. On va aller plus au nord cultiver des terres et vivre de notre production. Tous nos biens seront mis en commun, l'amour sera libre...

— Libre ?

— Oui... il faut en terminer avec ces histoires de possession, ma terre, ma femme, mon chien, mon téléviseur. On va même faire des enfants qui appartiendront à la communauté. Jamais des enfants n'auront reçu autant d'amour dans l'histoire de l'humanité. Ils n'auront plus de problème psychologique, ils ne connaîtront ni la rivalité ni la compétition. On va inventer un monde nouveau sans guerre où il ne sera question que d'amour, un monde radicalement différent de celui de nos parents, où les questions matérielles n'auront plus d'importance. On retrouvera l'harmonie avec la nature et on passera notre temps à jouir.

Elle a repris son souffle puis elle a dit :

— Tu veux baiser ?

Un camion m'aurait frappé à ce moment-là, je n'aurais pas été plus surpris.

— Ne t'inquiète pas, personne ne regardera. Il n'y a pas de concupiscence chez les gens comme nous. On satisfait un besoin naturel, aussi naturel que de manger ou dormir, tu veux ?

Elle s'est levée et elle a remonté sa jupe pour s'asseoir à califourchon sur mes genoux. Je l'ai repoussée sans violence mais fermement et elle a compris qu'insister serait une lourde erreur.

— Tu n'es pas encore prêt pour le grand saut dans un monde meilleur. Je le comprends, mon frère. Mais si tu veux rallier notre communauté, on est là encore deux jours, le temps de faire le plein d'argent avec des petits boulots. Ensuite on va vers Mount Shasta dans le Nord, tu connais ?

Je connaissais bien sûr mais je suis resté évasif.

— Si un jour tu désires un monde meilleur, tu seras toujours le bienvenu. C'est quoi ton nom ?

— Al.

— Moi c'est Lisbeth.

C'était terrible de laisser partir une fille comme

celle-là pour la simple raison qu'on ne sait pas quoi en faire.

Elle m'a fait un petit signe des doigts avant de s'enfoncer dans une semi-obscurité.

Je l'ai aperçue le lendemain matin quand, vers 7 heures, je suis parti chercher du boulot. Elle était sous un sac de couchage entre deux crasseux. L'idée qu'elle ait couché avec eux alternativement ou ensemble m'a retourné l'estomac. Je les aurais bien frappés à coups de pied. L'amour libre, sans trop savoir pourquoi, je pensais que c'était encore une idée d'hommes vendue par des femmes. Cette idée n'était pas la plus importante, me présenter pour un travail mal rasé me tracassait bien plus.

Je suis descendu vers le centre-ville, courbatu par l'inconfort de la nuit. Avec le reste des quelques dollars mendiés à ma mère la veille j'ai pris un café allongé et trois beignets. Un petit vent venu de la mer me caressait le visage. Un état intermédiaire entre le bien-être et la crainte de le perdre m'habitait. Je voulais absolument trouver du travail avant le soir pour ne pas être contraint de revoir ma mère. Je pouvais continuer à dormir dans le parc tant que la météo le permettrait mais il me fallait manger et on ne nourrit pas une masse comme la mienne avec des expédients. Le patron de la première station-service que j'ai visitée était navré de n'avoir rien à m'offrir. À la deuxième, le boss n'était pas là et je n'ai pas eu envie d'attendre. La troisième a été la bonne. Le gérant de Texaco était un Italien rondouillard. Il avait plus une tête à vendre des pizzas que de l'essence mais c'est le genre de cliché qui ne veut pas dire grand-chose. Comme je m'y attendais, il ne proposait pas de fixe. Les pourboires sur l'essence, les pare-brises lavés, les pneus gonflés et tous les petits entretiens comme la vérification des niveaux étaient pour moi. Selon lui, j'allais gagner plus que je ne l'espérais. Par chance, mon prédécesseur s'était tiré avec une cliente, une femme d'une quarantaine d'années qui roulait dans le dernier modèle Cadillac. D'après Giannini, elle allait lui offrir plus mais moins longtemps même si c'était un beau gosse, pour autant qu'il pouvait en juger. Deux freaks étaient venus le solliciter avant moi mais il ne voulait pas de ce genre de dégénérés. L'odeur du pétrole et du cambouis ne suffisait pas d'après lui à couvrir leur puanteur. C'était peut-être un peu exagéré mais les Ritals aiment en rajouter. Il m'a demandé si je m'y connaissais en mécanique parce qu'un garage qui lui appartenait était couplé à la station. Il s'est informé d'où je venais pour la forme, la réponse l'intéressait moyennement. Je lui ai dit que je venais du Montana. Il a eu l'air de trouver que c'était un bien long voyage pour faire le pompiste ou même le réparateur moto puisque j'avais déclaré avoir quelques compétences dans le domaine. Comme il m'arrivait à la taille, il ne me regardait jamais pour me parler de peur de s'user les vertèbres cervicales. Il ne comprenait pas qu'on puisse être aussi grand. Il m'imaginait sans doute très fort parce qu'il n'avait pas examiné mes os incroyablement fins pour un homme de ma taille.

29

Dès le premier jour, mes pourboires m'ont permis de me présenter chez une logeuse. Les clients, par respect ou par crainte de ma stature, mettaient la main à la poche sans sourciller. L'habitude des gestes précis et efficaces a fait le reste. Cette femme habitait une maison bien trop grande pour elle seule, à l'angle de deux rues sans intérêt qui ne semblaient là que pour se croiser. Les poteaux en ciment sur lesquels reposait la construction lui donnaient l'air de pencher en avant, prête à tomber à la première secousse. Jadis, toutes les pièces avaient dû être occupées, je pouvais le sentir. Les deuils, les départs, les fugues, qu'est-ce que j'en savais, l'avaient vidée de sa famille et il ne demeurait que cette vieille femme ridée qui passait ses matinées à se faire des mises en pli. Elle n'avait d'autre choix que de se plaire à elle-même. L'odeur de cheveux grillés qui se dégageait du petit appartement qu'elle s'était réservé sautait à la gorge quand on venait frapper à sa porte pour récupérer le courrier ou payer le loyer de la semaine. Je lui ai plu tout de suite quand je lui ai raconté que je travaillais comme pompiste pour payer mes études. Ma chemise bleue en nylon a dû faire bon effet. À notre première rencontre, sa ressemblance physique avec ma grand-mère m'a troublé. Elle était le genre de femme à avoir pris un mari et fait des enfants pour le plaisir de les voir se tirer l'un après l'autre, exténués par l'organisation obsessionnelle qu'elle avait dû leur infliger. Elle louait trois deux-pièces avec cuisine pour un prix plus que raisonnable. L'agent de probation est venu m'y rendre visite sans prévenir au bout d'un mois. Je ne pouvais pas lui montrer de fiche de paye, alors je l'ai invité à constater la réalité de mon travail à la station depuis le trottoir d'en face. Il s'est inquiété de savoir si je vivais indépendamment de ma mère. Je l'ai rassuré sur ce point mais inquiété aussi car, à part lui, personne ne veillait plus sur moi. Il m'a rappelé que je n'étais pas autorisé à quitter l'État, et que la moindre infraction à cette disposition conduirait à la suppression de ma conditionnelle. « Où voulez-vous que j'aille ? Que je quitte le climat de la Californie pour faire bonhomme de neige en Alaska ? » Je voyais qu'il avait une idée derrière la tête. Il a fouillé minutieusement l'appartement à la recherche d'alcool ou de stupéfiants avant de me demander, au moment où je m'y attendais le moins, si j'allais bien. De ma réponse laconique sans équivoque il a tiré un paragraphe entier qu'il a écrit sur une feuille de son dossier d'une écriture minuscule qu'il cachait à ma vue. Ce type avait la franchise du reptilien qui voudrait faire passer ses écailles pour un duvet. Je sentais quelque chose d'énorme derrière son verni d'auxiliaire de justice, le genre de poids dont on ne peut jamais se délivrer. Le dernier rempart vers une forme de passage à l'acte était sa fonction, chaque expression de son visage ou de ses doigts trahissait cette situation d'aspiration abyssale et contradictoire. J'en savais long sur les pervers, il l'a lu dans mes yeux et, le temps d'une demi-seconde, les rôles se sont inversés mais il a vite repris le dessus en me disant que je ne compte pas sur lui pour oublier qui j'étais. Il me l'a même fait payer en rapprochant les dates où je devais pointer.

30

Mon enthousiasme à remplir des réservoirs et à laver des pare-brises n'a pas duré plus de deux mois. Nous étions à la fin du printemps de l'année 67 et l'envie de prendre le large me taquinait régulièrement. J'aurais bien pris la route à contresens de tous ces jeunes de ma génération qui déferlaient sur la Californie du Nord. On prétendait qu'ils avaient envahi San Francisco par milliers et que des milliers d'autres étaient en chemin, ralentis par le manque d'argent. En fait de route, un client qui m'avait à la bonne travaillait aux Ponts et Chaussées et m'a proposé de me faire embaucher pour un salaire fixe. La perspective d'un travail au grand air m'a plu. Giannini, tout en regrettant mon départ, m'a regardé partir, fier qu'un type consciencieux comme moi cherche à progresser dans la société au moment où tant de jeunes décidaient de vivre d'expédients. « Paix et amour », ils n'avaient que ces deux mots qui leur sortaient de la bouche comme les bulles d'un savon parfumé pour vieilles. Santa Cruz se trouvant entre San Francisco et Monterey, ces énergumènes pacifistes foisonnaient dans la ville et dans l'université où travaillait ma mère. Je le savais parce qu'il m'arrivait d'aller me promener sur le campus pour apprécier le cadre où elle travaillait. Je me suis même fait une fois le plaisir de lui rendre visite. Je savais par ses vantardises qu'elle était la secrétaire particulière du doyen de la fac de psychologie et je suis tranquillement remonté jusqu'à elle. Dire qu'elle ne s'est pas réjouie de ma visite inopinée a tout d'un euphémisme.

En se retirant, le sang lui a laissé le visage livide avant de verdir comme s'il s'oxydait. Mais elle ne pouvait pas gueuler. Je ne l'ai jamais vue aussi lamentable que quand ses collègues se sont avancés dans son bureau pour l'emmener déjeuner et qu'ils m'ont regardé, sidérés, comme s'ils découvraient que l'Empire State Building avait une mère. On se ressemblait tellement de visage qu'elle n'aurait pas pu me renier. Elle n'en avait pas l'intention. Pas plus que de l'avouer. Alors elle est restée là plantée comme un cheval qui ne sait plus ni avancer ni reculer. Je me suis tourné vers ces femmes et j'ai dit : « Bonjour, je suis Al, son fils. » Elles étaient pétrifiées et la moins fine des trois a lancé : « Je croyais que tu n'avais que deux filles. » La partie était gagnée pour moi. J'ai ajouté : « Vous ne voulez quand même pas que je baisse mon pantalon ! » L'une des femmes qui ne devait pas aimer ma mère a hurlé de rire, un rire si sonore que le doyen est sorti à son tour de son bureau. Le doyen n'était pas très grand et un drôle de nœud papillon lui serrait le cou sur une chemise impeccable. Il est entré tout sourire, décidé à partager l'émoi. Ma mère m'a présenté alors comme son fils. Il ne voyait pas ce qu'il y avait de si drôle à cela.

— Ma mère n'est pas très fière que je travaille à refaire les routes de Californie plutôt que d'étudier dans une université prestigieuse, alors elle évite les présentations.

— Évidemment, il y a de quoi rire, a répondu le doyen d'une voix qui ne voulait causer de tort à personne.

Il a très vite compris que sa présence était inutile, et il est retourné dans son bureau non sans avoir jeté un œil à la corbeille du courrier, histoire de justifier son déplacement.

Ma mère, qui ne disait toujours rien, s'est levée et a pris son sac. Elle se remettait doucement de sa terreur de me voir balancer la vérité devant tout le monde. Elle ne m'en a montré aucune reconnaissance. Une fois dehors, elle m'a salué d'un « À ce soir, Al », comme si rentrer chez elle était une de mes habitudes. Puis elle a disparu avec ses collègues. Je me suis assis sur un banc les bras en croix sur le dossier et j'ai regardé passer les étudiants qui circulaient d'un bâtiment à l'autre, seuls ou en groupe. Les observer en disait long sur l'Amérique et sur sa transformation depuis mon incarcération. Si le communisme avait été longtemps la principale menace qui pesait sur le pays, un danger d'une tout autre nature avait l'air de le gangrener de l'intérieur. Heureusement, une majorité de jeunes comme moi fréquentaient l'université en arborant par leur démarche et leur tenue vestimentaire le respect d'eux-mêmes et celui des autres. Je sentais comme l'émergence d'une guerre civile larvée qui se mettait en route et je n'ai pas été long à choisir mon camp. En deux mois, je n'avais échangé que quelques mots utiles avec Giannini, mon agent de probation ou ma logeuse. C'était trop peu pour se faire une idée sur ce qui commençait vraiment à m'intriguer. Je voulais être utile à mon pays et l'aider à juguler ce phénomène de dégénérescence de notre jeunesse. Cette prise de conscience se traduisait par une irrépressible envie d'intégrer la police. Je me doutais que ce serait difficile compte tenu de mes antécédents, mais en manœuvrant intelligemment j'avais mes chances.

Le soir venu, j'ai déambulé un peu en ville. Quand la faim s'est manifestée, je me suis dirigé vers la maison de ma mère en quête d'un dîner gratuit. Elle m'a ouvert en soupirant d'un air accablé. J'ai rétorqué :

— Tu m'as bien dit « à ce soir » quand on s'est séparés à midi ou j'ai rêvé ?

— Façon de parler, Al, tu ne peux pas entrer, j'ai du monde.

Cela tombait bien. Elle ne prenait jamais l'avantage sur moi en public et elle était obligée de réfréner ses colères sauf à passer pour une femme hystérique. J'ai poussé la porte pour qu'elle comprenne que je n'avais pas l'intention de renoncer. Elle s'est retournée folle d'une rage si mal contenue que je me demandais par où elle allait sortir. Le type qu'elle recevait était un professeur vieillissant. Je le jugeais sexuellement déprimé pour en être réduit à séduire une femme dépourvue de toute féminité, à la peau abîmée par l'alcool jusqu'à son nez qui ne passait plus jamais au vert. Lui non plus n'avait jamais entendu parler de moi, mais il n'avait pas l'air de s'en offusquer. Dans la nature, un mâle décidé à couvrir une femelle n'a d'intérêt pour sa progéniture que si celle-ci est une gêne sur le chemin de la saillie.

Ma mère avait mis les petits plats dans les grands, et elle s'était habillée comme pour sortir. Ce vieux professeur dirigeait un département de psychologie et il avait à cœur de montrer sa capacité à lire dans les gens. Il en tirait une supériorité qui le rendait vite agaçant. Tout ce qui l'intéressait c'était de savoir si j'allais m'incruster au-delà du dîner, ce qui aurait contrarié ses plans.

— On parlait avec ta mère de tous ces jeunes adolescents qui convergent de toute l'Amérique vers cette partie de la Californie, qu'en penses-tu, Al ?

— J'en pense que c'est une belle bande de défaitistes sous leurs airs de pacifistes. Avec des gens comme ça on peut donner les clés de l'Amérique aux Soviétiques. Et ils n'auront même pas besoin de violer les femmes, elles s'offriront à eux dans des corbeilles de fleurs.

Il a trouvé ma réponse amusante, la glace était brisée.

— J'ai essayé de m'engager pour le Vietnam mais il paraît que j'ai plus de chance de m'assommer en me levant dans un hélicoptère que de me faire descendre par un Viet. Ils n'ont pas voulu de moi.

— Qu'est-ce que tu comptes faire ?

— J'aimerais entreprendre des études supérieures et entrer dans la police. Je pourrais les aider.

— À quoi par exemple ?

— À établir le profil psychologique de tueurs, à enquêter dans certains milieux.

— Tu t'y connais en psychologie ?

À l'idée de ma réponse, les yeux de ma mère se sont gonflés d'un coup.

— J'ai beaucoup étudié la psychologie ces dernières années, et j'ai même assisté certains psychiatres à tester des malades quand j'étais employé à Atascadero. J'ai beaucoup travaillé sur les pervers. Sur les schizophrènes aussi. Je suis moins calé sur les maniaco-dépressifs.

Il a apprécié ma franchise.

— Pourquoi ne t'inscris-tu pas à l'université, à notre université ?

— Je pourrais. J'ai les diplômes nécessaires et, ma mère ne vous l'a peut-être pas dit, on a détecté chez moi un QI supérieur à celui d'Einstein.

Ma mère a acquiescé. Elle n'était pas plus à l'aise qu'un artificier manipulant un obus défectueux.

— Impressionnant.

Il n'a pas été plus loin. Il a détecté un mystère entre ma mère et moi, et en homme patient il n'était pas pressé de l'élucider.

Je lui en ai fait des tonnes pendant le dîner sur le rôle de la défaillance du père dans les causes de la perversité. Il m'a écouté, attentif, opinant régulièrement, pour finir par conclure :

— Ce serait dommage de ne pas le laisser poursuivre ses études.

Ma mère a d'abord fait celle qui n'écoutait pas. Voyant que la réflexion du prof dépassait la formule de politesse, elle s'est tournée vers lui :

— L'intelligence ne suffit pas toujours. Il faut d'autres qualités comme la stabilité, la persévérance...

— Vous n'avez pas l'intention d'en faire un politicien ?

Sur ce trait d'humour, on est passés à d'autres sujets qui ne m'intéressaient pas. Je me suis levé un peu brutalement et je suis parti.

31

Je n'ai pas marché longtemps. Je suis entré dans un premier bar. Il était plein de freaks et j'ai déguerpi. Le suivant était vide et l'idée de boire seul accoudé à un comptoir ne m'enthousiasmait pas. Le troisième avait l'air d'un bar d'habitués et de gens plutôt conservateurs, c'était la seule humanité que je me sentais d'humeur à fréquenter. Garées devant, trois rutilantes Harley m'ont convaincu que j'étais au bon endroit. J'ai tourné autour. Les trois devaient appartenir à une bande de potes, elles étaient toutes des choppers sur une base de FLH 1960, chromées jusqu'au plus petit écrou. En entrant je n'ai vu que les seins énormes de la serveuse et le billard au milieu de la pièce. Entre les deux une flopée de clients éméchés s'agitaient, des hommes pour la plupart. Un freak a eu l'idée de rentrer derrière moi mais trois costauds se sont dressés contre lui en mimant une paire de ciseaux avec leurs doigts. Difficile d'entraîner un pacifiste dans une bagarre. Le type s'est excusé d'un signe de la main et il est ressorti. Les trois costauds se sont congratulés comme s'ils avaient réalisé un exploit et j'ai commandé un double Jack Daniel's à la serveuse, qui semblait ne s'intéresser à rien. Elle avait tout d'une victime de ses gros seins, comme s'ils lui interdisaient l'amour. On aurait eu envie de lui injecter un peu de vie, juste pour voir. J'ai bu cul sec et j'en ai recommandé un. Dans son regard j'ai deviné qu'elle me suspectait de vouloir me saouler, alors j'ai pris les devants pour la rassurer en lui disant qu'il fallait des gallons pour irriguer une surface comme la mienne. Elle a fait mine de ne pas entendre, alors j'ai gueulé par-dessus la musique pour commander une bouteille de vin. Le whisky me brûle l'œsophage. Deux des motards sont venus s'installer à côté de moi au comptoir en tenant leurs femmes par la main, une blonde et une rousse plantureuses sans vulgarité ni classe. Ils m'ont salué, par respect pour ma taille. J'en étais à la seconde moitié de la bouteille de vin quand on s'est mis à discuter. Ils tiraient beaucoup sur le fût de bière de leur côté. C'était sans conséquence parce qu'ils étaient charpentés pour faire face à l'inondation. Les gens se rapprochent d'autant plus vite qu'ils en ont après les mêmes personnes. C'est d'autant plus facile que la tendance humaine est au conformisme dont l'uniforme est le meilleur garant. Ces quatre-là étaient fringués comme des Hell's Angels autant que je me nippais comme mon père. J'ai toujours pensé que la façon la plus originale de s'habiller, c'est de faire comme tout le monde. On a parlé moto et ils ont vu que j'en connaissais un rayon. Je leur ai parlé de mon Indian laissée dans l'Oregon. Ils ont compris que ma taille exigeait une des plus grosses motos du marché sauf à rouler en se servant des genoux comme lunettes de soleil. Ils m'ont proposé de me faire rencontrer un type qui vendait une Panhead Police solo de 1954 pour un bon prix. Ils se portaient garants de son état. Je dois reconnaître que l'idée de conduire une ancienne moto de police m'enthousiasmait. La payer 150 dollars alors qu'elle en avait valu 1 000 neuve, c'était une affaire. J'ai accepté sous réserve de me laisser un peu de temps pour me faire assez d'argent à la voirie. Savoir en quoi ça m'intéressait de travailler en plein soleil dans l'odeur du bitume en fusion dans l'échappement des voitures les intriguait. J'aurais pu évoquer mon enfance collée à une chaudière qui m'avait donné le goût de l'enfer. La réalité était plus clémente. On réparait bien des bouts de route mais depuis que j'avais embauché j'étais affecté sur la côtière entre San Francisco et Santa Cruz. J'y respirais plus d'air marin venu du Pacifique que de gaz d'échappement. Les Hell's n'aimaient pas le pacifisme doucereux des freaks et leur façon mièvre de se marginaliser. Les freaks voulaient faire de la terre le paradis originel. Les Hell's fendaient l'enfer terrestre à grande vitesse sans idée de le refroidir. Leurs visions étaient inconciliables, je l'ai compris tout de suite. Je les trouvais attirants. J'imaginais qu'adhérer à un groupe et se laisser porter par lui pourrait me libérer un peu de moi-même, même si je ne raffolais pas de leurs cheveux longs ni de leurs cuirs qu'ils portaient comme une seconde peau. On les disait violents et, sans être pacifiste, la bagarre me faisait peur. Selon eux, un festival de musique pop se préparait à Monterey, des milliers de freaks convergeaient vers la ville. Ils étaient impuissants à empêcher cette migration. J'ai pris une deuxième bouteille de vin à ce moment de la conversation et je ne me souviens pas très bien comment elle a fini. Je sais que, d'une certaine façon, on a fraternisé sur une communauté de points de vue qui ne s'est pas démentie tout au long de la nuit. Plus ils s'imbibaient d'alcool et plus ils pelotaient les femmes qui les accompagnaient. Celui des deux qui s'appelait Jeffrey est même parti se faire sa rousse dans les toilettes, j'en mettrais ma main à couper. Sa copine aurait bien suivi le même chemin mais son gars était coincé au comptoir comme une péniche dans une écluse. Il a descendu trois ou quatre litres de bière en fumant cigarette sur cigarette avant de me confesser que les meilleurs moments qu'il avait passés au Vietnam, c'était couché sur les Vietnamiennes, de gré ou de force. De gré il fallait toujours les payer, cher, et elles faisaient leur boulot de mauvaise grâce dans une atmosphère d'abattage. Selon lui, elles auraient fait leur boulot avec plus de convictions, les viols dans les rizières se seraient faits plus rares. Il mesurait sa chance d'être revenu entier, mais l'enfer qu'il avait vécu, il se faisait un devoir de le faire partager à la nation américaine tout entière. Comment, il ne le disait pas, mais je voyais dans ses yeux exaspérés qu'il en avait après beaucoup de monde. Il se faisait tard. J'ai payé ce que je devais à la serveuse, qui a pris l'argent sans me regarder, et je suis sorti après une tape amicale et timide sur l'épaule du Hell's qui continuait à parler tout seul. J'ai fini la nuit assis entre deux poubelles à cuver ma première grande cuite. Je me suis réveillé à temps pour ne pas rater la navette du personnel qui nous conduisait au chantier. Alors qu'un jour radieux se levait sur le Pacifique, malgré le fracas de l'alcool dans mon crâne, j'ai eu un sentiment fugitif et violent d'exister pendant lequel je me suis félicité de ne pas avoir tué mes grands-parents dans un État minable du Middle West où des plaines râpées courent à perte de vue.

32

— Vous m'avez trouvé un éditeur ?

— J'en ai parlé à trois d'entre eux, mais aucun n'est très chaud pour s'y intéresser. Si vous racontez tout, les lecteurs risquent d'être choqués. Si vous ne racontez rien, les lecteurs ne seront pas intéressés. C'est leur crainte.

La pile de livres est devant lui. Il l'a repoussée avec une brutalité telle que Susan, en reculant, a failli tomber de sa chaise.

— Pourquoi vous faites ça ?

— J'en ai marre. Je ne veux plus lire ces putains de livres à des putains d'aveugles. Personne ne fait jamais rien pour moi. On m'a piqué mon histoire pour en faire des biographies, elle a inspiré deux films dont l'un a été un des plus grands succès du cinéma mondial et maintenant que je demande à être publié, toutes les portes se ferment. Vous croyez que je n'ai pas besoin d'exister un peu par moi-même ? Je ne vous parle pas de postérité, Susan. J'en ai rien à foutre. L'humanité disparaîtra un jour, c'est une certitude. La question de la postérité est provisoire. Moi aussi je veux pouvoir témoigner de ce que nous sommes, parce que je fais partie de cette communauté, Susan, vous entendez, j'en fais partie.

— Je sais, Al, je sais.

— Alors pourquoi vous venez me voir depuis des années et m'infliger vos yeux de daurade mexicaine congelée ?

Susan se met à pleurer. Il laisse passer l'ondée pour ne pas ajouter son mépris à la peine qu'elle lui fait. Elle s'est reprise.

— Parce que vous m'avez sauvé la vie.

Il garde le silence comme s'il venait d'entendre les mots les plus ineptes de sa vie.

— Moi, je vous ai sauvé la vie ?

— C'était vers la fin de 70. La nuit était tombée sur l'université à Santa Cruz et la brume rendait l'atmosphère encore plus opaque. J'étais restée tard pour réunir mes affaires, je venais de réussir mon semestre. Je devais rejoindre le centre-ville et il y avait bien un dernier bus mais il me fallait attendre une demi-heure. J'ai fait du stop sous un lampadaire. Je n'étais pas très confiante, on parlait de tellement de choses bizarres à ce moment-là. J'ai vu arriver une camionnette blanche et un type avec une tête franche. Vous vous êtes arrêté à ma hauteur. Je suis montée sans hésitation. Il y avait quelque chose de rassurant dans votre corpulence. Vous m'avez dit : « Je n'ai pas vraiment le temps de vous emmener quelque part, mais si je ne le faisais pas et qu'il vous arrive quelque chose, je me le reprocherais toute ma vie. » Je vous ai indiqué la direction de mon logement en ville et on s'est mis à discuter. Vous m'avez demandé si j'étais une sorte de hippie et, si oui, pourquoi je continuais mes études...

Il est hypermnésique et il en bave parfois de ne

rien oublier. Cet encombrement lui crée souvent des migraines. Son visage ne peut donc pas avoir disparu de sa mémoire même quarante-trois ans après. Il l'interrompt :

— Vous avez changé à ce point ? Vous n'avez pas de photo de vous à l'époque ?

Elle lui sort un cliché pris sur le campus et il la reconnaît tout de suite. Le temps n'a donc aucune pitié. Il ne reste devant lui que quelques vestiges méconnaissables de la jeune fille qu'elle a été. Il se tait pour la laisser poursuivre.

— Vous deviez me conduire jusqu'à chez moi, je vous ai parlé sur le trajet d'une communauté au nord de San Francisco et on a décidé brutalement d'y aller. Vous vous souvenez ?

— Je me souviens très bien.

— Quand je suis rentrée à Santa Cruz quelques mois plus tard, on ne parlait que de vous et j'ai compris que vous m'aviez sauvé la vie. Je n'ai eu qu'une idée, vous rejoindre, je n'avais jamais vu un tel acte d'amour auparavant, vous comprenez ?

Il est éberlué :

— Un acte d'amour ?

— J'étais persuadée que quelque chose vous avait troublé en moi, même si vous n'en avez jamais eu conscience. Je me trompe ?

— Quelle importance ? Je pourrais vous dire oui pour vous assurer le sommeil ces dix prochaines années. Mais cela n'aurait pas de sens. Je ne vous ai jamais aimée et encore moins désirée, ni à cette époque ni plus tard.

— Moi je sais que vous m'avez aimée, je le sais au fond de moi, dans ma chair. Si ce n'était pas vrai, je ne vous aurais pas sacrifié toutes ces années, je n'aurais pas renoncé à vivre avec quelqu'un. Vous ne connaissez rien à l'amour des femmes, Al, mais c'est une force supérieure, céleste. Cela fait quarante et un ans que je vous aime. Mais je ne suis pas folle, je ne me serais pas laissée aller à cette force de sentiments si je ne pensais pas que vous l'avez payé mille fois en retour, ce jour où vous m'avez sauvé la vie.

Il trouve qu'elle va un peu loin.

— Mais bordel, vous délirez ou quoi ?

Elle le fixe un bon moment, essoufflée d'avoir couru après tous ces souvenirs.

— Vous délirez ! J'avais les femmes comme les hommes hippies en horreur à l'époque. Bien sûr, je ne leur aurais jamais fait le moindre mal, mais je vous trouvais incontinents, dans votre façon de baiser, de vous camer, de vous vautrer dans la rue, de faire les poubelles quand tout votre fric était passé à acheter du speed ou de l'herbe. Vous m'angoissiez, si vous voulez savoir. C'était un suicide collectif. Les femmes étaient particulièrement répugnantes. Leur cerveau coulait sous l'effet de la dope et on avait l'impression qu'il suffisait d'appuyer d'un doigt sur le sommet de leur crâne pour que leurs cuisses s'ouvrent. J'en aurais vomi. J'ai tenté de comprendre, je vous ai méthodiquement étudiés quand c'était nécessaire, j'ai saisi tous les tenants et les aboutissants de cette expérience psychédélique et je n'en retiens qu'une chose, un immense foirage. Même la musique de cette époque, qu'est-ce qu'il en reste ? Vous avez essayé d'écouter Jefferson Airplane ou Grateful Dead sans fumer un joint ? Et pourtant, on s'en est tapé de cette musique à l'époque. Quand vous retournez dans la maison de vos grands-parents trente ans après, et que vous découvrez que les espaces gigantesques qui se sont gravés dans votre mémoire ne sont que des lieux étriqués qui inspirent le mépris, un désenchantement vous envahit. C'est le même.

— Vous pouvez dire tout ce que vous voulez, mais même si cette expérience a mal tourné, je ne la regrette pas. On a retrouvé le chemin du Christ, vingt siècles après. La société a été prise à contrepied, les radicaux aussi. Jamais personne avant nous n'avait contesté en refusant la violence...

— Si, Gandhi.

— Mais pas dans notre culture. On a désarmé tout le monde. Et toutes nos prophéties se sont révélées justes. Notre espèce travaille à sa propre disparition qui n'est pas si lointaine. La conscience n'aurait jamais dû nous servir à nous désolidariser de notre environnement. Maintenant, on est vraiment seuls au monde. L'argent, l'intérêt, le marché font la loi entre les hommes. On voulait empêcher tout cela.

— Vous n'avez rien empêché du tout. Pas même retardé quoi que ce soit. De tout ce que vous avez fait, il ne reste que des tee-shirts grande taille pour nostalgiques en vente sur Haight Ashbury. Qui écoute Joplin, Hendrix, qui lit Burroughs, Ginsberg ? La preuve, vous ne me les avez jamais amenés pour les lire aux aveugles. Kerouac, le prétendu inspirateur, c'est quoi Kerouac dites-moi ? Un type qui passe son temps sur la route à se demander s'il est vraiment pédé ou s'il rêve. Mais moi je sais ce qu'il en reste de tout ça. Le sida. Comment on l'attrape ? Par la baise ou la défonce, la base de votre mouvement. Votre mouvement était fondé sur une grave erreur d'appréciation quant à la nature profonde de l'homme.

L'homme ne naît pas bon pour être ensuite cor-
rompu par la société. C'est un reptile poursuivi
par une civilisation à laquelle il essaye en permanence d'échapper. Et vos putains de mièvreries
ont conduit au même résultat que les idéologies
que vous avez combattues. Des milliers de gamins
morts d'overdose ou tombés d'une fenêtre parce
qu'ils pensaient voler. À propos de Burroughs,
vous savez ce qu'il a fait à sa femme ? Le coup de
Guillaume Tell. Il l'a adossée à un arbre en lui
posant une pomme sur la tête. Au lieu de viser la
pomme avec une arbalète, il a pris un colt. Il a
tiré un poil trop bas et le sommet du crâne de sa
femme a explosé à la place de la pomme. Il s'en
est sorti avec un blâme comme on dirait. Homicide involontaire. Je crois qu'il n'a même pas fait
de prison. Cela s'est passé au Mexique ou quelque
part comme ça et comme il était sous l'emprise de
la came ou de l'alcool, sa responsabilité n'a pas
été engagée. C'est à peine croyable. Comment
c'est dehors ?

Abasourdie, elle est déroutée par la question.

— Qu'est-ce que vous voulez dire ?

— Oui, que se passe-t-il de notable ? Je lis des
kilomètres de livres, mais jamais de journaux. Je
ne regarde jamais la télévision non plus. Les types
ne regardent que les sports ici. Les journalistes
sportifs me rendent dingue. Je n'ai jamais vu des
gens parler autant, alors qu'ils ont si peu à dire.
Les autres journalistes c'est pareil, ils n'arrêtent
jamais. Il fait du bon boulot, le Président noir ?
Jamais vu une démarche de gros frimeur comme
la sienne. On va se retirer d'Irak et d'Afghanistan ?
C'est pas plus mal. On ne sait plus faire des
guerres qui ont du sens.

Il soupire.

— Alors, comme ça, vous pensez que je vous ai aimée, enfin que j'ai eu des sentiments... Eh bien non, Susan. Ne le prenez pas pour vous, je n'ai jamais aimé personne. Je ne peux pas affirmer que je ne connais pas ce sentiment, mais je n'ai fait que l'effleurer. J'en ai éprouvé sa possible force, comme si un frémissement me parcourait, suivi d'une tendresse insondable qui ne venait pas du fond de moi mais de plus loin encore. Aimer à n'en plus pouvoir désirer, vous voyez ce que je veux dire ? C'est une sensation tellement exaltante que je me la remémore régulièrement. Mais ce que je vous décris là, je n'ai jamais pu l'éprouver longtemps. J'ai été battu chaque fois. Alors dehors, c'est comment ?

— Dehors, on coule. Tout ce qu'on craignait est arrivé. La terre s'épuise comme une vieille femme malade que son mari voudrait continuer à honorer chaque jour. L'Amérique a gagné. Plus de communisme, plus de rêve non plus, un seul modèle, le nôtre. Dans cinquante ans il n'y aura plus dans la mer que des poissons d'élevage, on respirera avec un masque et l'eau vaudra plus cher que le champagne. Sinon, tout va bien, de nouveaux pays émergent sur le même modèle que le nôtre. Le seul tort d'Orwell c'était de croire que le totalitarisme prendrait un visage terrifiant. Oh non ! Rien de tout cela, pour autant que vous acceptiez la petite musique mièvre des réseaux sociaux, que vous acceptiez l'obsolescence de tout ce que vous achetez au bout d'un an, que Sisyphe n'ait pour tout repos que la période des soldes, que Google sache tout de vous et puisse éventuellement le monnayer aux flics, qu'on puisse vous

208

localiser à tout instant avec votre téléphone, vous ne risquez rien. L'humanité souffrira de moins en moins et ne manquera de rien, mais elle va sacrément s'emmerder à arpenter des parcs nationaux, en file indienne, pour regarder ce qu'il restera de nature parce que des abrutis auront pensé que faire des enfants en nombre est une bonne chose pour l'espèce. La promiscuité que nous promet la démographie, je n'ai pas envie de la vivre.

Susan s'interrompt pour regarder autour d'elle. Al se demande ce que cela peut être. Puis elle se tait. Elle n'est capable de parler que par vagues sans afficher l'apparence de la moindre conviction mais plutôt une ferme lassitude.

— Vous savez quoi, Susan ? J'ai l'impression que vous êtes maniaco-dépressive. Je vais être clair avec vous. Je ne suis pas un spécialiste de cette psychose autant que je peux l'être de la schizophrénie et de la perversité mais j'en sais assez pour poser un diagnostic. Vous devriez consulter. Les anciens toxicos, je pense que vous l'êtes, ont souvent de grosses tendances maniaco-dépressives, des problèmes de dissociation liés à des dommages sur leurs connexions neuronales. Je ne vous jette pas la pierre, de mon côté j'ai beaucoup bu même si cela n'a pas duré longtemps. Je vous assure, vous devriez consulter.

— Je n'en ai pas les moyens.

— Ça, c'est autre chose.

Le silence remet un peu d'ordre dans leur relation.

— Je ne sais pas si on se reverra, Susan, j'ai mon visa pour Angola. Maintenant, combien de temps cela va prendre, je ne sais pas.

— Qu'est-ce que vous allez faire là-bas si vous ne lisez plus pour les aveugles?

— Je vais m'occuper des chevaux et des autres détenus. Ça sera moins monotone qu'ici, où il ne se passe jamais rien. Au tout début, j'avais des visites de tas de gens, je jouais avec eux, je les manipulais à l'occasion. J'ai appris à les haïr, parce que aucun n'a jamais cherché à me comprendre. Chacun reconnaît en moi une part de lui-même et jouit de la contempler endormie. Vous voyez, Susan, on ne peut contester que je fasse du bien autour de moi. Mais à vous, je peux le dire, rien au fond de mon âme ne me guide dans cette voie. J'ai entrepris d'écrire mes Mémoires et je sais qu'il y manquera toujours ce qui, masqué ou pas, fait la saveur d'un livre : l'empathie. Tchekhov et Carver en avaient. Je dis cela parce que le second s'est toujours réclamé de l'héritage du premier. Même Céline ou Hamsun, qui étaient des ordures à en croire leurs biographes, Céline plus encore qu'Hamsun dont la seule sénilité explique les mauvais choix, ont écrit des livres d'une profonde empathie pour l'espèce humaine si on y regarde de près et ces livres rachètent la bassesse de leur comportement personnel. Rien en vous ne me touche, Susan, rien mais pas moins que chez un autre. Vous mourriez demain que je n'en serais pas plus atteint que de la disparition de n'importe quel être sur cette terre. Depuis plusieurs mois, je fais toujours le même rêve. J'en connais bien le décor, la route de montagne entre Medford et Goldbeach au sud de l'Oregon. Cette route n'en finit jamais, ses méandres vous brassent sur des miles, la forêt est profonde comme une légende, les à-pics sont vertigineux, au point qu'aucun sentier n'y a été tracé. Quand elle débouche sur Gold-beach et qu'au loin la mer grise se déroule sur la longue plage, on se sent épargné. Je ne passe pas une nuit sans rêver de cette forêt, elle symbolise ce que je suis pour ma lignée, une impasse. Aucune de mes sœurs n'a eu d'enfant. La seconde, faute d'avoir trouvé un homme pour lui en faire. L'aînée est morte enceinte de complications liées à son obésité. Ma plus jeune sœur n'était pas la plus mauvaise. Quand je retrace le fil de notre enfance, j'y retrouve des moments de complicité fugitive, comme si elle avait tenté de se rapprocher de moi. Elle est venue me rendre visite une dizaine de fois ici, au début. Elle ne savait pas quoi dire, alors elle regardait le plafond comme s'il devait accoucher de quelque chose. Elle m'apportait des gâteaux immangeables couverts de crème glacée. Elle semblait toujours partagée entre deux intentions, mais je n'ai jamais pu savoir lesquelles. Elle a arrêté de me rendre visite bien avant de mourir sans raison précise dans son appartement d'Oakland. Parfois, je me surprends à rêver que mon père, dont je n'ai jamais pu retrouver la trace, a fait un autre enfant sur le tard pour laver l'affront de notre destinée.

33

Réparer les routes me plaisait sans me passionner. Les journées commençaient tôt. On travaillait par équipes d'une dizaine, chacun avait sa
place et personne n'en bougeait. Faute de formation spécifique, j'étais le plus souvent préposé à
régler la circulation alternée sur les zones de travaux. Les automobilistes me voyaient de loin agiter mon drapeau orange. Je savais que je n'allais
pas végéter dans cette activité toute ma vie. D'autant plus que mon grand-père, celui que j'avais
effacé, y avait effectué toute sa carrière et je ne
me sentais pas de suivre ses traces.

L'odeur du goudron liquide et fumant a fini par
me donner la nausée. Pour être précis, il faut dire
qu'à cette époque-là, j'ai commencé à avoir le foie
fragilisé par l'alcool. Je m'étais mis à boire en
quantité après chaque rencontre avec ma mère et
puis, les semaines passant, je buvais avec assi-
duité. Me lever tôt pour rejoindre les chantiers
mobiles me demandait de plus en plus d'efforts.
Un matin, après une cuite monumentale la veille
dans le bar qui faisait face au tribunal de la ville,
j'ai décidé de ne pas me lever. Je suis resté délibé-

rément couché jusqu'à 10 heures. À midi, j'étais à l'administration des routes pour prendre mon solde de tout compte. En milieu d'après-midi, je suis parti saluer mes collègues à la sortie du bus qui les ramenait d'un chantier. Je n'ai pas menti, les odeurs de sirop de pétrole me soulevaient le cœur et je ne pouvais pas continuer. Ils ont été assez chaleureux avec moi. En fin d'après-midi, j'étais chez un concessionnaire Harley pour négocier une moto d'occasion et le crédit qui allait avec. Le patron a dû m'apprécier car, sachant que je cherchais du travail, il m'a offert un boulot de vendeur à la commission que j'ai accepté sans réfléchir. La perspective de reprendre la route à moto m'a procuré une vraie joie que je cultive religieusement dans mes souvenirs. Chaque soir, chaque fin de semaine, j'allais retrouver la quiétude des espaces sans fin rythmée par les quatre temps de mon bicylindre, le visage engourdi par le vent, rassuré par un sentiment incomparable d'exister. Au fond de moi, j'avais aussi l'idée que la perspective de ces grandes chevauchées allait m'inciter à boire moins. Leitner me disait souvent que si l'alcool avait fait la carrière qu'on lui connaît chez l'être humain, c'est parce que aucun meilleur anxiolytique ne s'était présenté à ce jour. L'alcool me calmait comme il en excite d'autres. Je n'avais jamais le vin mauvais, loin de là. Après une ou deux bouteilles j'entrais dans un monde merveilleux et calme que mes contemporains allaient chercher dans des paradis artificiels. Une troisième ou une quatrième bouteille ne me poussait jamais à des attitudes excessives comme j'ai pu en lire chez Bukowski. Je savais que l'alcool ne me conduisait nulle part. Je voyais comment il avait creusé le visage de ma mère, et comment parfois elle était en proie à une sorte d'hébétude qui ne présageait rien de bon. L'alcool la rendait mauvaise et je n'avais pas d'autre issue que de boire moi-même pour supporter la méchanceté qu'elle dispensait avec la générosité d'une paroissienne pour les enfants d'Afrique.

Je n'avais personne avec qui partager une bonne nouvelle. Je suis donc parti la retrouver chez elle un peu avant l'heure du dîner. Elle semblait passablement imbibée et dans un état de lévitation qui précédait généralement ses montées d'agressivité. Je lui ai annoncé avec fierté que j'avais acheté une moto et que le concessionnaire m'avait embauché.

— Je me demande si je dois me réjouir de savoir qu'un jour ou l'autre tu vas te tuer avec cette machine, Al. Tu sais bien que tu as la vue basse et que tu roules beaucoup trop vite. Pour le travail, je ne vois pas en quoi c'est mieux que de travailler à la réfection des routes dans une grande structure qui offre des possibilités d'évolution de carrière. Moi aussi j'ai quelque chose à t'annoncer, je déménage à Aptos. J'ai eu trop d'échecs dans cette maison et elle me coûte trop cher. Pourquoi n'essaierais-tu pas d'étudier à l'université, tes notes de lycée te permettraient d'y entrer ?

— C'est nouveau. Je croyais que tu ne voulais pas que je m'approche de toi.

— Je n'ai pas parlé de Santa Cruz. Il y a assez d'universités en Californie.

— De toute façon, je n'étudierai jamais dans ton périmètre.

Elle m'a regardé longuement de ses yeux troublés par l'alcool.

— Je ne comprends pas Al, pourquoi tu m'aimes si peu. J'ai été dure avec toi enfant, mais c'était pour ton bien.

— Mon bien?

On est restés sans parler un bon moment, sans se regarder non plus. On aurait dit deux ours dominants qui se croisent inopinément dans une forêt et qui balancent la tête navrés à l'idée de s'étriper.

J'ai rompu le silence sans avoir préparé la suite.

— Si je ne t'aimais pas, je n'aurais pas menti à mon psychiatre pendant mon internement. Je lui ai dit qu'un escalier conduisait au sous-sol de la maison dans le Montana. Alors que, tu le sais, on y accédait par une trappe sous le fauteuil dans lequel tu avais l'habitude de t'asseoir.

— Qu'est-ce que ça change?

— J'en sais rien. Je ne lui ai pas dit non plus que tu avais l'habitude de me frapper avec une ceinture à boucle, une énorme boucle en métal qui laissait des traces violettes. Je lui ai encore moins parlé de ton silence, lorsque ta fille aînée a essayé d'avoir une relation sexuelle avec moi. J'avais quoi, dans les huit ans. Je t'ai rapporté les faits et tu les as balayés d'un revers de la main. On ne pouvait pas toucher à ton enfant préférée. Je n'ai pas voulu entacher ta réputation au-delà de ce qui m'était supportable. Je veux que tu le saches, point. Je vais te dire encore une chose. Tu penses que je suis le seul homme qui ne te quittera jamais. C'est possible. Mais n'en profite pas. Je ne suis ni mon père ni tous les types qui ont défilé depuis, maris ou pas. Tu t'es condamnée à une vie de solitaire, M'man, c'est ton choix. Je sais que tu cries partout que tu as inventé le féminisme avant toutes ces femmes qui le revendiquent. Je n'en serai pas la dernière victime.

Ma mère n'aimait pas qu'on prenne l'ascendant sur elle.

— Qu'est-ce que tu es en train de raconter, espèce de minable ? Tu penses que je suis finie pour les hommes et que je vais m'en consoler par la présence d'un fils criminel qui ne m'apporte jamais aucun apaisement ? Tu es malade, Al, et ils n'ont pas fini de te soigner.

— Au lieu de m'insulter, tu ferais mieux de me présenter des filles de ton université. Ça me changerait de celles que je croise dans les bars et qui ont la même haleine que toi.

— Aucune fille de mon université ne mérite d'avoir affaire avec un type comme toi. Tu ne leur arrives même pas à la cheville. Tu crois que je vais ruiner ma réputation : « Tenez, je vous présente mon fils qui sort de cinq ans d'hôpital psychiatrique pour avoir tiré dans le dos de ses deux grands-parents, mais il est plein d'avenir, méfiez-vous mesdemoiselles, c'est peut-être le futur gouverneur de Californie. Je revois le docteur Cadwick me disant pendant ma grossesse : « Arrêtez de vous agiter, madame Kenner, ou vous allez faire une fausse couche ! » Mais si je le voyais maintenant, je lui dirais : « Je suis la première femme à avoir fait une fausse couche menée à son terme. » Voilà ce que je lui dirais.

34

Le Jury Room est un bar en parpaings sombres, sans fenêtre, posé sur une place sinistre en face du palais de justice de Santa Cruz. Il détonne avec la ville qui semble avoir été coloriée par un enfant. Même si la cité repose sur la faille de San Andrea, aucun drame ne semble pouvoir l'atteindre et il y règne une atmosphère de futilité hygiénique. Parfois j'étais tenté d'arrêter un groupe de personnes sur Pacific Drive et de leur demander : « Mais bon Dieu, est-ce qu'aucun de vous n'a jamais souffert ? »

Dès que ma mère a déménagé à Aptos, je ne me souviens pas d'être sorti une fois de chez elle sans m'engouffrer au Jury Room pour y boire jusqu'à la fermeture. La plupart des flics de Santa Cruz en avaient fait aussi leur destination favorite. Certains par habitude, la proximité du palais de justice les arrangeait. D'autres, poussés dehors par des querelles conjugales, venaient épuiser leur temps libre entre connaissances. Lorsque j'avais acheté ma Harley, je pensais aussi m'être payé un destin. Au tréfonds de moi mûrissait l'idée de devenir flic, si possible motard. Il ne s'agissait pas de réaliser un rêve d'enfant mais cette idée frisait une impérieuse nécessité et je ne savais pas comment me l'expliquer. Je voulais être du bon côté de la barrière et m'y ancrer. Les illusions l'ont emporté quelques semaines sur la réalité de mon casier judiciaire. Je savais qu'on allait me le demander à un moment ou un autre de ma démarche, mais j'éludais la question comme si j'allais trouver les ressources pour passer outre. En attendant, je buvais avec les flics de la ville et ma compagnie les enchantait. Il faut dire qu'à l'époque il était difficile pour eux de discuter avec un jeune de mon âge sans être traité de porc. La contestation de l'autorité prenait des formes qui les dépassaient, ils ne savaient même plus comment réagir. Ma descente les impressionnait car elle ne s'accompagnait jamais d'aucun excès, la preuve que j'étais un type bien.

Quand un homme sait qu'il ne reverra jamais plus son sexe sauf à le regarder dans une glace, c'est qu'il s'est engagé irréversiblement dans la voie de la résignation. C'était le cas d'un vieux flic d'origine mexicaine qui faisait souvent la fermeture du bar avec moi. Son ventre de la taille d'un fût de bière passait par-dessus sa ceinture et menaçait de verser sur le plancher. Il ne se voyait plus pisser mais il devait se dire qu'il allait avoir tout le temps de sa retraite pour apprendre à viser la cuvette. Sans rire, je me demandais si le mécontentement de sa femme sur ce sujet n'était pas à l'origine de l'exil dont il était frappé. On discutait bien tous les deux. Son fils unique avait quitté la maison pour rejoindre une communauté à San Francisco et il épanchait ses inquiétudes sur moi. Son garçon avait tout foutu en l'air pour s'agréger à ce mouvement de contre-culture qui commençait à faire de vrais ravages jusqu'à Santa Cruz, ville à mi-chemin entre Los Angeles, où le fric restait roi, et San Francisco, où un essaim de jeunes en vrille croyaient inventer un monde alternatif. Je le rassurais avec mes mots. Je ne connaissais pas grand-chose à la situation de ces marginaux mais j'entrais tout de même dans de grandes théories psychologiques et sociologiques qui le laissaient pantois. Quand je lui ai parlé d'entrer dans la police, il a été formel, ma taille m'en fermait les portes. Il était conscient qu'il s'agissait d'une forme de discrimination, il en était désolé pour moi, d'autant qu'il était convaincu que j'aurais pu faire un bon élément. Quand il m'a interrogé sur mon propre parcours, j'ai su que je jouais gros parce que cette version ne pourrait plus changer. Le mensonge comme la vérité ne m'ont jamais passionné, mais je connais leur proximité, l'un ne doit jamais trop s'éloigner de l'autre. J'étais venu en Californie pour rejoindre ma mère, après avoir travaillé comme psychologue assistant dans un hôpital psychiatrique privé du Montana. Les coupes budgétaires ordonnées par Reagan dans ce secteur en Californie m'obligeaient à me reconvertir, raison pour laquelle je faisais divers boulots dont le dernier en date était vendeur de Harley Davidson. Il a trouvé mon histoire cohérente et il l'a colportée auprès de tous ses collègues et en particulier un nommé Duigan, un Irlandais à tête large qui dirigeait la Criminelle. Nous avons sympathisé car ni lui ni moi ne pouvions facilement trouver un casque de moto à notre taille. Il possédait une vieille Harley sur laquelle il se promenait le dimanche. Cet homme exerçait une attraction particulière sur moi. J'avais envie de lui plaire. Dès notre première rencontre j'ai voulu apparaître comme un jeune homme exemplaire, exempt de vice, ancré sur les valeurs qui avaient rendu l'Amérique si attrayante pour le monde entier. En me rapprochant de lui, j'avais le sentiment que ma personne entrerait dans une orbite dont il était le centre d'attraction. Une planète peut dévier légèrement de son orbite mais, à ma connaissance, elle n'en sort jamais. Duigan était réservé, comme se doit de l'être un homme chargé des enquêtes criminelles. Il venait presque tous les soirs au Jury Room prendre une bière avant de rentrer dîner. Mais je ne l'y voyais jamais après, sauf quand il était de service le soir ou qu'une enquête le maintenait sur la brèche. S'il se montrait cordial avec moi, il gardait cette distance propre aux flics qui considèrent que toute personne est un justiciable en puissance. J'ai remarqué qu'il m'observait beaucoup lors de nos premières conversations et qu'il me laissait parler plus qu'il n'en disait. J'étais volontiers bavard à cette époque, ivre ou pas, le besoin de parler était une nécessité plus grande encore que celle de boire. En quatre ans d'hôpital psychiatrique, je n'avais eu de discussion qu'avec deux psychiatres et un professeur de lettres pervers. Avant cela, je ne me souvenais pas d'une vraie conversation avec un être humain, au plus quelques longs monologues avec mon chien.

35

Ce besoin de parler m'a poussé à acheter un Ford Galaxy d'occasion qui est à l'origine d'une drôle de coïncidence à un moment où je craignais de ne plus susciter d'intérêt pour Duigan.

Chaque fin d'après-midi, je rentrais du travail et j'échangeais ma Harley contre ma camionnette. Je remontais doucement High Street en direction de l'université plantée sur les hauteurs de Santa Cruz. Le campus méandre dans une zone montagneuse où chaque collège est posé au milieu des grands arbres. Les biches amènent leurs faons brouter l'herbe des parterres aménagés, sans se soucier des étudiants qui déambulent calmement d'un bâtiment à l'autre. Cette concentration d'intelligence studieuse exerçait une réelle fascination sur moi et je percevais chaque collège disséminé dans les bois comme les branches d'un même cerveau.

Sans doute parce que ma mère considérait que je n'arrivais pas à la cheville des jeunes étudiants de cette université, je ressentais le besoin de les observer, de les côtoyer pour tenter de comprendre ce qui me séparait d'eux. Je ne leur tenais aucune rigueur d'être stigmatisé par ma mère comme leur exacte antithèse, mais tout m'intriguait chez eux, leurs origines, leurs rêves, leurs motivations. Il faut comprendre qu'à l'époque je ne pouvais pas soutenir une conversation de plus de quelques secondes avec quelqu'un qui se croyait supérieur à moi. Le seul moyen que j'avais trouvé de rencontrer des étudiants sans risquer d'être dominé était de les prendre en auto-stop. Le service que je leur rendais ne pouvait susciter que gratitude et humilité, en particulier quand ils découvraient le colosse que j'étais. Aucune distinction fondée sur l'apparence, la tenue vestimentaire ne guidait mes choix. Je faisais un grand tour dans l'université et, dès que je voyais quelqu'un le pouce tendu, je le faisais monter. En général, je le raccompagnais jusqu'à chez lui et s'il proposait de contribuer aux frais d'essence je déclinais, magnanime. Le stop était dans ces années-là le moyen de transport le plus couru de la jeunesse, et cela depuis le début de la décennie. Les étudiants que j'embarquais se sentaient redevables et se montraient diserts et avides d'engager la conversation qui durait rarement plus d'un quart d'heure, le temps de conduite qui nous séparait du centre-ville. Mon aversion pour les hippies et ceux qui en prenaient le genre ne m'empêchait pas d'en faire monter dans ma camionnette. Bien au contraire, j'avais décidé de tout savoir sur eux. D'abord parce que je voyais bien qu'ils préoccupaient mes amis flics du Jury Room, je m'imaginais déjà devenir un spécialiste de ce courant, dépasser ma répulsion pour me comporter à mi-chemin entre l'anthropologue et l'infiltré.

Ce besoin de parler s'est très vite transformé en

addiction. Après avoir déposé un étudiant en ville, il m'arrivait de remonter au campus pour recharger. Si je venais de déposer un homme, je m'arrangeais pour prendre une fille. Elles étaient plus hésitantes, même si l'auto-stop n'avait pas alors la réputation qui l'a sali depuis. Mais des histoires de viol circulaient déjà. Les hippies adeptes de l'amour libre s'en inquiétaient moins que les petites bourgeoises de Cliff Drive. Pour les rassurer, je regardais ma montre avec l'air du type qui se demande s'il a le temps de s'encombrer d'une passagère. Je les embarquais à tous les coups. Les pimbêches des beaux quartiers avaient toutes la même façon de créer une distance avec moi. L'appréhension puis la reconnaissance pour le service rendu cédaient rapidement au mépris pour ce que je représentais, un type de la classe moyenne qui avait grandi trop vite à la malbouffe et sur le point de devenir obèse. J'aurais pu mentir et prétendre que ma mère enseignait au plus haut niveau dans une des facs du campus, mais j'en étais incapable. La faire passer pour plus qu'elle n'était me demandait un effort insurmontable, même pour épater une fille. Leur mépris se dissimulait sous une condescendance polie. Le « whoaou » d'ébahissement feint qu'elles poussaient quand je m'avouais vendeur de motos me donnait parfois envie de leur écraser mon poing sur la figure mais je jouais le jeu en leur posant plein de questions personnelles avant de les laisser devant leurs maisons. Elles avaient une façon de lustrer leur famille qui me mettait hors de moi. Pas un minable à l'horizon, que des docteurs en quelque chose, des forçats d'entrepreneurs, des sportifs adulés. De mon côté, j'arrivais timidement à placer les exploits de mon père, ce qui me valait un soulèvement furtif de sourcils avant qu'elles ne reprennent l'avalanche de références qui avait conduit à leur naissance. Ces belles Américaines à peau fine et aux ongles délicats vivaient dans un monde enchanté et protégé. Elles me regardaient rarement en être humain, elles voyaient en moi un consommateur discipliné, débouché naturel des affaires de leurs parents. Le temps du trajet du campus à chez elles était le maximum que je pouvais endurer de ces prétentieuses. Mais leurs airs de supériorité me manquaient vite parce que, je peux bien l'avouer, quelque chose de sexuel m'attirait chez elles. Brunes ou blondes, les filles de bonnes familles n'ont ni la même peau ni les mêmes cheveux que les autres. Je sentais qu'à leur contact je pourrais peut-être un jour en désirer une tout à fait, ce qui représenterait une forme d'accomplissement pour moi, même si je n'allais pas plus loin. Je les identifiais aux enfants Kennedy à qui l'on apprend que l'argent pardonne tout, y compris de l'avoir gagné malhonnêtement. Oswald aurait dû être sanctifié pour avoir montré à ces gens-là que Dieu veille pour de bon parfois, même quand on ne s'y attend plus. C'est ce que je disais à mes passagères, quand elles prêtaient à Robert Kennedy plus de qualités qu'au Christ lui-même. Mais même si la mode était aux idées progressistes, il restait beaucoup d'étudiantes issues d'authentiques familles républicaines. D'autres avaient basculé dans la contre-culture par réaction à un milieu étouffant. Elles montaient dans ma camionnette sans se poser de questions. Elles ne prenaient même pas la peine d'éteindre le joint qu'elles serreraient entre les doigts. Elles s'installaient, la tête appuyée contre le montant de la portière, et la première chose qu'elles me demandaient c'était de changer de musique. Puis elles me tendaient leur cône que je déclinais poliment. À l'exception de quelques militantes radicales, la plupart d'entre elles affectaient un air de béatitude qui me portait sur les nerfs même si je ne le montrais pas. Je les aurais bien passées à la tondeuse puis à la douche. Je l'ai dit à l'une d'entre elles un jour de colère où je ne parvenais pas à digérer une discussion avec ma mère qui datait pourtant de la veille. La fille à qui je venais de raconter l'histoire de mon père m'a fait remarquer que ce genre de méthodes était précisément celles des nazis dans les camps de la mort et je n'en ai pas été fier. Leur extravagance vestimentaire m'indisposait. Je les méprisais quand, après cinq minutes, elles me proposaient une petite baise anodine dans la forêt au-dessus du campus. Ce qui me hérissait le plus, c'était cet air de charité qu'elles prenaient à vouloir me dévergonder à cause de mon air coincé avec ma moustache et mes chemises en nylon à manches courtes. Je me souviens d'une grande fille qui était montée sans même me regarder et qui au bout de quelques minutes s'était mise à me provoquer en me traitant gentiment d'homosexuel refoulé, sous le prétexte que je n'étais pas tombé sous son charme. Cette fille était une pure beauté et quand elle m'a proposé de me sucer sur le ton anodin d'une fille qui demande où se trouvent les toilettes dans un grand magasin, j'ai eu envie de l'étrangler. Elle a senti les mauvaises ondes parce qu'elle a changé de sujet en me demandant si je pouvais l'emmener en Harley faire la côte au sud de Carmel. J'ai répondu que je conduisais trop vite pour emmener un passager et elle est descendue un peu plus loin en me saluant à peine. Je leur disais toujours les mêmes choses sur moi. Je plaçais les exploits de mon père dès que je pouvais, je justifiais ma présence sur le campus en parlant du travail de ma mère et il m'arrivait de me vanter d'être le meilleur employé du mois chez Harley. Je battais même les chiffres de la concession de Monterey pourtant placée dans une zone plus fortunée, mais cela n'impressionnait personne, pas plus les hippies que les pimbêches.

Wendy a eu l'air admirative quand j'ai aligné les chiffres de mes ventes pour le trimestre et sa copine aussi. Elles n'étaient ni freaks ni bourgeoises. Pas même étudiantes. Je les ai ramassées sur High Street bien après l'université. Wendy aurait pu être vraiment jolie. Sa poitrine lui voûtait les épaules, elle avait un peu trop de ventre pour son âge mais son visage était d'une étonnante fraîcheur et il n'exprimait rien d'autre que la bonne fille qu'elle était et une intelligence qu'elle sous-estimait. Sa copine était dans le même genre mais carrément moche, avec tellement d'acné sur le visage qu'on avait envie de lui passer un coup de papier de verre. Elle était à la remorque de Wendy et ne faisait jamais rien sans son assentiment. J'ai pensé un moment qu'elles étaient lesbiennes. Quand je l'ai dit elles ont éclaté de rire et Wendy a répondu en posant la main sur l'épaule de son amie : « Tu penses que si j'étais lesbienne, je me taperais une fille pareille ? » C'était dit sans méchanceté même si cela pouvait le paraître, signe que tout est question de convention entre les gens. Elles semblaient passablement désœuvrées, sans rien attendre d'extraordinaire, portées par la légère mélancolie de l'ennui. Elles n'avaient pas décidé de leur destination. Je leur ai proposé de manger ensemble en précisant que je n'avais pas les moyens de les inviter. On s'est dirigés vers le parc d'attraction qui occupe une bonne moitié de Street Beach. De la grand-roue au musée des horreurs, tout y est prévu pour se faire peur entre deux boutiques de tee-shirts. Les burgers n'y sont pas plus chers qu'ailleurs, pas plus gras non plus. Ce que je suis capable d'engouffrer les a laissées sans voix et leur a permis de comprendre qu'un type qui mange pour trois ne peut pas en plus inviter deux filles. Wendy avait un petit ami employé au rayon légumes d'un supermarché. Il n'était pas responsable du rayon, il se bornait à déballer les livraisons et il n'avait pas l'air d'emballer Wendy. Marilyn, que ses parents avaient nommée ainsi à cause de l'actrice sans réaliser à quel point c'était cruel, se contentait de tenir la chandelle. Wendy se montrait discrète sur sa vie et assez résignée pour une fille de son âge. J'ai compris assez vite que l'on partageait la même difficulté à savoir de quoi on avait envie pour de bon. Elle faisait un remplacement comme secrétaire dans un cabinet de dentistes tout en se demandant si elle ne ferait pas mieux de reprendre ses études. Mais quelles études, vu qu'aucune discipline ne l'enthousiasmait vraiment ? Elle se définissait elle-même comme contemplative alors que Marilyn était carrément végétative. Notre relation est vite devenue sans enjeu et j'ai commencé à me plaire avec ces deux filles qui ne se sentaient pas obligées de parler quand elles n'avaient rien à dire. J'avais très envie de rejoindre le Jury Room pour boire, mais je ne me sentais pas de les y amener. On a d'abord raccompagné Marilyn chez elle, sur la route de Monterey, puis j'ai ramené Wendy à son domicile sur les hauteurs, juste au-dessus du parc d'attraction. L'appartement où elle vivait avec son père était un motel reconverti. Au moment où elle est descendue de ma camionnette, son père est sorti de sa voiture qu'il venait de garer. J'ai reconnu la grosse tête de Duigan venant à sa rencontre. Comme c'est le genre de type que pas grand-chose n'étonne, il n'a pas eu l'air surpris de me voir là, juste intrigué.

— Vous vous connaissez tous les deux ?

Wendy a trouvé amusant que je connaisse son père.

— Il nous arrive de boire un verre ensemble en face du tribunal.

Avec cette phrase, il avait soldé toute l'histoire.

— Votre fille faisait du stop sur High Street. Sans savoir votre lien, j'ai pensé qu'avec moi elle serait toujours plus en sécurité qu'avec n'importe qui d'autre.

— Tu as bien fait. Je n'ai personne de plus précieux sur cette terre. Tu boiras bien une dernière bière ?

On est montés à l'appartement. Il était assez large et peu profond. La baie vitrée donnait sur le parc d'attraction qui ne laissait voir qu'une bande de mer assombrie par la brume. Le bruit des machines remontait péniblement. L'appartement était pauvrement meublé. On s'est installés sur le balcon autour d'une table en plastique. Duigan a sorti trois bières du réfrigérateur et m'a souri.

Wendy s'est frotté les yeux comme quelqu'un qui cherche à rester réveillé.

— Désolé, je n'ai pas de vin.

— C'est pas grave, je n'en bois qu'au Jury.

— Tu bois trop, je t'ai vu à l'œuvre. Ça passera.

Je ne savais pas comment il pouvait le savoir mais j'ai acquiescé.

— Vous vous êtes rencontrés où ?

— Sur High Street, en sortant du boulot, a répondu Wendy.

— Je croyais que tu prenais le bus.

— Oui, mais Marilyn est passée me prendre, on a marché un peu et on en a eu marre.

— Et toi, tu venais d'où ?

J'ai hésité pour répondre mais pas assez pour semer le doute chez lui. Difficile d'avouer d'emblée que mon passe-temps favori était de prendre des étudiants en auto-stop, même s'il n'y a rien de répréhensible à cela.

— Je suis passé voir ma mère sur le campus.

— Elle vit ici ?

— Elle est secrétaire du doyen à la fac de psycho mais elle loge à Aptos. Enfin depuis peu.

— Et ton père ?

— Il vit à L.A. avec sa nouvelle femme. Il ne donne plus de nouvelles.

— Tu t'entends bien avec ta mère ?

— On est assez différents.

— C'est une chance d'en avoir une, profites-en. Wendy a perdu la sienne. Elle est morte quand elle avait onze ans.

Wendy n'a pas bronché.

— Vous ne vous êtes pas remarié ? ai-je demandé avant d'y penser.

— Une femme qui veut vivre avec un flic, c'est

une femme qui trouve un avantage à vivre loin d'un homme, et ça ne me plaît pas. La mère de Wendy était l'exception. Il n'y en a pas eu d'autre. On m'a dit que tu cherchais à intégrer la police.

— Oui, mais le sergent Ramirez dit que je suis trop grand.

— C'est malheureusement vrai. Combien tu mesures ?

— 2,20 mètres.

— C'est râpé. Ils prennent des nains mais pas des géants. Ne me demande pas pourquoi. Les règles tombent comme des haches. Pour l'instant, tu fais vendeur chez Harley, c'est ça ? Ça ne te convient pas ?

— Je crois que je peux faire mieux. J'ai passé des tests psychologiques à l'école, j'ai un QI supérieur à celui d'Einstein.

— Alors, c'est pas dans la police qu'il faut aller, mon garçon.

Il a souri en disant cela, de ce sourire triste dont il ne s'est jamais départi par la suite.

— Qu'est-ce qui t'intéresse sinon ?

— La psychologie. J'ai travaillé dans un hôpital psychiatrique dans le Montana. C'est un travail utile à la société. Je vais peut-être suivre un cursus à l'université.

— Ce serait une bonne idée. Mais si tu fais de la psychiatrie criminelle, je ne sais pas si on pourra continuer à se fréquenter. Je n'ai jamais vu autant de toquards que là-dedans. Ils regardent les flics comme des fossiles, ils pensent que notre intelligence est coincée entre le cuir de notre holster et l'acier de notre pistolet.

— C'est parce qu'ils veulent faire rentrer tous les patients dans une case, de gré ou de force. Ils ne laissent aucune latitude à l'individualité. En psychiatrie, pour ce que j'en sais, chaque cas est unique, mais ils veulent systématiquement le ramener à une pathologie précise. En pathologie criminelle, c'est encore pire avec le problème de la responsabilité et du diable qui rôde autour.

Le brouillard venu du large laissait échapper de fines gouttelettes, mais il faisait encore bon.

— Wendy devrait aussi reprendre ses études. Tu devrais l'en convaincre. N'est-ce pas, Wendy?

— Des études de quoi?

— Tu veux passer ta vie à prendre des rendez-vous pour un dentiste? Il doit bien exister quelque chose de plus excitant, pas vrai, Al?

— Pour sûr.

Wendy s'est levée pour aller nous chercher une seconde bière. Duigan en a profité pour me faire une confidence.

— Wendy n'a de motivation pour rien, c'est son problème. Sans doute lié à la mort de sa mère. Je l'enverrais bien voir un psy mais je n'ai aucune confiance dans ces gens-là. Tu devrais voir son petit ami. Il déballe des légumes toute la journée. Quand il a fini, il fait du surf. Tu peux me dire à quoi ça rime de se foutre debout sur une planche et de se faire pousser par une vague? S'il lui reste du temps, il passe voir Wendy et ils écoutent de la musique. Pour moi c'est pas de la musique, c'est du bruit mais qu'importe, ils restent des heures sans rien dire. C'est comme une religion de la neurasthénie. Ce type ne lui fait aucun bien, je ne sais pas si tu as le QI d'Einstein mais le sien est au plus celui d'un poulpe. Il n'est ni bon ni mauvais, l'un comme l'autre demandent trop d'efforts. À son âge, j'étais dans le Pacifique à tuer des Japs.

— Mon père tuait des Allemands.

— Il était où ?

— Dans les forces spéciales de Fort Harrison dans le Montana.

— Comment on les appelait déjà ?

— Les Brigades du diable.

— C'est ça. Il a dû en voir de belles. Avec un père comme ça, cela ne m'étonne pas que tu aies l'air d'un type carré.

Wendy est revenue avec les bières et on a bu tranquillement sans attiser particulièrement la conversation, comme des gens qui se connaissent depuis un bail.

— Si personne n'a la drôle d'idée de tuer quelqu'un, on pourrait se faire une balade à moto au sud ce week-end, ça te dirait ?

J'aurais sauté de joie. Pas à l'idée d'être avec Wendy. Même si c'était une chouette fille avec de beaux yeux et des traits fins, elle ne m'attirait pas. Mais sentir la confiance de son père, c'était une sacrée satisfaction. On s'est quittés à la quatrième bière. J'avais très envie de finir la soirée au Jury mais je ne voulais pas que Duigan apprenne que j'étais parti me saouler en sortant de chez lui.

36

J'ai repris ma camionnette et j'ai roulé en direction d'Aptos, pour voir la nouvelle maison de ma mère. Aptos est à cinq minutes de Santa Cruz par la 101. J'ai tourné un peu pour trouver. La maison est dans une sorte de lotissement aux constructions disparates. J'ai interpellé un type qui bricolait, une lampe entre les dents, les mains dans le moteur d'une vieille Ford qu'il avait espoir de faire redémarrer. Il m'a regardé un peu de travers avant de m'indiquer le 2909 A. La maison trônait dans un virage, un peu plus haute et un peu moins présentable que les autres, enlaidie par une peinture gris-bleu qui s'écaillait. La lumière était allumée. Ma mère est venue m'ouvrir. Elle était encore habillée. Apparemment elle recevait du monde. En entrant elle m'a présenté Sally Enfield, une secrétaire comme elle, mais avec un air de chien battu, le genre de femme qui s'excuse d'exister. Ma mère ne pouvait pas avoir d'amie qui lui en imposait. Elle était de bonne humeur, probablement parce qu'elle avait déjà beaucoup bu, aidée par son amie qui devait aussi en avoir besoin pour survivre. Cette dernière a paru effrayée par ma taille mais elle a converti sa peur en compliments à ma mère sur le beau garçon qu'elle avait. Ma mère m'a regardé comme si elle me voyait pour la première fois avant de faire une moue de dépit et de se servir un verre de vin. Elles avaient dû se promettre de passer la soirée à parler et à boire sans discontinuer car elles n'ont fait que cela, sans prendre la peine de me poser une question. Tout le personnel, les profs et les élèves de leur fac y sont passés. Tous en ont pris pour leur grade. Ma mère ne se sentait plus. Elle se prenait pour Elizabeth Taylor dans *Qui a peur de Virginia Wolf?* mais avec son 1,90 mètre, ses traits épais et ses yeux de bison derrière ses grosses lunettes, elle était tout simplement grotesque. J'ai coupé court à ses simagrées pour lui emprunter de l'argent. Je n'étais pas venu avec cette idée, mais voyant la tournure que prenait la soirée, je n'en avais pas trouvé d'autre.

— Ça ne m'étonne pas. Sally, pourquoi crois-tu qu'il serait venu me voir sinon ?

Chancelant entre les pauvres meubles de son salon elle a poursuivi :

— Il ne prend jamais de mes nouvelles, l'animal, mais il a tout le temps besoin de moi. Il prétend que j'ai été trop dur avec lui enfant, que c'est pour cela qu'il va mal et qu'il ne fait que des conneries que je me passerai de te raconter, Sally, c'est tellement énorme que tu mettrais cela sur le compte du vin. Alors je te fais une réponse devant témoin, Al. Je n'ai pas d'argent à te prêter. J'ai déménagé ici parce que j'ai divisé le loyer par deux. Il doit bien y avoir une raison, non ?

Le trou noir qui accompagne chaque jour de mon existence, et qui s'était rétréci au contact de Duigan, s'est rouvert, béant.

— Je te demande de quoi faire deux pleins pour ma Harley ce week-end. C'est oui ou c'est non, mais c'est pas la peine d'en faire des tonnes. Et puis merde, je vous laisse !

J'ai dit cela en me levant et, le temps de traverser le salon pour me rendre à la cuisine, j'ai entendu :

— Et quand je pense que ce type voudrait que je lui présente mes étudiantes. Tu peux me dire, Sally, ce qu'elles auraient à foutre d'un éléphant de mer qui ne vient voir sa mère que pour lui extorquer de l'argent ?

En passant dans la cuisine, j'ai ouvert son sac, j'ai pris de l'argent pour deux pleins et je suis sorti. Je savais que j'allais la revoir, cette Sally et son teint gris. Ma mère scellait toujours son amitié avec une personne en m'insultant devant elle. C'était sa façon à elle de s'attacher les gens, en leur offrant l'obscénité de notre relation. Au moment de reprendre ma camionnette, je me suis senti mal. Partir, revenir dans la maison, rester là des heures, tout me paraissait douloureux. C'était toujours après l'avoir vue que je cédais à l'alcool le plus facilement pour retrouver un peu de confiance dans l'existence. Je ne parle même pas d'allégresse, mais du seul sentiment d'exister qui ne se manifestait chez moi que dans une alternance cruelle. Le sentiment que la vie vous a quitté de votre vivant est l'expression de la solitude absolue. Personne ne peut ni le comprendre ni le partager.

Commettre une destruction comparable à l'ampleur de cette béance est la seule façon de supporter cette mise à l'index de la vie, de vous rattacher à elle par le plus ténu des fils. Et une fois que l'irréparable est commis, vous n'attendez plus qu'une chose, j'imagine, que la société à travers ses représentants vienne couper ce fil. Oswald devait être dans cet état quand il a tué Kennedy. Il n'avait pas forcément de raison de lui en vouloir à titre personnel. Mais tuer Kennedy, l'icône des démocrates et du monde entier, voilà une façon de combler un sacré trou noir. Robert Kennedy devait savoir au fond de lui-même qu'à un moment ou un autre il croiserait sur sa route un type désemparé par son vide intérieur. Quand il est venu à San Francisco pour sa campagne, je suis allé l'apercevoir. Sans mentir, je l'ai regardé comme un condamné à mort. Il est passé à quelques mètres de moi dans Chinatown, plus fluet que je ne me l'imaginais. Il remettait sa mèche tombée sur son front d'une main fébrile et maigre. Je l'ai vu blêmir et s'affoler quand un pétard a explosé près de la voiture officielle et je me suis dit : « Toi mon gars, tu n'en as plus pour longtemps, le type qui va venir combler sa béance en t'assassinant est sur la route. » J'ai exposé ma théorie à Duigan, elle l'a laissé perplexe. Il ne croyait pas qu'un événement de l'ampleur du meurtre d'un Kennedy pouvait se reproduire. Quand Bob s'est fait descendre à l'hôtel Ambassador de L.A. le soir de sa victoire aux primaires de Californie, il m'a appelé chez ma logeuse. Il était bouleversé mais il ne voulait pas le paraître.

Ma prédiction de cet événement a beaucoup fait pour ma notoriété parmi les flics habitués du Jury Room.

37

Mon agent de probation a débarqué sans prévenir comme à son habitude, un matin, avant que je ne quitte mon domicile pour le boulot. Sa descente inopinée avait tout d'une perquisition et il y prenait un plaisir malin. Il a fouillé méticuleusement chaque centimètre carré à la recherche de bouteilles d'alcool, de stupéfiants ou de toutes sortes d'indices qui auraient révélé que je violais ma parole. Je ne buvais jamais seul et encore moins chez moi. Au moment où il allait repartir bredouille, je lui ai demandé de passer une expertise pour qu'on lève ma conditionnelle. Il a répondu qu'il verrait ce qu'il pouvait faire avec la mine indécise du type qui craint de perdre un client.

Ma paye de vendeur de Harley meilleur employé du mois ne suffisait plus à couvrir mes frais. Je passais ma vie en mouvement et le mouvement consomme de l'essence. Les virées au campus avec mon Ford Galaxy me coûtaient une fortune. Mais pas plus que mon obsession de faire la route à moto la nuit, les soirs où je ne finissais pas accoudé au Jury à boire des litres de vin. Curieusement, boire me donnait le sentiment de m'empêcher de faire une gigantesque connerie. Je ne savais pas laquelle, mais comme chez moi rien n'était petit, je craignais quelque chose d'énorme. Je dépensais des fortunes au Jury à m'imbiber, sans parler des bières que j'offrais à mes copains flics.

Les soirs où je parvenais à me sevrer, je sillonnais les routes de Californie à moto jusqu'aux frontières de l'État sans jamais les franchir parce que ma conditionnelle en dépendait. Rouler le jour faisait de moi un homme ordinaire. Rouler la nuit me soulageait de moi-même, et me donnait un sentiment de puissance et de liberté. Je ne voyais rien des villes que des faisceaux de lumières. Je sillonnais parfois San Francisco des nuits entières. Je m'amusais à gravir et à descendre ses collines dans le brouillard d'été. Haight grouillait de hippies jusqu'à des heures avancées et je restais à les observer dans leurs migrations avant de reprendre la route vers le nord dans une folle accélération. Je conduisais jusqu'à la limite de mes forces et je rentrais à l'aube fourbu, hagard et extatique.

Juste le temps de me changer, de me raser, de tailler ma moustache et je faisais l'ouverture d'Harley. Les mois passant, la clientèle me pesait. Une majorité d'Hell's Angels. Toujours les mêmes gros avec les mêmes expressions, le même anticonformisme codé, la même pensée limitée. Ils cultivaient la grossièreté et le ronflement de leurs bécanes les rendait moins marginaux que l'étroitesse de leur réflexion sur le monde. Je n'avais rien à faire d'eux.

Les virées avec Duigan avaient lieu le dimanche quand le service ne le retenait pas à Santa Cruz. Il aimait à croiser au sud bien après Monterey. On partait à l'aube. Je transportais les sandwichs, la bière dans mes sacoches en buffle, et lui Wendy. Duigan la laissait parfois monter derrière moi depuis que j'avais investi dans une selle passager pour lui plaire. Alors, il me laissait rouler devant, pour ne jamais perdre sa fille des yeux.

38

Pour avoir sillonné la Californie de nuit, je ne la connaissais que sous un voile funèbre. L.A. était liée au songe de la vie chez mon père. Il m'arrivait de pleurer quand j'y pensais. Plus au nord, Atascadero me rappelait qu'on m'avait jugé fou. On descendait rarement en dessous de Big Sur, sur la côte, là où la route s'élève, menaçante, et où quelques maisons éparses prêtes à basculer dans le Pacifique semblent défier les abîmes pour la gloire de leurs propriétaires, de riches illuminés. La route était magnifique, courbée et assez vertigineuse pour laisser imaginer les conséquences d'un virage raté. Je m'y confrontais au magnétisme du vide et, quand Wendy avait rejoint son père sur sa moto, je m'imaginais faire le grand saut. Il nous arrivait de nous arrêter à Carmel sur le chemin du retour. Je n'avais jamais mis les pieds de ma vie à Santa Barbara ni à Beverly Hills et je n'imaginais pas l'existence de telles enclaves où les puissants sont assemblés en communauté silencieuse et où la question n'est plus de vivre, mais de vieillir dans une paix de taxidermiste. Les promeneurs de la petite route du bord de plage nous regardaient à la dérobée, inquiets. Ils allaient leur chemin, impeccables, précédés de petits chiens ridicules qu'ils promenaient par paire, le poil taillé comme des buis. Ces gens-là ne devaient faire d'enfants que quand ils ne pouvaient pas avoir de chien, car les jeunes désertaient la ville balnéaire. Cette petite ville quadrillée de maisons aux jardins étriqués entretenus au coupe-ongles n'attend rien des autres et ne se gêne pas pour afficher une indifférence glacée. On a tout de même garé nos motos devant la plage pour prendre un bain et se faire griller des saucisses dans une enclave sablée à l'abri du vent. Duigan s'est endormi sur sa serviette après sa deuxième bière. Wendy s'est allongée face au soleil, les bras croisés sur ses yeux. Je me suis adossé à l'ombre sur le mur de pierre de la corniche et j'ai regardé quelques voiliers somptueux manœuvrer en bord de plage. Le petit ami de Wendy n'avait pas été invité à notre virée, c'était assez dire l'estime que Duigan lui portait. Sa préférence devenait évidente mais je ne savais pas comment m'y prendre pour ne pas le décevoir. Il n'imaginait pas de type plus approprié que moi pour protéger son trésor et, chaque jour, nous progressions sur le terrain de la confiance. Wendy aussi me donnait des signes d'amitié pour ne pas dire plus.

J'étais capable de sentiments pour Wendy mais pas de désir. La première fois qu'elle m'a embrassé, je me suis crispé sans le montrer. Elle m'a ensuite entouré de ses bras en silence. Le jour où elle a cherché à pousser plus loin, j'ai décliné, sous prétexte que je pensais à l'épouser et que mes principes m'interdisaient de passer à l'acte avant le mariage. Elle l'a bien pris, n'étant pas particulièrement portée sur la chose. Nous formions alors une « belle composition », pour reprendre une expression d'un auteur que j'étais alors loin de connaître, mais ce tableau devait rester éphémère car, un jour où l'autre, Duigan saurait que j'avais tué mes deux grands-parents et me reprendrait sa fille dont je ne voulais pas vraiment. En attendant, au Jury on distillait la rumeur que j'étais devenu le quasi-gendre du patron de la Criminelle et il n'en fallait pas moins pour qu'ils me considèrent comme un des leurs.

Duigan s'est réveillé les yeux gonflés par la fatigue de la semaine et quand il a vu la tête de Wendy posée sur mon torse il nous a souri. Wendy est montée avec moi au retour et nous avons filé à travers ces longues plaines agricoles où de petits Mexicains courbés tournent le dos à la mer. Chez Duigan, on s'est remis sur la terrasse. Le bruit du parc d'attraction l'a emporté sur le blues du dimanche soir qui s'insinuait en nous. On s'est servi des bières alors que notre vague à l'âme s'évaporait doucement. Le téléphone a sonné. Duigan ne s'est pas pressé pour répondre. Il est réapparu habillé pour sortir et il m'a demandé de l'emmener sans me donner plus de détail.

39

La route de la corniche qui serpente au nord était encore pleine de surfeurs excités par leurs exploits du jour de retour vers Santa Cruz. Des beaux gosses pour la plupart, accompagnés de jolies filles, une serviette encore humide autour de la taille. Le sel avait blanchi leurs peaux et leurs yeux clairs en ressortaient d'autant. Sur les grandes maisons qui font face à la mer, j'ai aperçu deux drapeaux américains tendus à des balcons. Ils n'y étaient pas une semaine auparavant. Deux gosses de riches venaient de mourir au Vietnam et il n'y avait rien d'autre à dire. Nous avons dû rouler un peu au-delà de Santa Cruz sur la route n° 1 qui file vers Half Moon Bay en direction de San Francisco. Sur une hauteur sablonneuse et boisée un attroupement s'était formé. Des voitures et des motos de police barraient un chemin de terre qui descendait dans une combe arborée avant de filer vers la mer. Le rassemblement s'était formé assez loin de la route. J'ai suivi machinalement Duigan alors que les gens s'écartaient devant lui. Il commençait à faire sombre. Sur le sable gris percé par de grandes herbes folles, de longs cheveux blond cendré s'étalaient. Ils encadraient le visage parfait d'une jeune fille dont les grands yeux bleus fixaient l'infini. Elle était nue, les jambes repliées sous elle dans une contorsion inhabituelle. Ses intestins formaient une masse immonde. Duigan s'est accroupi. Je me tenais debout derrière lui. La pensée du passage de la vie à la mort de cette jeune femme s'est mise à m'obséder comme s'il s'agissait de la seule énigme qui eût valu quelque chose sur cette terre. Les brancardiers attendaient l'autorisation de Duigan pour hisser la fille jusqu'à leur ambulance. Je ne pouvais pas détacher mes yeux de son visage. Ce qui me frappait était moins qu'elle fût morte que le caractère irréversible de cette mort et donc la puissance de celui qui l'avait provoquée. Je revoyais ma grand-mère dans cette posture ridicule où ma balle l'avait figée et le sentiment unique d'exister qui s'en était suivi. Le meurtrier avait dû ressentir la même chose et la soudaine communauté qui se créait entre nous me mettait mal à l'aise. J'étais de son côté, que je le veuille ou non.

L'émotion passée, les premières informations sont remontées. La fille se dirigeait sur San Francisco, le petit sac à dos retrouvé près d'elle l'attestait. Un coup de couteau lui avait transpercé le cœur avant de l'éventrer. L'assassin l'avait jetée là, il y avait deux heures au plus. Le chien de la maison isolée plus loin l'avait découverte, s'était assis à côté d'elle et avait aboyé jusqu'à ce que son maître s'en inquiète.

Selon Duigan, il l'avait tuée dans sa voiture et l'avait éventrée sur place. La disposition de ses viscères le confirmait. L'ordre fut donné de dresser des barrages à la recherche d'une voiture dont l'intérieur révélerait des traces de sang. Duigan laissa ses adjoints nettoyer la scène de crime et me demanda de le ramener à son bureau.

L'hôtel de police était presque vide à part deux gardes. Duigan était installé dans une verrière qui l'isolait de ses collègues. Il m'a fait asseoir en face de lui. Il ne disait rien, ne manifestait rien, il tentait seulement de transformer cette épreuve émotionnelle en épreuve administrative. Puis un de ses adjoints que je connaissais du Jury a passé une tête pour lui dire que la fille était de Santa Cruz. Je l'ai vu blêmir. L'adjoint s'est proposé de l'accompagner pour porter la mauvaise nouvelle à sa famille. Il a décliné d'un grognement. Cette fois nous avons pris une voiture de service, laissant ma moto dans le sous-sol du bâtiment. Les parents de la fille habitaient un peu en retrait des beaux quartiers près d'un minuscule parc ombragé que se partageaient trois demeures dissemblables. À notre arrivée, le père lisait dans le jardin un gros livre à couverture rigide. Au milieu de la cinquantaine, il lissait une barbe grise bien taillée. Sa femme, qui nous avait ouvert la porte, est allée le chercher. Tous deux ont eu l'air intrigué de voir surgir ce flic à grosse tête, flanqué d'un géant. Duigan ne savait pas y faire et les a presque engueulés en leur annonçant qu'il était porteur d'une mauvaise nouvelle. Il m'a présenté comme auxiliaire de police. Le père était un homme digne. Il nous a fait entrer puis asseoir autour d'une table de jardin alors que sa femme se fermait les oreilles. Duigan s'est mis à parler comme un bègue : « Votre fille, assassinée, sur la côte, retrouvée dans un bosquet par un chien », et n'y tenant plus de voir l'affliction de ces gens, il s'est mis à les interroger à toute vitesse comme s'il essayait de couper court à leur chagrin, effrayé par leur peine et son impuissance à les réconforter. On les a finalement laissés seuls à leur douleur. La fille avait quitté son domicile pour assister à un concert à San Francisco au Fillmore ce dimanche soir. Elle avait prétendu partir avec une bande de copains alors qu'en réalité elle était bien décidée à faire du stop, seule. Les barrages sur la route n° 1 n'ont rien donné. Duigan était persuadé que le tueur était de Santa Cruz.

— Tu verrais quel genre de type, Al?

Ma réponse est venue instinctivement :

— Je dirais un peu plus de la trentaine, psychopathe, parce qu'il s'agit d'un crime rituel. Et la mauvaise nouvelle, monsieur Duigan, c'est qu'il ne va pas s'arrêter là.

— Comment tu peux le savoir?

— Je ne le sais pas. Je le sens. Avec son crime, il vient de découvrir un autre monde. Il aura besoin de reproduire cette jouissance, c'est certain. Et puis il va se lasser. Dans quatre ou cinq morts. Vous ne trouverez pas de trace de viol. Il tue et puis il salit. Pour des raisons bien précises liées à son enfance. Mais il va se trouver un délire.

— Un délire?

— Oui, une justification mystique ou quelque chose dans ce genre. Il veut de la publicité. Il n'a pas cherché à cacher le crime. Il savait que la fille allait à un concert. Il avait tout le temps d'emmener le corps très loin, de le dépecer, et d'éparpiller les restes. En Amérique, si on veut dissimuler une fille morte, ce n'est pas l'espace qui manque. Mais lui, non, il veut de la publicité, il veut que ça se sache. Il éprouve une véritable fierté pour son acte.

— On va fouiller les hôpitaux psychiatriques !

Atascadero était le seul hôpital psychiatrique où l'on enfermait les fous dangereux de l'État et, en enquêtant là-bas, on risquait de tomber sur mon dossier. Je tenais tellement à l'impressionner que j'avais toutes les insouciances.

L'image de cette femme sans vie m'a obsédé des semaines. L'obscénité de sa mort me hantait. Il n'avait pas suffi à son assassin de la tuer, de la mettre nue, il avait fallu qu'il exhibe ses viscères, l'intérieur de son corps, pour qu'elle soit traversée du regard par ceux qui allaient la découvrir. Les images de la jeune étudiante éveillaient mon désir. Pas son corps meurtri, certainement pas, mais son visage pâle presque gris, et surtout la fixité de son regard opaque. Je n'en ressentais aucune honte. Pourquoi fallait-il que je n'aie aucun désir pour Wendy alors que les images de cette fille imprimées dans ma mémoire me troublaient ? Je n'ai pas su répondre à cette question autrement qu'en buvant deux bouteilles d'affilée au Jury, tout en priant que, parmi les flics qui étaient là, aucun n'ait le don de lire en moi. À la fin de la deuxième bouteille j'ai commencé à avoir des hallucinations et je suis allé me coucher en espérant que le sommeil me laverait de ces mauvaises pensées. Au matin, je ne l'étais toujours pas. Je me suis rendu à la concession sans enthousiasme. Un jeune couple pas vraiment hippie mais sympathisant voulait acheter une Harley. Je leur ai conseillé de démarrer avec un petit modèle, un 1200 Sportster. Ils étaient tout excités. La fille se tenait au bras du type comme un bébé chimpanzé à sa mère et cette image de fusion m'a révolté. Ils étaient beaux tous les deux, blonds avec des yeux bleus, le visage bien dessiné. Ils ont versé l'acompte cash sur la table et puis ils sont partis en sautillant.

40

Je n'avais pas vu Wendy depuis un bon moment. Je la fuyais pour tout dire. Mais ce jour-là j'ai senti que je pourrais la perdre. Les prétendants s'étaient formés en liste depuis qu'elle avait largué son surfeur légumier. Je l'ai appelée pour qu'on prenne la pause déjeuner ensemble. Je n'en revenais toujours pas d'avoir flashé pour une morte et je voulais laisser ce souvenir déplorable derrière moi. Alors j'ai attaqué très fort :

— Je voudrais t'épouser, Wendy.

Elle a soulevé le pain de son hamburger, suspicieuse :

— Tu veux m'épouser ? Ça t'a pris comme ça ?

— Non, je veux fonder une famille avec toi, faire des enfants, acheter un camping-car et faire le tour du pays sans penser à rien.

— T'as des soucis ?

— Non. Je me rends compte que notre relation ne te satisfait pas complètement.

Je l'ai sentie un peu lasse. Sans reproche dans la voix, elle a dit :

— De quelle relation tu parles, Al ? Tu ne m'embrasses jamais, tu ne me tiens jamais la main, on se voit une ou deux fois par semaine et le plus souvent en présence de mon père.

— Justement, je voudrais que ça change.

— Tu vas me présenter à ta mère ?

La question m'a saisi.

— Pour quoi faire ? Elle sera morte à la date de notre mariage !

Elle m'a regardé par en dessous, inquiète.

— Pourquoi tu dis ça, Al ?

— Avec ce qu'elle boit, elle n'en a plus pour longtemps.

— Il faut quand même que je la voie, non ?

— Non.

On est restés un bon moment sans rien dire et ce n'est que le nez dans une crème glacée que Wendy a consenti :

— Tu voudrais te marier quand ?

Son assentiment m'a surpris.

— Je ne sais pas... quand tu voudras...

— Je voudrais bien une robe blanche, tu crois qu'on pourra se la payer ?

— Je trouverai l'argent, Wendy.

— Heureusement qu'on est catholiques tous les deux, c'est plus facile, non ?

On n'a pas défini de date.

J'ai repris mon travail à la concession et toute l'après-midi j'ai vu défiler des fâcheux qui voulaient se faire rêver sans avoir le début d'un dollar. À la fermeture, je ne me sentais pas bien et, plutôt que d'aller boire au Jury, j'ai enfourché ma moto en projetant de rallier l'Oregon et retour d'ici le lendemain matin.

La fraîcheur descendait doucement sur la côte. J'ai pris à l'intérieur par la route 101. Beaucoup de camions à simple ou double remorque filaient comme sur un rail vers le nord, certains à destination du Canada. Je n'avais jamais poussé plus loin que Klamath Falls et je rêvais de remonter jusqu'à Seattle, de traverser la frontière à Olympia, de découvrir Vancouver et de monter le plus loin possible vers l'Alaska. Pour avoir travaillé sur l'asphalte, je savais ce qu'une route comme la 101 avait pu coûter d'efforts, combien de tonnes de dynamite avaient été nécessaires pour trouer l'immensité sauvage, combien d'hommes y avaient laissé leur vie, et je ressentais une vraie fierté d'y prendre mes aises, calé sur la file de gauche. J'ai mis la poignée dans le coin sans me soucier des limitations. Pour tirer mes 130 kilos, j'avais un gros modèle de Harley pesant près de 400 kilos avec un énorme moteur de tracteur. Sans sau-tevent l'air pesait comme du plomb sur mes bras mais j'aimais plus que tout ce sentiment d'arracher ma liberté aux éléments. La frontière de l'Oregon s'est profilée vers 2 heures du matin alors que la fatigue m'avait plongé dans un état second, saoulé par le bruit des pistons et l'excès d'oxygène. Il était temps de rentrer mais une force supérieure m'a poussé à continuer au-delà de cette limite qui m'était interdite. Le manque d'essence m'a obligé à quitter la highway. Le plein fait, j'ai repris la route dans l'autre sens. Mon pari avait perdu toute saveur. Je l'ai trouvé subitement dérisoire. Je me suis apaisé. La fatigue n'était pas la seule responsable de ce revirement. J'ai roulé à allure raisonnable jusqu'à Pepperwood. De là j'ai rejoint une route qui sillonnait une forêt d'arbres géants dont la cime grattait le ciel étoilé. En bas il faisait aussi sombre que dans la cave de mon enfance, raison pour laquelle j'ai roulé un bon moment le regard en l'air, rassuré par l'intrusion du bruit de mon moteur dans ce silence épais. Puis ce bruit s'est transformé en celui de la chaudière de la maison du Montana et j'ai eu envie de sauter de la moto. J'ai levé la tête, aspiré par le ciel étoilé, lorsqu'un daim a surgi dans mes phares. Je n'ai pas cherché à l'éviter. Il a basculé au-dessus de moi et alors que je pensais m'en être sorti, je me suis retrouvé par terre. Tant qu'on n'a pas chuté aussi lourdement, on n'a aucune idée du poids qu'on fait vraiment. Pendant le bref instant que j'ai passé en l'air, j'ai pensé m'en sortir sans une égratignure aussi bien qu'à mourir, et les deux solutions me convenaient. La moto couchée sur la route, le phare avant m'éclairait comme une torche. J'ai vu mon bras gauche en angle droit et mon pied qui avait dévié de ma jambe. La douleur a succédé à la surprise, avivée par mon sentiment d'impuissance. Le silence est revenu et je l'ai senti fier de s'être débarrassé de moi. Mon instinct de conservation a repris le dessus et je me suis glissé jusqu'au bas-côté pour éviter de me faire écraser si par le plus grand des hasards une voiture avait l'idée d'emprunter cette route à une heure pareille. Elle n'est pas venue avant les premières lueurs de l'aube. Un forestier en est sorti. Son visage n'exprimait rien. Il a commencé par examiner le daim qui s'était immobilisé. Il est venu vers moi et m'a regardé, les mains sur les hanches.

— On peut dire que tu l'as bien bousillé.

Puis il a sorti un paquet de cigarettes et en a allumé une avec un briquet à pétrole.

— T'es à peine mieux, mon vieux. Mais toi au moins t'es vivant. Grosse casse ?

— Un bras et une jambe.

Il s'est penché sur la moto.

— J'arriverai jamais à la sortir de là tout seul. Tu peux vraiment pas m'aider ?

Je n'ai pas répondu, ça n'en valait pas l'effort.

— Je peux pas te charger non plus dans ma voiture, hein ?

Finalement il a décidé d'aller chercher du secours à une vingtaine de miles de là.

41

Mon immobilisation m'a procuré un énorme soulagement. J'ai pu me décharger de moi quelques jours, confortablement installé dans ma petite chambre d'hôpital de Garberville. Wendy n'a pas compris pourquoi quelques heures après lui avoir proposé le mariage, j'étais allé me vautrer sur une route aux confins de l'État.

— Mais qu'est-ce que tu faisais là-bas, Al ?

— Je n'en sais rien, Wendy. J'avais besoin de prendre l'air. Parfois, j'en ai un peu assez de Santa Cruz, du brouillard, du bord de mer. C'est l'appel de la route. Mais je suis content aussi quand ça s'arrête. C'est comme ça depuis toujours, Wendy.

— Une fois mariés, ça continuera ?

— Je n'en sais rien, Wendy, je n'ai jamais été marié. Et ton père ?

— Je ne fais que l'apercevoir, il est très occupé. Il y a eu un nouveau meurtre.

— Un nouveau meurtre ?

— Oui, une fille d'Aptos qui faisait du stop en direction de Monterey. Ils l'ont retrouvée en bas d'une falaise juste après Carmel. Elle était éventrée comme la première et il y avait un mot dans sa poche.

— Qui disait quoi ?

— Un délire. Une voix céleste lui a ordonné de sacrifier onze femmes pour sauver la Californie du Nord des tremblements de terre. Il ne fait que répondre à l'injonction de cette voix. Tuer onze femmes pour en sauver des milliers est selon lui un sacrifice acceptable et il demande à la police de le prendre comme ça. Puis d'autres trucs mais je ne m'en souviens plus. Tu reviens quand, Al ?

— Dans deux semaines, si ma mère envoie un peu d'argent.

Peu après l'opération où on m'a redressé mon bras et ma jambe, le shérif est venu me rendre visite. Il avait l'air soucieux :

— Alors comme ça, tu es en conditionnelle ?

Difficile de démentir.

— Tu voulais fuir au Canada ?

— Fuir quoi ?

— C'est ce que je te demande. Tu es sûr que tu n'aurais pas fait une connerie avant de prendre la route ?

— Pourquoi vous me demandez cela ?

— Parce qu'on parle d'un tueur de femmes dans la région d'où tu viens.

— Je suis au courant. Je connais le patron de la Criminelle de Santa Cruz, je vais épouser sa fille. Et d'ailleurs c'est moi qui l'ai conduit sur la première scène de crime. Si ça vous intéresse encore, le jour de ce crime, nous étions, lui, sa fille et moi, en train de faire de la moto du côté de Carmel.

Je l'ai senti rassuré.

— Tu as un sacré casier pour ton âge, tu comprends...

— J'ai tué des gens qui m'oppressaient et je me suis rendu. Ce n'est pas comme tuer des anonymes en laissant des petits mots sur les cadavres.

Il a senti qu'il m'avait vexé en essayant maladroitement de me mettre ces crimes sur le dos et il ne m'en a plus jamais parlé. On s'est ensuite revus plusieurs fois. Je crois qu'il m'appréciait. Assez en tout cas pour me faire quelques confidences sur ses préoccupations quotidiennes. Garberville était devenu une espèce de gare de triage pour les hippies qui s'y donnaient rendez-vous. J'en voyais des cohortes déambuler depuis ma chambre. Ils s'étaient sédentarisés et tenaient commerce dans la rue principale en vendant des objets d'art lamentables pour certains ou de la dope pour la plupart. Les plus atteints déambulaient avec des allures de chiens galeux, et leurs rires excessifs ne collaient pas bien avec leurs mines de fin de vie. Il arrivait à des jeunes du coin d'en cogner. La veille, selon le shérif, une bande dans une Dodge grise avait enlevé un couple de jeunes freaks pour leur raser la tête et tripoter un peu la fille. Le type avait porté plainte, mais la fille ne voulait pas entendre parler des flics. Du coup elle l'avait quitté et le type s'était jeté dans la rivière où il s'était noyé. Bref, le petit hôpital de la ville où je séjournais s'était transformé progressivement en dispensaire. J'y croisais plein de ces jeunes que des maladies qu'on croyait disparues rattrapaient pour contrarier leurs rêves de végétatifs hallucinés.

À l'époque de cet accident je tournais en rond et cet événement m'a éjecté du cercle concentrique où j'évoluais péniblement. Quand j'ai appris que le lieu où s'était produit mon accident s'appelait l'avenue des Géants, j'y ai vu un signe, même si cette appellation tenait seulement aux arbres immenses qui la jalonnaient. Le jour de mon départ, le shérif avait complètement oublié mon casier judiciaire et ne se souvenait que d'un jeune qui bravait la douleur sur ses béquilles pour aller chaque matin se raser au lavabo. Il s'est présenté, timide comme un enfant qui vient faire son compliment. Il avait une grosse boîte à la main et il me l'a posée sur les genoux au moment où on me poussait vers l'ambulance dans une chaise roulante. Je l'ai ouverte aussitôt pour y découvrir la tête du daim que j'avais tué. Elle avait été naturalisée par un taxidermiste du coin et j'ai vraiment été touché de son geste. J'ai aussi vu un signe dans ce cadeau.

42

L'impécuniosité dans laquelle mon accident m'a jeté m'a obligé à revenir habiter avec ma mère. Mon patron ne m'a pas repris même s'il m'avait à la bonne. Il m'avait quitté quelques heures plus tôt avec la promesse de me revoir le lendemain et il apprenait qu'entre les deux j'étais parti faire de la vitesse la nuit et cela, il ne l'a pas apprécié. J'ai appelé ma mère de Garberville pour lui dire que je ne pouvais pas payer les frais médicaux, que j'étais viré et que j'allais rendre mon appartement à ma logeuse.

Elle est restée apparemment calme :

— C'est ce qui arrive aux gens comme toi, Al, une longue chute vers le néant. Tu veux que je te dise que je suis surprise ? Eh bien non, je ne le suis pas. Tu ne logeras chez moi que le strict nécessaire. Tu crois que je ne lis pas dans ton jeu ? Je sais que tu rêves de t'incruster, de devenir le seul homme de ma vie, de tenir les autres à distance.

Quels autres ? Il y avait bien longtemps que plus aucun homme ne tournait autour d'elle.

Au quotidien, sa maison d'Aptos ne dégageait

pas de meilleures ondes que celle du Montana. Elle s'était agrandie en louant l'étage, quelques semaines avant mon accident, comme si elle avait eu le pressentiment de finir ses jours avec moi. Tout était sinistre dans cette baraque, démodé, sans goût. Les chats y régnaient en maître et leur odeur en dominait toute autre. La lumière entrait difficilement par des fenêtres coulissantes à petits carreaux en nombre insuffisant. Je me suis retrouvé seul à l'étage, dont je ne pouvais pas sortir tant que ma jambe ne me permettait pas de descendre les escaliers construits à l'extérieur. Le mois et demi qu'a duré ma convalescence, elle s'est contentée de me déposer à manger devant la porte, sans jamais venir me parler. Elle y ajoutait un rouleau de papier-toilette quand elle jugeait qu'il était temps de m'en donner. Parfois je l'attendais en haut des marches, mes deux béquilles calées sous mes épaules. Je la voyais monter, essoufflée, rougie par l'effort.

— On dirait que l'alcool de ton foie est remonté dans les pores de ta peau !

— Ta gueule, Al. Sinon je te laisse crever de faim.

— Tu sais que tu te comportes plus mal que les gardiens de prison que j'ai eus en préventive. Pourquoi tu ne viens pas me parler ?

Elle s'est plantée au milieu des marches.

— Parce que je n'ai rien à te dire. J'ai parlé de ton comportement à un jeune professeur de psychologie qui vient d'arriver chez nous, sans lui dire qu'il s'agissait de mon fils. Il a été clair.

Elle a baissé la voix pour éviter d'informer tout le quartier.

— Pour lui tu es un homosexuel refoulé, Al.

Puis en baissant encore plus la voix :

— Une grosse tapette qui ne s'assume pas. J'avais dit à ton père qu'il t'élevait dans cette direction. Il n'a pas voulu me croire. Il est où maintenant ? Dis-moi ?

Je suis resté calme, magnanime.

— Ton type se trompe. Au fait, tu sais que je vais me marier ?

Elle s'est retournée pour redescendre :

— Tu peux toujours te marier. Je te fais le pari que tu ne la toucheras jamais.

La curiosité l'a retenue encore un moment.

— C'est qui cette fille ?

— La fille du patron de la Criminelle de Santa Cruz.

— Il connaît tes états de service ?

— Non, mais mon casier judiciaire est sur le point d'être effacé.

Elle n'a pas été longue à palper l'arme que je mettais entre ses doigts.

— Si tu continues à m'emmerder, Al, je vais raconter à ton futur beau-père le petit-fils modèle que tu as été.

Elle a fini de descendre les marches, satisfaite.

J'ai claqué la porte dans un bruit qui a dû réveiller tout le quartier. Je me suis assis sur mon lit dans la seule chambre aménagée de l'étage car pour le reste elle n'avait pas l'argent. J'avais un mal fou à respirer. J'ai tenté de me calmer en essayant de me rappeler si j'avais jamais eu envie d'un homme dans ma vie. Aussi loin que je pouvais fouiller dans ma mémoire, cette sorte de désir ne m'avait pas effleuré. L'hallucination qui a suivi était très symbolique. Les murs et le plafond de la chambre se rétrécissaient pour se rapprocher de moi jusqu'à m'enfermer dans un cube. J'ai passé la nuit en état de prostration. Au matin, avant de partir pour l'université, en signe de paix, pour la première fois ma mère m'a lancé le journal du bas des escaliers. En s'échouant contre ma porte, son bruit mat m'a réveillé. J'étais toujours habillé, recroquevillé sur moi-même.

Je n'ai pas pris le temps de lire en profondeur un grand article sur le Vietnam et la théorie des dominos selon laquelle si on perdait là-bas toute l'Asie allait basculer dans le camp des communistes avant de gangrener le reste du monde. Ils avaient raison de s'accrocher. Bon sang! Je ne sais pas ce que j'aurais donné pour qu'on m'y envoie, je suis convaincu que j'y aurais fait du bon boulot. En première page, s'étalait une photo de Duigan, l'air visiblement contrarié, devant des journalistes. Il avait de quoi l'être. On venait de trouver un jeune couple de vagabonds assassinés en bordure d'un chemin sablonneux. Ils étaient morts chacun d'une balle à l'arrière de la tête, un calibre de chasse aux éléphants qui ne leur avait laissé aucune chance. La fille avait été éventrée après avoir été exécutée. Aucun mot cette fois. On tuait beaucoup sur cette côte à cette époque. Longtemps après, j'ai pensé aux estuaires où se mêlent l'eau de mer et l'eau de rivière. On dit que les requins y sont déchaînés et y entreprennent des attaques meurtrières qui ne répondent à aucun mécanisme connu. Au début des années 70, ce syndrome de l'estuaire frappait la Californie. Je l'analyse à ma façon. Nous étions les enfants de l'après-guerre. Nos pères en avaient vu de belles dans le Pacifique et en Europe, et les non-dits à l'intérieur des familles se dissimulaient derrière la prospérité. La famille traditionnelle s'était souvent transformée en cauchemar, on voyait pour la première fois à la télévision des images de massacre en Indochine, l'aiguille de la boussole tournait affolée pour bien des jeunes qui ne savaient plus comment exister. Certains n'ont rien trouvé d'autre que de tuer, et en masse, comme si tuer une seule personne ne suffisait plus.

Duigan prenait de mes nouvelles par Wendy. Il m'appréciait toujours, selon elle, même s'il ne comprenait pas pourquoi j'étais allé m'abîmer au nord, en pleine nuit. Wendy ne pouvait pas me rejoindre. Elle n'avait pas de voiture et par les temps qui couraient le stop était déconseillé. Son empêchement me convenait très bien. Sinon, j'aurais dû lui dire que ma mère ne voulait pas la voir chez elle sous le prétexte fallacieux et contradictoire dans sa bouche qu'elle ne voulait pas entendre son fils forniquer au-dessus d'elle, dans sa propre maison.

Ma mère recevait Sally Enfield presque tous les soirs et il n'était pas rare qu'elle dorme chez elle. Elles étaient devenues inséparables. Ma mère avait besoin de parler, sauf avec moi. Elle avait l'alcoolisme volubile, alors que Sally se contentait d'acquiescer sans bruit. J'entendais les deux commères à travers le plancher :

— Je sais d'où vient mon problème avec les hommes, Sally.

— T'as de la chance si tu le sais.

— Mon premier mari m'a beaucoup déçue. Il croyait que j'allais rester la femme d'un électricien. Aucune ambition, Sally. Un petit boulot tranquille, une bière avec les copains le soir après le travail et puis rien... Comme si j'avais rêvé de ça. Surtout que le type s'était présenté comme un héros de la guerre. En plus, je vais te faire une confidence, il en avait une toute petite.

On pouvait mesurer son degré d'alcoolisation à sa vulgarité. Elle venait assurément de dépasser les deux bouteilles de vin.

— Il avait de petits pieds pour 2,10 mètres. Et le reste en proportion.

Sally Enfield s'est mise à rire comme une possédée. Même si elle ne le connaissait pas, c'est de mon père qu'elle riait. Je l'aurais étranglée. Et ma mère, qui ne savait rire de rien, de continuer :

— Et puis Al est arrivé. Toi tu n'as jamais eu d'enfant, tu ne peux pas le savoir, mais quand tu deviens mère, tu sens l'enfant que tu as engendré. Tu veux que je te dise, j'ai tout de suite su que c'était un monstre. Alors je l'ai vissé, pour le domestiquer. Mais ça n'a pas suffi. J'ai échoué. J'ai failli réussir mais son père a joué contre moi, dans mon dos. Je peux te l'avouer à toi, quand Al a tué ses grands-parents, j'ai jubilé. Les faits m'avaient donné raison. Je te parie qu'il ne retravaillera jamais. Il est tombé de sa moto pour rentrer chez sa mère. J'aurais eu un fils mongolien, ça ne serait pas pire. Mais qu'est-ce que j'ai fait à Dieu pour mériter pareille punition ?

J'ai entendu le choc d'un verre et d'un goulot de bouteille.

— Un mari, au fond, c'est jamais qu'un mari. On sait qu'on n'aura jamais vraiment ce qu'on voit. Mais un enfant, il sort de notre ventre. Alors, quand on réalise qu'il n'a rien de soi, c'est une sacrée déception.

Avec Sally Enfield, ma mère s'était payé un chien qui répond aux questions. J'ai remarqué que les gens qui prennent des chiens s'adressent à eux pour le plaisir de ne jamais être contrariés. Mais la contrepartie fâcheuse c'est que le chien n'approuve jamais. Sally au moins ne ménageait pas ses approbations à grand renfort de :

— Tu as raison, Cornell, tu ne pouvais pas mieux dire.

Elle ne parlait jamais d'elle et, si elle s'y aventurait, ma mère l'arrêtait comme le fait un professeur d'un élève hors sujet. En un mois de convalescence au-dessus des deux femmes, je n'ai rien appris sur elle si ce n'est cette inexplicable veulerie qui la maintenait dans un état de servage.

J'ai fini par m'appuyer sur ma jambe. Mon bras fracturé en trois endroits est resté dans le plâtre un bon mois de plus. Chercher du travail m'était encore impossible mais je parvenais à conduire. J'ai repris mes tournées en camionnette. J'avais besoin de parler et qu'on me parle. Le tueur fou avait abattu ses trois dernières victimes sans les avoir préalablement prises en stop. Les peurs collectives sont comme les terreurs de chevaux, spectaculaires et vite oubliées. Les étudiantes qui montaient dans mon Ford Galaxy montraient plus d'hésitation que deux mois auparavant, mais l'appréhension ne résistait pas longtemps à la perspective fatigante de marcher deux ou trois miles pour aller en ville.

J'évitais désormais les filles de la contre-culture et je visais les petites bourgeoises lisses et propres comme des roches de cascade. Elles m'excitaient drôlement plus que Wendy, qui n'y était pour rien. Wendy m'était promise et ces filles m'étaient interdites, c'est ce qui sans doute faisait la différence. Je n'avais aucune autre occasion de les rencontrer en dehors des moments où je les chargeais en auto-stop. Elles ne fréquentaient pas le Jury, même si on y trouvait plus de flics que de frisettes sur la tête d'une pute. Elles ne fréquentaient pas non plus les mêmes lieux de restauration. Parfois je m'asseyais en retrait sur la plage et j'admirais leurs épaules dorées balayées par des cheveux éclatants. Elles étaient de tous les sports qui conservaient leurs formes impeccables. Le mur de Berlin devait être plus facilement franchissable que celui qui me séparait de ces créatures. Quand elles me croisaient sur la promenade qui courait le long du sable fin, elles ne me voyaient jamais. Il arrivait à leur regard de heurter ma grande taille et il n'en résultait qu'une exclamation, surprise qu'un séquoia de Yosemite ait trouvé des jambes pour se mouvoir. Nous vivions à la même époque dans les mêmes lieux et pourtant, si je n'en avais pas pris l'initiative, nous n'aurions jamais eu l'occasion de nous croiser. En voiture je leur posais des tas de questions sur leurs attentes dans la vie, leurs espoirs, leurs craintes. Elles me fascinaient à ne douter de rien, à croire que leur existence était tracée comme un chemin de fer. Jamais, de près ou de loin, elles ne laissaient le désenchantement s'insinuer en elles. Les superlatifs veillaient à atomiser le moindre signe de pessimisme. Elles traitaient le bonheur comme un petit chien qui dépérit sans sa maîtresse. Entre l'université et la plage, des dizaines de filles au même standard entretenaient mon intérêt pour l'existence.

Duigan avait maigri. L'idée de victimes à venir l'obsédait. Cette impuissance le rendait dépressif. Aucun indice n'avait filtré sur le tueur depuis le début de sa série. Il ne commettait pas d'impair. Il tuait en respectant des intervalles réguliers, comme s'il n'était pas pressé d'en finir avec des objectifs qu'il tenait avec la méticulosité d'un directeur des ventes. Son rayon d'action se limitait à la région côtière, même s'il ne jetait jamais les cadavres à la mer.

— Pourquoi ne le fait-il pas ?

J'étais assis en face de Duigan, sur sa terrasse. Wendy tardait et cela le rendait nerveux. Je lui rendais visite pour la première fois depuis mon accident. On s'était parlé quelquefois au téléphone avec Wendy, mais, nous en avions conscience l'un et l'autre, quelque chose clochait entre nous. Et ce quelque chose c'était moi.

— Les confidences sont un truc de femmes.

Ce fut ma réponse la fois où elle m'a fait des reproches.

— Comment veux-tu qu'une complicité s'installe avec toi si je n'en ai pas avec moi-même ?

C'est ma mère qui est entre nous. Je dois régler mon problème avec elle.

— Mais quel problème, Al ? Si au moins tu m'expliquais.

— Elle brouille ma relation avec les femmes.

— Pourquoi tu ne la quittes pas ?

— C'est le genre de femme qu'on ne quitte pas. Comment t'expliquer ? Si je m'éloigne d'elle, je prends le risque qu'elle m'obsède encore plus. Près d'elle, j'ai l'impression de la contrôler. Dès que je prends mes distances, elle reprend le dessus, je sais, c'est pas facile à comprendre, mais je vais m'en arranger.

— Mais comment, Al ?

— Je réfléchis, je n'ai pas la solution mais je réfléchis.

Wendy, en dehors d'être une bonne fille, savait se montrer d'une patience inégalée dans le monde féminin.

Le vent s'était levé sans conviction. Des gosses jouaient dans la rue et leurs cris meublaient nos silences.

— L'idée qu'un cadavre ait pu être travaillé par la mer doit lui déplaire. L'éventration qui est un peu sa signature pourrait ne pas être si nette. Il tue vite, il dépose le cadavre sans le cacher avec l'intention qu'il soit accessible et retrouvé dans l'état dans lequel il l'a laissé. Voilà ce qu'on sait sur lui.

— Ça ne permet pas d'établir un portrait-robot.

— Il n'aime pas les femmes. Il a un gros problème avec elles. Le problème avec sa mère doit être massif. Mais cela ne suffit pas. Il y a autre chose, de très personnel, difficile à cerner sans le connaître. Je peux parler librement, monsieur Duigan ?

— Bien sûr.

— C'est un homosexuel refoulé. Il n'arrive pas à passer à l'acte. Alors il se venge sur les femmes et il les éventre. Le ventre c'est pas anodin, vous voyez ce que je veux dire ? D'ailleurs la preuve, quand il a tué le couple, seule la femme a été éventrée. Le refoulement doit être violent. Du côté de son père, probablement. Un militaire de carrière ou un entrepreneur, je dirais, même si je ne suis pas un spécialiste. Entendons-nous, monsieur Duigan, je n'ai aucune autorité pour...

— Je sais, continue.

— Moi, je dirais que c'est un garçon qui a été très brillant jusqu'à un certain âge avec une réussite en conséquence et puis d'un coup tout s'est effondré. Vous le trouverez dans les beaux quartiers plus sûrement que dans une maison en planches. Je vous l'avais déjà expliqué, il a forcément fait de l'hôpital psychiatrique avec un épisode délirant aigu. Quoi d'autre ? Rien. Si, c'est totalement subjectif, j'insiste, il doit être plutôt petit. Je dirais même anormalement petit... non, juste plus petit que la moyenne. Assez pour entretenir un complexe, mais pas jusqu'à l'anormalité. C'est pas un bon client pour vous, il est très organisé à cause de son intelligence supérieure.

Wendy est entrée à ce moment précis, nonchalante comme à son habitude. Duigan a bondi :

— Mais, nom de Dieu, tu étais où ?

Je ne l'avais jamais vu crier sur sa fille. J'ai compris qu'il était vraiment à cran et que je devais l'aider.

Wendy ne s'est pas décontenancée.

— J'ai été manger une glace au ponton avec Halle Norton.

Duigan a pris sur lui :

— Tu crois que c'est le moment de traîner ?

— Ce type ne s'attaquerait jamais à la fille du chef de la Criminelle, pas vrai, Al ?

J'ai pris mon air d'expert.

— Je ne pense pas.

— Parce que c'est écrit sur ton tee-shirt que tu es la fille du patron de la Criminelle ?

Mais Duigan était désormais plus soulagé qu'en colère.

— Qu'est-ce qu'il y a sur le ponton, ça fait des années que je n'y ai pas mis les pieds ?

Le ponton ressemble à tous les pontons du monde, une excroissance en poutres sur des pilotis plantés dans la mer. En bas des pilotis, des lions de mer viennent se prélasser sur les plots de soutènement en poussant des cris rauques. Des touristes profitent de leurs poses lascives pour les prendre en photo. La jetée aligne les restaurants où il se trouve quelqu'un pour manger à toutes les heures de la journée. J'ai dit :

— Il n'y a pas grand-chose à y faire.

Comme on ne parlait de rien, je pensais à ce criminel dont j'avais fait un portrait psychologique précis. Je le cernais intuitivement. J'aurais pu sentir son souffle sur mon épaule. Je l'aurais croisé je l'aurais démasqué, j'en avais la certitude.

Duigan est ressorti et je suis resté avec Wendy dans sa chambre à écouter la radio. J'étouffais littéralement, comme chaque fois que je me trouvais seul en sa présence. Elle a posé sa tête contre moi mais je l'ai trouvée trop lourde et je l'ai re-

270

poussée doucement. Avant que Wendy ne se vexe, j'ai pris l'initiative :

— Il faut qu'on parle de ce mariage.

Wendy s'est levée lentement avant de s'étirer en soupirant. Puis elle s'est tournée lentement vers moi :

— Qu'est-ce qui ne va pas chez toi, Al ? Tu me parles de mariage à chaque fois que tu me repousses. Est-ce que tu t'en rends compte ? Tes actes contredisent tes mots, non ?

— Tu en as parlé à ton père ?

— Mon père ? Il ne pense qu'à son tueur. Et je n'ai pas envie de lui en parler.

— Pourquoi ?

— Mais parce que cela ne se fera pas, Al, tu le sais mieux que moi. Tu m'aimes bien et tu cherches à cacher ton manque d'amour véritable en m'épousant.

Mon diaphragme était monté dans ma gorge.

— Mais je ne peux pas me passer de toi, Wendy !

Elle s'est mise à déambuler dans la pièce comme si elle inspectait les objets puis elle s'est retournée brusquement en me fixant :

— Tu es un chouette gars, Al. Je ne me souviens pas que tu m'aies fait une scène. Tu es très intelligent, même mon père le dit, tu es plutôt beau garçon et tu peux être rassurant quand tu t'en donnes la peine. Et rassurer une femme, c'est important Al, surtout une femme comme moi, qui a peur que son ombre s'ennuie moins qu'elle. Mais tu n'as aucun désir. Pourquoi ? Qu'est-ce que je peux en savoir ? Chaque fois que je te parle de désir avec mon corps tu me parles de mariage avec tes lèvres en te crispant comme une statue de cire. Je ne suis pas aussi intellectuellement fade que j'en ai l'air, Al.

— Tu en as parlé avec ton père ?

— De quoi ?

— De tout ça.

— Mais je t'ai déjà répondu que non. J'ai l'impression qu'il est plus important pour toi que moi. Sans lui, tu oublierais de me voir.

On a passé une heure silencieuse. Il y a des filles chez lesquelles on peut facilement faire passer le mutisme pour de l'intelligence et le regretter ensuite. Wendy n'en était pas. Elle lisait des magazines de jeune fille de son âge, paisible, comme si rien d'essentiel n'avait été dit. La radio diffusait de la musique anglaise. J'ai fini par partir.

Les rues de Santa Cruz étaient désertes. Toutes ces petites maisons alignées avec leur jardin ridicule planté d'un drapeau étoilé gigantesque, toutes ces vies minuscules aux limites de la conscience animale me donnaient la nausée. J'ai roulé doucement à travers la ville. Ne sortaient à cette heure-là que des gens qui n'avaient rien à perdre, ni argent ni honneur. Quelques freaks déambulaient comme l'arrière-garde d'un troupeau lâché par les bêtes les plus saines. Les beaux quartiers ne se distinguaient de celui de la classe moyenne que par la taille des maisons et des jardins. J'ai foncé jusqu'au Jury. On était loin de la fermeture mais le bar était animé. Essentiellement des flics sur la brèche. L'éventreur était sur toutes les lèvres. Je les jalousais de vivre dans cette adrénaline. Un sentiment immodeste me parcourait l'esprit. Si on m'avait admis dans la police, ce tueur n'en aurait plus eu pour longtemps. Quand j'ai dressé pour la seconde fois son portrait-robot à un adjoint de Duigan, je me sentais une forme de supériorité sur lui liée à ma connaissance de la pulsion meurtrière. Ma pseudo-expertise psychologique l'a un peu agacé et si je n'avais pas été le petit ami de la fille de son chef, je crois qu'il m'aurait carrément envoyé promener. J'ai bu plusieurs verres l'un derrière l'autre et je suis rentré me coucher chez ma mère.

45

Elle devait dormir depuis longtemps car la fenêtre de sa chambre qui donnait sur la rue était éteinte. J'ai monté l'escalier qui conduisait à l'étage, pris d'une féroce envie de la réveiller et de la secouer pour l'interroger. J'ai été à deux doigts de le faire, puis je me suis raisonné. Je me suis couché dans cette chambre sans âme qui était devenue la mienne. Le bois des murs renvoyait l'humidité d'un cabanon de vacances du bord de mer. Et pourtant la mer était loin. J'étais à peine couché que le voisin s'est levé pour bricoler le moteur de sa voiture, une vieille Pontiac brune aussi ringarde qu'une table de cuisine. Vers 5 heures du matin, il s'est mis à taper sur le Delco avec un gros marteau et ma nuit a été terminée. J'ai été tenté de l'engueuler mais je me suis levé et je suis passé devant lui sans rien dire, pas même bonjour. Arrivé à ma camionnette, j'ai réalisé que je n'avais plus d'argent. J'avais tout claqué au Jury. La porte du rez-de-chaussée était fermée et ma mère ne m'en avait jamais laissé les clés. J'ai profité du tintamarre du voisin pour casser un carreau de la cuisine, remonter la fenêtre et me hisser. Sans que je puisse me l'expliquer, une belle liasse de billets de 10 dollars gisait au fond du sac de ma mère. J'en ai pris la moitié. Je suis ressorti par où j'étais entré puis j'ai eu un remords. Un cambrioleur normal n'aurait pas laissé la moitié de la liasse au fond du sac, alors j'y suis retourné et j'ai pris jusqu'au dernier cent. J'ai hésité à pénétrer dans la chambre de ma mère. La poignée a grincé quand je l'ai tournée. Elle était étendue sur le dos dans une chemise de nuit satinée qui lui remontait jusqu'en haut des cuisses, découvrant ses jambes cabossées par les varices. Elle avait les bras en croix et la tête sur le côté. Sa bouche et ses narines cherchaient l'air. Une odeur d'alcool et d'haleine fétide empestait. Alors j'ai refermé la porte en jurant en moi-même que je ne la verrais plus jamais.

J'ai profité des premiers dollars pour offrir deux disques et un déjeuner à Wendy qui n'en revenait pas. Je me suis pointé au pied de la maison où elle travaillait à l'heure de la pause. Je me sentais vraiment mal mais je donnais le change. Je l'ai emmenée dans un restaurant qui fait l'angle de Beach Street et de la jetée. C'est un endroit assez couru autant par les habitants de Santa Cruz que par les gens de passage et l'ambiance y est vraiment conviviale avec des promotions ahurissantes sur les hamburgers. Une grande baie vitrée ouvre sur la mer et il est difficile de quitter cet endroit en ayant encore faim. J'ai expliqué à Wendy que j'allais quitter ma mère définitivement et que j'allais disparaître deux ou trois jours pour organiser notre séparation. Je lui ai parlé d'une annonce du Géant vert que j'avais lue dans le journal. Je l'ai raccompagnée à son travail et on s'est donné rendez-vous pour le surlendemain au même endroit et à la même heure. Wendy semblait comblée par mon regain d'enthousiasme et d'énergie.

L'après-midi, il s'est mis à pleuvoir. Je ne pouvais pas laisser passer une chance pareille. J'ai mis mon badge d'accès au campus sur le rétroviseur de mon Ford Galaxy et je suis monté à l'université. J'ai stationné sur le parking de l'université des sciences. J'étais oppressé comme si un semi-remorque stationnait sur ma poitrine. J'ai essayé de rattraper le sommeil de la nuit précédente mais je ne parvenais pas à m'assoupir. La pluie, hésitante par moments, redoublait sans raison pour inonder mon pare-brise et m'isoler du monde. La bruine a succédé à l'averse et j'ai redémarré. J'ai hésité à descendre en ville pour m'en jeter un ou prendre une fille en stop, même si je ne me sentais pas d'humeur à discuter. J'ai opté pour le verre au Jury. Je n'ai pas regretté car, malgré la pluie, les récents assassinats avaient calmé l'ardeur des jeunes étudiantes à se faire transporter. Alors que j'abordais la grande descente vers la ville, j'ai aperçu deux filles comme je les aimais marchant côte à côte sous un même parapluie. Quand j'ai approché à petite vitesse, l'une d'elles s'est retournée et, apercevant mon visage, a souri et levé le pouce avec l'air de dire : « Vous ne pouvez pas laisser deux belles jeunes filles de bonne famille se tremper ainsi. »

J'ai regardé ma montre en me portant à leur hauteur et je me suis arrêté.

La brune n'avait visiblement pas eu l'intention de faire du stop mais elle n'avait pas résisté à l'élan spontané de sa copine, une blonde aux traits envoûtants de finesse. Pas une once de vulgarité ou de mollesse dans son visage. Ses yeux étaient d'un bleu minéral et j'aurais été déçu si derrière leur beauté je n'avais trouvé aucune froideur. La brune est montée à l'arrière sur le siège sans fenêtre ni porte. La blonde s'est installée confortablement à côté de moi et son effort pour me charmer s'est évaporé d'un coup. J'ai même pensé un moment qu'elle voulait me faire payer son premier sourire. Je n'ai pas été étonné de leur destination. Elles n'étaient pas filles à vivre sur le parc d'attraction.

46

Une bonne semaine avant, j'avais reçu une lettre m'autorisant à me présenter devant une commission psychiatrique pour réévaluer mon dossier, mettre fin à ma conditionnelle et, éventuellement, effacer mon casier judiciaire. J'allais passer une sorte d'examen de normalité. La commission siégeait à San Francisco et je m'y suis rendu le lendemain. La salle d'attente de ce bâtiment de l'administration pénitentiaire s'ouvrait largement sur la ville. De la fenêtre, on apercevait au loin le Bay Bridge sur une mer émeraude. Ma réhabilitation m'importait peu. Au fond, qui mieux que moi pouvait savoir qui j'étais ? Je voulais pouvoir sortir de l'État où j'avais trébuché. Les experts étaient trois. Trois vieux proches de la retraite. Ils n'avaient pas l'air pressés de retrouver leurs vieilles et ils étudiaient méticuleusement mon dossier. Leurs visages n'exprimaient rien. De temps en temps, ils levaient le nez pour m'examiner, pour voir si ma tête indiquait quelque chose de différent des papiers. Ils ont évoqué tout de suite ma mère. J'ai parlé de son poste à l'université, de notre cohabitation dans une maison à double étage et à double entrée, de l'accident de moto qui m'avait obligé provisoirement à me rapprocher d'elle. Ils ont semblé inquiets de notre proximité. J'en ai profité pour leur dire que, justement, je comptais beaucoup sur mon élargissement définitif et la suppression de mon casier judiciaire pour m'éloigner d'elle.

— Pour faire quoi ? a demandé un petit chauve.

— Gagner un peu d'argent pour me permettre d'étudier la criminologie.

Il a souri, s'est retourné vers ses collègues.

— Intéressant. Et pourquoi ?

— Ce sont des mécanismes qui me passionnent. Et, pour ne rien vous cacher, je vais me marier avec la fille du patron de la Criminelle de Santa Cruz et je collabore déjà avec son père sur un dossier. Pardonnez-moi mais je pense qu'avoir tué confère une vraie légitimité dans ce domaine, en particulier dans la compréhension du phénomène de passage à l'acte qui restera toujours un mystère pour un néophyte.

Les trois vieux ont hoché la tête, l'un avec une vraie moue de satisfaction. J'en ai profité pour enfoncer le clou.

— Je ne vous cache pas que malgré ma taille qui me disqualifie a priori, je me suis renseigné pour intégrer la police. Il est évident que tant que j'aurai un casier judiciaire aussi... conséquent, ce sera impossible. En fait, je voudrais pouvoir complètement effacer cet acte résultant à mon sens à l'époque d'un délire schizophrénique brutal.

— Vous avez eu depuis des manifestations similaires ?

— Des envies de meurtre, vous voulez dire ?

— C'est cela.

— Non, jamais.

— Pas même contre votre mère ?

— Très sincèrement, ma mère n'a pas beaucoup changé depuis mon enfance, mais j'ai acquis une forme de sérénité qui tient à un élément essentiel : nul enfant n'est obligé d'aimer ses parents s'ils n'en sont pas dignes. Le problème de la culpabilité s'en trouve réglé, ce qui me permet de me positionner à son égard avec beaucoup d'objectivité. Et cette distanciation par rapport à ce qu'elle est et au mal qu'elle a pu me faire crée un rempart de sécurité entre nous.

— Et votre sexualité, aujourd'hui ? Sentez-vous une gêne quelconque ? Vous sentez-vous comme les autres jeunes de votre génération ou... en marge ?

— Je vais être franc. Je pense que de tout temps et aujourd'hui autant qu'avant ce sont les hommes qui décident de la sexualité. La libération sexuelle, la dissociation de l'amour et du désir sont des projets masculins et non féminins, comme on voudrait bien nous le faire croire. La contraception est une aspiration féminine ventriloque des hommes qui espèrent bien pouvoir coucher sans frein. J'ai une assez noble opinion des femmes. Je ne pense pas qu'avoir plusieurs partenaires comme on le voit chez les hippies est une de leurs aspirations profondes. Je n'adhère pas à ces pseudo-mouvements d'émancipation qui ne visent selon moi qu'à assujettir un peu plus la femme au désir de l'homme. En tout cas, en ce qui me concerne, pas de dissociation de l'amour et du désir. Le couple traditionnel a fait ses preuves.

— Au fond, c'est vous le vrai féministe, a

gloussé celui des trois qui me transperçait du regard depuis le début.

On en a tous profité pour rire et j'ai embrayé, euphorique mais posé.

— Je ne voudrais pas que vous imaginiez que je sous-estime mon acte. Il ne se passe pas un jour sans que j'y pense. Cela ne fait pas de moi un homme ordinaire et cette transgression absolue qu'est le meurtre ne s'efface pas facilement. Il m'arrive de croiser des vétérans du Vietnam qui ont versé dans l'alcool parce qu'ils se sentent coupables d'avoir tué. Je les comprends et pourtant la Nation a légitimé leur acte. Le mien n'est pas et ne sera jamais légitime. C'est une très profonde blessure et, même si cette culpabilité ne me hante pas, elle m'habite c'est tout et c'est assez.

Je n'en revenais pas de parvenir à formaliser ma pensée avec autant de précision, elle d'ordinaire si dispersée. Les trois experts m'observaient intensément et je voyais perler dans leur regard une réelle satisfaction. Le miracle de la rédemption se déroulait devant leurs yeux ébahis.

— Je continue à penser que vous devez impérativement vous éloigner de votre mère, a repris celui qui faisait office de président de la commission car il était assis au milieu des autres.

— C'est une question de jours, docteur. Mon accident de moto m'a ramené chez elle comme le vent ramène le voilier naufragé vers la berge. Mais il n'est pas question que je reste là-bas. Je ne peux pas continuer à assister à son suicide.

— Quel suicide ?

— Ma mère est devenue alcoolique. Elle a toujours été portée sur la bouteille mais j'ai noté une sérieuse aggravation. La journée, elle donne le change dans son travail mais le soir elle boit jusqu'à ce qu'elle s'endorme.

— Comment expliquez-vous cela?

— Son échec avec les hommes. Ma mère déteste les hommes. Son père avait des pratiques particulières avec ses filles. Elle n'a jamais pu vider l'abcès avec lui, ses parents se sont tués prématurément en voiture dans le Montana. Et depuis elle n'a de cesse de le faire payer à tous les hommes qu'elle croise.

— En avez-vous parlé avec elle?

— Jamais.

— C'est elle ou c'est vous qui ne voulez pas?

— Les deux. J'attends qu'elle m'en parle. J'attends qu'elle me parle tout court. Mais elle ne le fera jamais. C'est elle qu'il fallait enfermer, pas moi. Vous savez, je ne veux plus être sa marionnette. Quand j'ai tué mes grands-parents, j'étais sa marionnette en quelque sorte. Je ne peux plus concevoir de tuer ou de faire quoi que ce soit d'illégal, j'aurais l'impression que c'est elle qui arme mon bras et je ne veux surtout pas lui donner ce loisir.

Le président a souri en regardant ses deux assesseurs.

— Finalement, notre ami est plus dangereux pour lui-même qu'il ne l'est pour la société. Je suggère que cette conclusion figure dans le rapport. Arrêtez la moto, Kenner, c'est notre conseil. Pour le reste, vous m'avez l'air plus qu'en bonne voie.

Un des assesseurs qui n'avait pas dit grand-chose jusque-là, et qui des trois était celui qui me reluquait avec le plus d'objectivité, prit la parole.

— Pensez-vous que votre mère a été réellement abusée par son père ?

— Je ne sais rien précisément. J'ai surpris une conversation entre mes parents quand j'étais enfant, rien de plus. Mais il doit bien y avoir une explication. On ne distille pas la haine auprès de son propre fils sans raison ?

Le psychiatre a fait mine de réfléchir.

— Alors, que préconisons-nous pour ce jeune homme ?

Le président m'a gratifié d'un large sourire :

— Nous allons revenir vers le juge en préconisant un retour à la normale. Plus de conditionnelle, un casier judiciaire blanc comme neige.

47

— Pourquoi êtes-vous revenue me voir, Susan ?

— Parce que je ne pense pas que vous allez arrêter de lire. Que vous ne lisiez plus pour les aveugles, c'est une chose, mais plus pour vous-même, je n'y crois pas.

Elle sort deux livres et les pose sur la table. Un Cormac McCarthy et des nouvelles d'Hemingway rééditées. Avec des auteurs pareils, elle se sait la bienvenue.

Susan est vêtue d'une robe longue comme on en voyait sur les jeunes femmes dans le quartier de Haight Ashbury à la fin des années 60. Il ne peut s'empêcher de penser que la texture et les motifs de cette robe, au demeurant très joyeux, sont cruels pour celle qui les porte. Susan est dans un jour de confiance et elle veut le montrer.

— Vous en êtes où de votre transfert ?

— À Angola ?

Il se met à rire doucement.

— Il n'y aura jamais de transfert à Angola. J'ai simplement vu un documentaire sur cette prison et je me suis dit que ce serait bien d'y aller pour se suicider. C'était à une époque où j'envisageais de me condamner à mort. De toute façon pourquoi accepterait-on mon transfert en Louisiane ? J'ai changé de stratégie. J'ai redemandé une libération conditionnelle. Un psychiatre qui est venu m'interroger il y a de ça trois ou quatre mois se répand dans toutes les émissions en disant que, selon lui, je suis le seul détenu de la prison de Vacaville qui ne présente aucun danger pour la société. Il est prêt à prendre le pari. Mais pas l'administration pénitentiaire. Ça m'est égal. Je ne vois pas ce que je pourrais faire dehors, j'ai raté le train de toutes les technologies depuis bientôt cinquante ans. La liberté ne me conviendrait pas mieux que la détention. Comme la vie ne me convient pas mieux que la mort. Je suis comme beaucoup de gens, pas envie de vivre et encore moins de mourir. La lecture est la plus belle expérience humaine. Qu'elle ait lieu dans une cellule ou dans une chambre en ville que j'aurais du mal à payer, qu'est-ce que ça change ? Je suis dans un état où tout me convient et rien ne me satisfait. Au fait, j'ai repensé à notre conversation de l'autre fois. Des images de cette communauté me sont revenues, apaisantes. Je crois que si j'avais été capable de me laisser un peu aller à ce moment-là, bien des choses auraient été évitées, même si le propriétaire de la ferme s'est comporté ensuite en gourou. Il y avait du bon là-dedans. Mais j'étais complètement calcifié. Je n'avais pas l'humour nécessaire. Je me souviens de ce type sorti de nulle part qui pour toute présentation me balance : « Tu sais qu'on dit que les armes sont dangereuses, c'est faux. Je crois que c'est les types qui portent une moustache la vraie menace. »

— Ils ont fait des tee-shirts de cette phrase qu'ils vendent dans le Haight.

— C'est là que vous avez acheté cette robe ?

— Elle vous plaît ?

— Beaucoup.

— Je vous ai fait un cadeau.

— Je ne sais pas si j'aime les cadeaux.

— C'est rien.

Susan sort d'un sac en plastique un tee-shirt à l'effigie de John Wayne sur lequel est écrit : « Un homme doit faire ce qu'il a à faire. »

Il sourit et la remercie.

— J'ai fait une dizaine de magasins pour trouver la bonne taille mais je peux encore le changer.

— Vous pourriez m'acheter un tee-shirt avec l'histoire des flingues et du type à la moustache ?

— Pour vous ?

— Non, pour offrir. Là, il me faut la plus petite taille.

— C'est pour qui ?

— Pour un détenu de mon quartier. Vous ne vous souvenez pas de Jeff McMullan ?

— Non.

— Vous ne vous souvenez pas de ce type qui tuait à la fin des années 60 ? Il éventrait systématiquement les femmes. Il purge sa perpétuité à deux cellules de moi. Faites-moi plaisir, la plus petite taille hein ?

— Et pour le manuscrit ?

— J'avance, mais c'est pas fini. Il me reste le plus dur à écrire. Je crains que l'éditeur, si vous m'en trouvez un, ne coince sur cette partie. Pourquoi vous me demandez cela ?

— J'ai trouvé quelqu'un qui pourrait être intéressé.

— Alors il faut que je soigne l'écriture. Jusqu'à maintenant j'ai un peu écrit comme si j'allais être le seul lecteur...

— Ne changez rien. Je voulais vous dire aussi...

Elle s'arrête, prise de cette gêne de petite fille qu'Al lui connaît bien et qui l'exaspère parfois.

— Si vous aviez l'idée de sortir d'ici... Je serai là. Mais n'attendez pas trop longtemps. Nous avons la soixantaine l'un et l'autre, je ne sais pas comment je serai dans dix ou vingt ans.

Il se met à rire.

— Vous croyez que si je sors de cette prison, ce sera pour me taper tous les jours une femme comme vous, une ancienne hippie ? Je crois que je préfère encore la prison.

Il se met à rire de plus belle. Susan l'accompagne. C'est la première fois qu'ils rient ensemble.

48

J'ai retrouvé Wendy à la sortie du cabinet dentaire où elle travaillait. Je souffrais en silence depuis plusieurs jours d'une dent cariée mais je n'avais pas les moyens de me faire soigner et je n'osais pas quémander. J'ai enlevé la dent sur une aire d'autoroute avec une pince. Le sang a coulé à flots une dizaine de minutes puis il s'est arrêté. Je me suis rendu compte par la suite que cette dent ne me manquait pas.

Wendy n'était pas dans son état normal. Elle, si lymphatique parfois, semblait dopée. Elle respirait fort, souriait sans compter.

— Mon père veut te voir, Al.

Devant ma moue étonnée, elle a ajouté :

— Il veut te voir très vite.

— On a quand même le temps de déjeuner ?

Je voyais bien à la mine de Wendy qu'il ne voulait pas me voir pour m'inculper de vol même si ma mère était bien le genre de femme à dénoncer son fils à la police, juste pour que les forces de l'ordre la confortent dans sa haine des siens.

— Qu'est-ce qu'il se passe, Wendy ?

— Je ne peux rien te dire. On déjeune et, ensuite, tu le rejoins à son bureau.

— À son bureau ? Tu ne peux pas m'en dire plus ?

— Non, j'ai promis de ne rien dire. Mais je crois que tu peux m'offrir vraiment un bon déjeuner.

On ne s'est pas privés. Je n'avais pas sérieusement mangé depuis la veille et mes 130 kilos criaient famine. On est restés une bonne heure à table à l'angle de la jetée et de Beach Street. Une bruine grasse tombait sans ordre. Le ciel nappé de gris et la mer tranquille ne faisaient qu'un. Quelques étudiants jouaient au volley-ball sur la plage, histoire de transpirer un peu. Wendy m'a reparlé de mariage.

— Tu te verrais avec combien d'enfants, Al ?

Je n'ai pas su quoi répondre. Je savais qu'une force supérieure m'empêcherait d'en avoir même s'il me venait cette curieuse envie. Al Kenner III est le dernier de sa dynastie. C'est écrit, je ne sais pas où mais c'est écrit.

— Quatre, cinq.

Tant qu'à ne pas y croire, autant taper haut.

— T'es sérieux, Al ? Tu veux que je finisse complètement déformée.

— Alors dis ton chiffre.

— Deux. Un garçon et une fille. Tu en penses quoi ?

— C'est parfait.

Nous n'avons pas tardé. Je l'ai déposée à son travail et j'ai filé au bureau de Duigan, curieux de ce qu'il allait bien pouvoir m'annoncer.

Le planton à l'accueil de l'hôtel de police a eu l'air effrayé par ma taille. Il a téléphoné à la Criminelle pour s'assurer que j'y étais bien attendu et, quand il en a eu confirmation, il m'a indiqué le chemin de la main sans relever les yeux.

Des bureaux cloisonnés à hauteur d'homme occupaient tout l'étage de la Criminelle. La tonne de papiers accumulés par les uns et les autres m'a frappé et je me suis demandé comment ils parvenaient à s'y retrouver dans cette forêt d'informations prête à s'envoler au premier courant d'air. Tous les types que j'avais l'habitude de fréquenter au Jury Room étaient présents. Il était difficile pour eux de ne pas me reconnaître et chacun, tour à tour, est venu me saluer. Je ne sais pas s'ils l'auraient fait si je n'avais pas été invité par leur patron. Même son adjoint qui me prenait pour un rêveur s'est avancé pour me donner une tape sur l'épaule. Duigan était au téléphone quand je me suis approché de son bureau. La conversation semblait agitée mais il m'a fait signe d'entrer.

— C'était le maire, a-t-il dit en raccrochant.

Puis il m'a regardé dans un silence satisfait.

— Assieds-toi. Ça fait vingt-quatre heures qu'on te cherche, tu étais où, j'ai failli lancer un mandat d'amener. Tu as l'air crevé, tu ne dors pas ?

— Rarement, mais bien assez.

— Je voulais te voir parce que j'ai un boulot à te proposer.

— Pour entrer dans la police ?

— Pas tout à fait mais c'est aussi bien. J'ai convaincu ma hiérarchie que nous étions faibles en analyse psychologique et que prendre un auxiliaire dans ce domaine pourrait nous être d'une grande utilité. Il faut dire que tu m'as bien aidé à les convaincre.

— Comment ?

— Tu n'es pas au courant ?

— De quoi ?

— Wendy ne t'a rien dit ?

— Non.

— Avant-hier en fin d'après-midi l'éventreur a essayé d'enlever une fille près de Palo Alto. Mais une voiture arrivait à ce moment-là. Le tueur a lâché sa victime et s'est enfui en voiture. Le trouble-fête a relevé sa plaque. On l'a donc identifié. Jeff McMullan.

— Je suis content pour vous, monsieur Duigan, mais en quoi cela me concerne-t-il ?

— Ce type a fait de l'hôpital psychiatrique, comme tu l'avais dit. Il a été interné à la suite d'une crise de démence provoquée par la mort accidentelle de son meilleur ami. Selon les psychiatres McMullan était amoureux de son meilleur ami. C'est donc bien un homosexuel refoulé. À l'hôpital, il est devenu très dangereux. Il a été soigné pour schizophrénie aiguë. Ainsi que tu l'avais envisagé, il vient d'une famille aisée et très rigoureuse sur le plan moral, des méthodistes. Il n'est jamais revenu chez ses parents depuis son internement.

— Vous l'avez arrêté ?

— Pas encore. Il n'a pas remis les pieds à son appartement, qui est dans une belle résidence de la côte près de San Francisco. Il doit errer sur la route. Ce qui m'inquiète, c'est qu'on ne lui connaît pas de travail et on ne sait pas de quoi il vit. Je pense qu'il est très mobile et qu'il doit être un maître dans l'art de se planquer. Malgré cela, il n'en a pas pour longtemps. En tout cas, tu as drô-

lement vu juste au niveau de son profil psychologique.

— Ce n'est pas cela qui vous a permis de l'iden-
tifier.

— C'est une preuve que tu as vu juste. Et cela
me suffit pour te proposer un travail d'enquêteur.
Pour McMullan, on va se débrouiller seuls. Si tu as
une idée de ce qu'il pourrait tenter maintenant,
bien sûr ça nous aiderait. Mais on a aussi plusieurs
disparitions dans la région, pour lesquelles on est
incapables de donner des explications satisfai-
santes aux familles. On pense qu'il s'agit de fugues.
McMullan n'était pas le genre à tuer et à dissimuler ensuite les cadavres. Pour moi, ce ne sont vraiment que des fugues. D'ailleurs, une fille qui avait
disparu il y a un mois est revenue hier. Elle avait
suivi un freak. Quand elle en a eu assez de faire du
stop et de manger dans les poubelles, le rêve s'est
transformé en une réalité et l'a ramenée chez elle.
On nous a signalé la disparition de deux étudiantes
hier soir. Mais je serais étonné, alors qu'on l'a identifié vers 16 heures à Palo Alto sur le point d'enlever une jeune fille, qu'il ait pu se trouver à la même
heure sur le campus de Santa Cruz où on a vu les
deux jeunes filles pour la dernière fois. Si tu es
d'accord pour prendre ton travail dès demain
matin, je t'accompagnerai chez leurs parents et je
te confierai l'enquête. À toi de voir si c'est ou pas le
genre de filles à fuguer. Tu verras que, souvent, les
parents ont une image de leurs enfants qui ne cor-
respond pas à la réalité. Ils sont convaincus d'avoir
une relation idéale avec leur progéniture alors que
celle-ci n'a en tête qu'une idée : fuir sa famille le
plus loin possible. C'est un phénomène de l'époque,
je ne sais pas où cela nous mène, mais nous devons

faire avec. Pour le salaire et les paperasses qui y sont attachées, tu iras voir Debbie Watson. C'est la petite bonne femme grise qui est à l'entrée près de la porte. Voilà, mon garçon !

Il s'est levé pour me conduire à la porte. Avant de l'ouvrir, il m'a dit à voix basse :

— Je te prends pour tes qualités propres, Al. Alors, si tes projets avec ma fille sont sérieux, ne t'en vante pas auprès de mes gars, ton engagement passerait pour du népotisme et ce n'est pas mon genre, entendu ?

— Entendu.

— Qu'est-ce qui ne va pas, Al ?

Une tempête s'était levée sous mon crâne sans prévenir et cela devait se voir.

— J'ai pris deux filles en stop sur le campus hier. Je le fais souvent pour leur éviter de mauvaises rencontres. Mais je les ai laissées aux limites de l'université, ça ne m'arrangeait pas de les amener dans le centre.

— Ça fait de toi le suspect numéro 1, a lâché Duigan en éclatant de rire avant de reprendre sérieusement :

— Si ce sont bien les mêmes filles dont nous parlons, tu as remarqué quelque chose de particulier ?

— Non, c'étaient des filles de bonne famille qui parlaient beaucoup comme si le silence rendait pauvre.

— Tu crois que quelqu'un aurait pu abuser de leur faiblesse ?

— Comment savoir ?

49

L'après-midi était déjà bien entamée quand j'ai pris la direction du campus pour voir ma mère. Je voulais une fois de plus qu'elle me parle, autrement que sous l'emprise de ce maudit alcool qui la rendait filandreuse et méchante comme un comédien condamné à jouer toujours le même rôle dans un théâtre minable. Elle ne buvait jamais la journée, sa peur d'être prise en défaut était plus forte que son addiction. De retour chez elle, elle s'appliquait à se saouler avec méthode. Elle continuait jusqu'à ce que le sommeil l'arrache à cette beuverie planifiée. Chaque matin survenait comme une horrible souffrance à travers laquelle elle devait recoller au réel. J'imagine qu'elle devait penser à se foutre en l'air pendant un bon quart d'heure avant de choisir de vivre une journée de plus. L'université et son abominable orgueil à vouloir donner le change la maintenaient debout le reste du jour. Mais une fois seule, plus rien ne la retenait.

J'ai attendu sur le parking qu'elle sorte du bâtiment. Un brocard pelé sur le dos est venu brouter devant mon pare-chocs avec le mépris du natif pour l'immigrant. Il levait la tête aux bruits suspects sans parvenir à croire à une menace réelle. Je suis descendu de ma camionnette pour me dégourdir les jambes. Le personnel administratif est sorti à l'heure mais ma mère n'y figurait pas. Alors que je m'apprêtais à repartir j'ai entendu marcher derrière moi. Sally Enfield, qui m'avait vu depuis les bureaux, s'est avancée de sa drôle de démarche.

— Tu cherches ta mère ?

La question ne valait pas de réponse.

— Elle est alitée.

— Depuis quand ?

— Depuis qu'une grosse somme d'argent a disparu de son sac.

Elle regardait ses pieds.

— C'est de l'argent qu'elle devait. On risque de lui faire une saisie sur salaire. Et tant que cette menace pèse au-dessus de sa tête, elle n'ose pas reparaître à la fac. Tu n'as pas idée de qui a pu faire le coup ?

— Le marchand d'alcool, ai-je répondu sèchement. Entre ses consommations et les vôtres elle doit avoir une sacrée ardoise.

Elle n'était pas le genre à se rebiffer.

— Elle a porté plainte ?

— Elle ne peut pas, mais elle a de gros ennuis. Dis, ce n'est pas toi, Al ?

— Je viens de rentrer dans la police, c'est pas le moment que j'aurais choisi pour voler de l'argent à ma mère.

— Tu devrais peut-être passer la voir pour lui remonter le moral.

J'ai éclaté de rire.

— Pour lui servir de paillasson peut-être, mais

295

pour lui remonter le moral... Vous qui êtes sa bonne amie, vous n'avez pas remarqué qu'elle n'a pas de moral ? Qu'elle ait honte, c'est possible, mais mauvais moral c'est un concept qui ne lui convient pas. Je ne veux plus l'approcher.

— Mais pourquoi ?

— Dites-lui que j'ai trouvé du boulot, que je dors encore chez elle une petite quinzaine le temps de me remettre financièrement, ensuite elle n'entendra plus jamais parler de moi. J'ai un boulot maintenant, je pense à me marier. Une vie normale, quoi. Elle ne va pas tarder à crever de la cigarette et de l'alcool. On peut le lire sur son teint. À côté d'elle, un cadavre déterré revient d'une station balnéaire. Ma mère n'aime pas la solitude, elle va vous emmener avec elle. Elle aurait préféré que ce soit moi, mais pas de chance, je suis plus résistant qu'elle ne le pense.

Je suis remonté dans mon Ford sans ajouter un mot. J'en avais déjà bien assez dit. J'étais dans un état de nerfs qui aurait pu m'emporter. J'ai démarré doucement. Je sentais quelque chose de puissant monter en moi. Je n'avais pas atteint la rampe qui descend vers la ville que j'ai vu une jeune fille qui levait le pouce, mal assurée, prête à le descendre au moindre doute. Elle portait une jupe courte et semblait le regretter. J'ai regardé ma montre et je me suis arrêté à sa hauteur. J'ai ouvert la porte côté passager et je lui ai dit :

— J'espère que vous n'allez pas loin, je n'ai pas beaucoup de temps, je dois être à l'hôtel de police dans un quart d'heure.

Ces derniers mots l'ont rassurée. Elle avait un type asiatique et elle était plutôt petite parce qu'elle s'y est reprise à deux fois pour monter dans le fourgon. Une fois assise, elle m'a balancé ce sourire antiseptique propre aux filles de son milieu. J'ai souri en réponse sans la regarder et j'ai senti que je revenais à la normale. Après m'être enquis de sa destination, j'ai engagé la conversation :

— Vous étudiez où ?

— À l'université des sciences.

— Pour faire quoi ?

— De l'aéronautique. En fait j'ai fini mon cycle ici, je pars demain pour Stanford. Je rentre en PhD.

— Vous êtes jeune pour faire un doctorat.

— Je ne suis pas si jeune que cela, j'ai vingt-deux ans.

— Vous ne les faites vraiment pas.

— Et vous ?

— Je vais vous en raconter une bonne. Quand on dit à Hitchcock qu'il ne vieillit pas, il répond : « C'est normal, à vingt ans j'avais déjà l'air d'en avoir quatre-vingts. » Pour moi c'est un peu la même chose.

Elle a ri.

— Mais non, vous faites jeune, a-t-elle ajouté poliment.

— Vous êtes vietnamienne ?

— Oh non, mon père est chinois de Hong Kong et ma mère est américaine.

— Les Chinois sont venus ici pour construire la voie de chemin de fer du Pacifique, c'est ça ?

— Oui mais mon père est arrivé bien après.

Je m'en doutais.

— Des frères et sœurs ?

— Non, je suis fille unique.

— Vos parents doivent être fiers de vous, non ?

— Je ne sais pas, ils ne l'expriment pas beaucoup.

— Ils ne vous donnent pas beaucoup d'amour ?

— Dans un sens, si, mais ils ne sont pas démonstratifs.

— C'est un tort, on devrait toujours montrer à ses enfants qu'on les aime.

— Chacun fait à sa manière. Pourquoi, vos parents ne vous ont pas aimé ?

— Mon père oui. Ma mère à sa façon. L'un compensait l'autre, c'est la condition de l'équilibre. Vous voulez des enfants ?

— Oui, mais je ne suis pas pressée. Je dois finir mes études, trouver un travail, chez Boeing à Seattle j'espère, et ensuite rencontrer quelqu'un de convenable avec qui les faire.

— Plutôt un Asiatique ou plutôt un Américain typique ?

— Je n'ai pas de préférence. Le physique m'importe peu.

— Vous croyez que je pourrais vous plaire ?

Ma question l'a mise mal à l'aise.

— Je ne sais pas, on ne se connaît pas. Vous aviez l'air de dire que vous êtes dans la police, je ne crois pas que ce soit l'activité qui me plaît a priori chez un homme.

— Pourquoi ?

— Pas assez disponible, toujours sur la brèche, non ?

— C'est vrai. Je vous ai posé la question comme ça, mais en fait je vais bientôt me marier, avec une fille de flic d'ailleurs.

Je l'ai sentie soulagée. Elle a regardé par la fenêtre. On était presque arrivés.

50

Des deux filles disparues dont Duigan me confiait le dossier, l'une était de Santa Cruz, l'autre de Sacramento. Les parents de la première habitaient à trois maisons de la première victime de McMullan en avançant vers la mer. Duigan roulait doucement. Il était au bord de l'épuisement mais sa solide constitution d'Irlandais lui permettait de rester debout. Je n'avais pas dormi depuis trente-six heures et je tenais avec des capsules de caféine. Un truc en vogue chez les convoyeurs de voiture qui pouvaient passer deux jours à conduire sans dormir. Duigan a sorti les photos des deux disparues de la poche de sa veste et me les a posées sur les genoux.

— Tu m'as bien dit que tu avais pris deux étudiantes en stop ce jour-là ?

Je ne les ai pas regardées longtemps.

— Ce ne sont pas elles, rien à voir. Une blonde et une brune aussi mais différentes. Beaucoup plus jolies en tout cas.

— Dommage, on aurait avancé plus vite. Je n'ai pas beaucoup de temps à perdre avec ces deux-là. Je te présente aux parents et je te laisse avec eux. Il faut que je serre cette saloperie de McMullan. S'il tue encore quelqu'un avant qu'on ne l'arrête, je pourrais me faire dévisser par le maire. Sans compter que je me sentirais responsable de ne pas avoir empêché une nouvelle boucherie. Tu penses qu'il peut recommencer ?

— Je pense qu'il va essayer de se cacher et de se faire oublier. Il a fait tout cela pour défier son père. Il doit être satisfait de lui faire honte maintenant que son nom est partout.

— Se cacher où ?

— Il est d'où ?

— De Salinas.

— Trop petit. Il a déjà fait cap au sud sur L.A. ou au nord sur San Francisco. À vue de nez, je dirais San Francisco.

— On a appris ce matin qu'il avait vidé son compte en banque à Salinas. Un beau paquet d'argent.

— Vous devriez enquêter chez les gays. Il est possible que ses meurtres l'aident à assumer sa condition. Au moins pour un temps, car c'est un vrai dingue, il aura de nouvelles hallucinations un jour ou l'autre. Je ne l'imagine pas se remettre à tuer des filles, les unes après les autres. En revanche, il pourrait finir avec un carnage.

La villa des Dahl avait dû coûter un bon paquet à ses propriétaires et rien n'était fait pour le cacher. De grandes baies vitrées à l'étage ouvraient sur la mer. C'est là que le salon était disposé, aménagé comme une grande cabine de bateau. En découvrant l'immensité grise et hostile, je me suis rappelé que je n'avais jamais été en mer de ma vie. Je ne m'y étais même jamais baigné. Ni à la plage ni dans une crique isolée. L'idée d'exhiber mon corps à la vue des autres ne m'était jamais venue à l'esprit. Je ne comprenais pas qu'on paye si cher pour s'approprier un bout de cette vue sur nulle part.

Duigan m'a présenté aux Dahl comme un détective appointé par la police municipale au département qui gère les disparitions. Le père était un grand type encore jeune. La disparition de sa fille n'avait pas entamé sa confiance en lui. La mère était une optimiste résolue qui refusait l'éventualité d'un quelconque malheur. En ce sens elle avait raison, car de malheur, il n'y en avait pas encore. Jamais un type de ma corpulence n'avait dû pénétrer dans leur salon car ils ont longuement hésité à me proposer un siège avant de me désigner le canapé tout entier. Le bois de la pièce ne sentait pas comme celui de la maison de ma mère dont l'odeur était plus proche du cercueil bon marché que de la garniture de yacht. Certaines forêts de séquoias ont ce parfum qui vous grandit.

Je dois reconnaître que la confrontation intellectuelle avec ces gens me stimulait. Le père était un décisionnaire-né et on devinait que, quoi que l'on puisse dire, il accordait aux autres un crédit limité.

— Vous pensez à une fugue, mais c'est un comportement en contradiction absolue avec l'état d'esprit de notre fille, capitaine.

Duigan n'était pas de force à débattre. Il s'est levé en précisant qu'il me mettait à leur disposition et qu'il allait suivre le dossier de près. Dahl devait avoir une connexion avec le maire pour qu'il lui promette de tels moyens affectés à la recherche de sa fille. Avant de quitter les lieux, Duigan a dit :

— En tout cas, je peux vous garantir que la disparition de votre fille n'a rien à voir avec le tueur que nous traquons. Il lui était matériellement impossible d'être sur le campus à l'heure où votre fille et son amie en ont disparu. Cette partie de la côte ne cultive pas les tueurs en série au point d'en avoir plusieurs qui opèrent en même temps. On ne l'a jamais vu dans l'histoire de Santa Cruz, qui reste malgré tout une ville tranquille. Toutefois, on n'exclura aucune piste, soyez-en certains.

Mme Dahl nous a servi du café dans des petites tasses. Je n'en avais jamais bu de pareil, il semblait sorti tout droit d'Amérique du Sud. J'ai avalé cette merveille d'une traite et j'ai été droit au but.

— Ma formation est avant tout psychologique, pour ne pas dire psychiatrique. Sans vouloir me vanter, j'ai réussi très précisément à dresser le profil de Jeff McMullan, le tueur en cavale.

On me donnait cinq ou six ans de plus que mon âge, surestimation indispensable à ma crédibilité.

— J'ai passé quelques années à suivre des criminels dans un hôpital psychiatrique du Montana avant d'intégrer la section de recherche ici mais cela ne m'empêche pas de me passionner pour les victimes, enfin... les victimes supposées. Je procède toujours par intuition. Ensuite j'essaye de prouver que cette intuition est la bonne. Mais j'accepte tout aussi bien d'avoir tort. Concernant votre fille, l'hypothèse d'un événement dramatique me paraît très improbable. Pour les raisons que le capitaine vient de vous exposer. De votre côté vous êtes absolument certains que votre fille n'est pas le genre de personne à faire une fugue. Je veux bien vous croire. Mais il reste que l'hypothèse d'une fugue est plus probable que celle d'un enlèvement ou d'un meurtre. Attaquons-nous à cette première si vous en êtes d'accord. Comment s'appelle-t-elle déjà ?

— Janis.

— S'il s'avère que Janis ne peut pas avoir fugué, alors nous suivrons une autre piste.

— Mais il sera trop tard, a rétorqué Dahl toujours méfiant.

— Pas du tout, monsieur Dahl. Ouvrir une information pour enlèvement ne nous donnera pas plus de latitude que pour une fugue, croyez-moi. Je vais me mettre à sa recherche personnellement et, où qu'elle soit, je la retrouverai. Pour cela il faut m'aider. La meilleure façon de le faire est de vous débarrasser de vos préjugés. Nous pouvons commencer ?

Mme Dahl a interrogé son mari des yeux. Apparemment il décidait de tout. Elle avait abdiqué tout point de vue. Elle n'avait d'yeux que pour cet homme qui avait fait ses preuves. Inutile de lui demander ses états de service, il ne s'était certainement pas fait porter pâle pendant la guerre. J'ai fait un tour rapide de la pièce et j'y ai vu des photos de groupes en uniforme. Près de lui, une vitrine modeste servait à présenter des médailles. Je me suis assez attardé pour que Dahl remarque mon intérêt pour ses décorations.

— Mon père était dans les forces spéciales en Italie.

Il a écarquillé les yeux en signe de respect mais n'a rien ajouté.

— Qu'est-ce qui vous permet d'affirmer que votre fille n'a pas fugué ?

Dahl a secoué la tête doucement avant de se lever, poussé par sa nervosité.

— Ce serait tellement invraisemblable !

— Vous avez le sentiment de la connaître si bien que ça ?

Mme Dahl a esquivé la question tout en hochant la tête.

— Qui mieux qu'un père ou une mère peut connaître son enfant ? a répondu Dahl éberlué par ma question.

— Les couples très unis comme vous semblez l'être ne laissent parfois que peu d'espace aux enfants pour respirer. Ne vous est-il jamais venu à l'idée qu'elle pourrait contester votre modèle ?

Dahl a semblé outré.

— Pardonnez-moi, monsieur, mais la violence même contenue de votre réaction à ma provocation montre que vous n'avez jamais envisagé qu'elle puisse se différencier de votre modèle, de faire de grandes études... d'ailleurs, qu'étudie-t-elle ?

— L'architecture.

— Pardonnez-moi, monsieur, mais quelle profession exercez-vous ?

— Je suis promoteur immobilier.

Plutôt que de commenter, j'ai laissé un silence selon moi plus efficace s'installer puis j'ai repris :

— Vous souvenez-vous du jour où elle a décidé de cette orientation ?

Dahl s'est creusé rapidement la tête.

— Elle approchait de ses dix-huit ans. Son frère, beaucoup plus brillant qu'elle, faisait médecine et nous avons parlé de ma succession un

jour. Je lui ai suggéré de suivre des études d'architecture. Les architectes ont toujours été une
plaie pour moi. Elle a trouvé l'idée enthousiasmante.

— La voie était toute tracée. La succession de
papa et un modèle de couple en acier si ma première impression est la bonne. Dans quel inters-
tice développe-t-elle sa personnalité ?

Dahl était prêt à m'envoyer promener mais il se
retenait, moins par crainte de me vexer que par
volonté de garder sa contenance. J'ai poursuivi :

— Votre fille avait-elle un petit ami ?

— Pas à notre connaissance, a répondu
Mme Dahl après s'être assurée d'un regard qu'elle
était autorisée à répondre.

— Vous êtes certains qu'elle n'avait de relation
avec aucun jeune de son âge ?

— Non, a dit Dahl, elle était trop transparente
pour nous cacher cela.

— Elle n'amenait jamais aucun copain à la
maison ?

— Si, parfois, des sportifs. Janis avait une
conception assez traditionnelle de l'amour. Elle
n'avait pas envie de s'encombrer d'un petit ami
avant d'avoir fini ses études. Elle voulait ne
connaître qu'un homme, se marier et avoir des
enfants.

— Alors comment expliquez-vous qu'elle prenait la pilule ?

Le couple m'a regardé, interdit. Je me suis levé
à mon tour pour me rapprocher de la baie vitrée.
La houle s'était levée et une bruine oblique lar-
moyait sur les vitres.

— Nous sommes toujours dans le domaine des
hypothèses. Mais je pense que si Mme Dahl veut

bien prendre la peine de fouiller un peu la chambre de votre fille, elle devrait y trouver une boîte de pilules. C'est important pour notre enquête.

Ma masse m'a prévenu contre une réaction hostile de Dahl qui a finalement invité sa femme d'un signe de la main à monter à l'étage. Alors que le bruit de ses pas résonnait au-dessus de nos têtes il s'est rassis en se servant du café, sans m'en proposer.

— Je pense que vous allez être déçu, détective.

Il était sombre et las.

Un long moment s'est écoulé avant que Mme Dahl ne reparaisse. Elle est venue dans mon dos mais j'ai vu au visage de Dahl que je ne m'étais pas trompé. J'ai minimisé la découverte.

— Je ne voudrais pas que vous pensiez que votre fille vous cachait quelque chose. Elle avait simplement sa propre vie, celle d'une jeune fille de son âge. Les évolutions scientifiques et technologiques font souvent plus pour l'évolution que les courants de pensée. Votre fille appartient à la génération de la pilule et du transistor même si vous pensiez que non. Pas de conclusion hâtive mais toujours des hypothèses. L'amie avec laquelle elle a disparu était en conflit avec ses parents. Ils me l'ont avoué au téléphone. Elle peut avoir entraîné Janis dans une expérience nouvelle. À moins que Janis n'ait eu une relation avec un jeune homme de la contre-culture et qu'elle ait souhaité le rejoindre. Elle est déjà loin et vivante. Beaucoup de jeunes de l'âge de Janis veulent vivre une expérience communautaire. Les personnalités les plus fortes sont celles qui poussent les expériences le plus loin. Votre fille veut savoir. Elle est intriguée. Elle ne participe certainement pas à un mouvement, mais le tournant de sa génération l'intrigue.

Un voilier se découpait sur l'horizon, une prison flottante, l'enfermement des mers dans l'illusion de la liberté absolue.

— Qu'est-ce qui vaut le mieux ? Réaliser que sa fille n'est pas celle que l'on croit ou la perdre complètement ?

Les Dahl, encore tout à la découverte que leur fille pouvait avoir une sexualité, ne mesuraient pas l'importance de ce que j'essayais de leur pointer.

— Je vais m'occuper de la retrouver. Une fois que je l'aurai localisée, vous déciderez de ce que vous voudrez faire.

— Vous allez procéder comment ? demanda Dahl en reprenant ses esprits.

— Les jeunes de la contre-culture sont moutonniers. Leur transhumance suit toujours le même parcours en direction de certaines communautés, au nord de San Francisco pour la plupart.

— Mais qu'est-ce qui les intéresse à ce point ? demanda Mme Dahl.

— Votre génération a eu la guerre pour se faire remarquer. Certains jeunes de la nôtre n'en veulent pas. Ils inventent un cocktail de mièvreries pour un monde meilleur. C'est le retour au christianisme des origines, la drogue en plus. Parce que le principal obstacle au christianisme c'est la réalité, et avec la drogue ils pensent pousser l'expérience encore plus loin. Votre fille ne s'est jamais droguée ?

— Elle n'était pas supposée prendre la pilule non plus, a lancé Dahl.

Il avait un peu perdu de sa superbe. Je sentais

que, malgré la pertinence de ma démarche, il ne m'aimait pas beaucoup.

— Comment savez-vous tout cela sur ces gens-là, monsieur Kenner ? s'est inquiétée Mme Dahl.

— Une vaste étude sociologique qui m'a occupé de nombreux mois. J'ai pris près d'un millier d'étudiants et d'étudiantes en stop. L'espace intérieur d'une voiture devient vite un lieu de parole. Les jeunes savent qu'ils n'auront pas l'occasion de me croiser de nouveau, alors ils se livrent comme si j'étais une sorte de confident anodin. Je ne suis pas de leur bord et sans la voiture je n'aurais pas eu l'opportunité de les fréquenter.

Je me suis avancé vers eux pour les saluer :

— Avant quinze jours j'aurai retrouvé votre fille !

— Tenez-nous au courant de votre progression, m'a répondu Dahl dépité, comme si de savoir que sa fille était sans doute vivante ne suffisait pas à son bonheur.

51

J'ai suivi la corniche pour rentrer en ville. Une fois la porte des Dahl fermée derrière moi, j'ai été happé par un vide sidéral. Je ne parvenais plus à redevenir moi-même. Le vrai Al Kenner a peiné à refaire surface pendant tout le trajet qui me ramenait à grandes enjambées martiales sur Beach Street. J'ai marché ainsi une bonne heure pour retrouver mon calme avant de retourner à l'hôtel de police faire mon rapport à Duigan. Le coup de la pilule l'a bluffé.

— Comment pouvais-tu savoir, Al?

— Une soudaine intuition. Je n'avais qu'une chance sur deux de me tromper et j'ai trouvé cela jouable.

Duigan a regardé longuement dehors où tout semblait immobile avant de dire :

— Mais si elle a fugué, tu ne penses pas qu'elle aurait justement pensé à prendre sa boîte de pilules?

— Non, je pense qu'au moment où elle est sortie de l'université, quand le dernier témoin l'a vue partir bras dessus bras dessous avec son amie, elle n'avait pas encore pris la décision de fuguer.

N'oublions pas que c'est une fille très conservatrice. L'aventure la démange, mais elle est incapable de préméditer sa fugue. En revanche, en la voyant sur les photos, je la crois assez fantasque pour décider de partir en un clin d'œil. Il suffit que la personne qui les a chargées en stop ait été une femme, qu'elle ait annoncé San Francisco comme direction, et la décision a été prise en une seconde. C'est toute la question du passage à l'acte qui revient sur le tapis une nouvelle fois. À l'instant où nous parlons, je l'imagine ivre de liberté et pleine de culpabilité. Elle est incapable de décrocher un téléphone pour rassurer ses parents, vous savez pourquoi ?

— Non.

— La jouissance qu'elle éprouve à les inquiéter est encore plus forte que la culpabilité qu'elle ressent par intermittence. Je suis persuadé qu'elle est tentée de rompre à tout jamais.

— Mais pourquoi ?

— Les Dahl sont un couple très convenable. D'un côté, la femme est inféodée à son mari. Au point qu'elle craint de lui déplaire en montrant de l'amour à ses enfants. Janis est exclue du couple de ses parents. De l'autre, ils l'enchaînent à eux. Elle suit des études qui sont uniquement dans l'intérêt de son père. Ces deux forces contradictoires sont explosives. Quelle a été l'étincelle ? On le saura bientôt. Je pense pouvoir la retrouver. Janis est une fille qui a du caractère, elle va aller très loin dans la contestation de son modèle familial. Et elle y reviendra brutalement un jour prochain.

— Je ne sais pas si sa fugue nous concerne vraiment, mais Dahl est un ami du maire. Je te donne dix jours pour la localiser. Passe à l'administration prendre de l'argent pour tes frais.

Sans me regarder, il a demandé :

— Sérieux, cette histoire de mariage avec ma fille ?

— Oui. J'attendais juste d'avoir un travail régulier.

— Retrouve Janis Dahl et tu auras un travail régulier. J'espère que tu es honnête, Al. Ma fille est plus fragile qu'elle ne le montre. C'est une bonne fille, droite, un peu molle parfois, mais je sais que la mort de sa mère y est pour quelque chose. Elle peine à croire dans l'existence.

— Quand je travaillais à l'hôpital psychiatrique dans le Montana, j'avais un patron qui m'a beaucoup marqué. Il disait que tous les problèmes commencent le jour où l'on sort du ventre de sa mère et que l'enfant crie sa colère de passer du monde de l'apesanteur amniotique à celui de la gravité où il ne faut jamais oublier de respirer. Si en plus la mère vient à disparaître, le désenchantement est définitif.

— Tu la rassures, Al. Presque plus que moi. L'autre jour, comme je lui demandais ce qu'elle te trouvait, elle m'a dit : « Il est comme une locomotive en fonte et moi comme un wagon en bois. » Elle a ajouté que tu es élégant avec elle, que tu la respectes. C'est vrai qu'à l'heure où les jeunes couchent ensemble avant de se parler, tu fais bonne figure, Al. Bon, entendons-nous bien, mon garçon, je ne te pousse pas à épouser ma fille, je veux juste savoir si vous êtes sur la même longueur d'onde.

— On l'est, monsieur Duigan.

— Tu peux m'appeler Pat.

52

En sortant de l'hôtel de police, je suis entré dans le premier bar venu. Maintenant que j'étais devenu leur collègue, je n'avais plus particulièrement envie de croiser des flics au Jury. Le St. James, à peine moins sordide que le Jury, était adossé à un McDonald's et une odeur de frites grasses planait sur son seuil à s'en retourner le cœur. Trois choppers Harley étaient garés contre le trottoir. En ancien professionnel de la moto, je voyais bien qu'ils avaient été préparés avec le plus mauvais goût. Leurs propriétaires jouaient au billard en fumant, une bouteille de whisky et des bières posées à côté d'eux. La fille qui tenait le bar était plutôt avenante. Malgré tous ses efforts pour se rendre vulgaire, elle n'y parvenait pas. J'ai commandé du vin et on a discuté un peu pendant que les motards faisaient un bruit d'enfer. Elle était de la Sierra Nevada, originaire de Bass Lake à quelques miles de North Fork. Comme moi, elle tournait le dos à la mer. Toute cette eau salée montée par des crétins sur des planches ne l'inspirait pas. Elle rêvait de retourner en Sierra Nevada. Elle avait une touche pour un petit boulot dans le parc de Yosemite. Ce n'était rien de mieux que tenir une boutique de sandwichs et de souvenirs mais au moins là-bas, en montagne, l'air était sec et frais. L'argent gagné pendant la saison touristique allait lui permettre de passer l'hiver tranquille comme un ours noir.

La lumière naturelle n'entrait dans le bar que par la porte lorsqu'un client l'ouvrait. L'éclairage tamisé donnait au plancher une teinte brunâtre. Les abat-jour au-dessus du billard se heurtaient aux visages des joueurs et leur donnaient une forme inquiétante. La serveuse a fini par se rendre compte que je buvais beaucoup et j'ai posé des dollars sur le comptoir au fur et à mesure pour la rassurer. Elle m'a demandé si j'avais un chagrin d'amour. J'ai répondu que c'était bien pire. Un des motards est revenu au comptoir en titubant, il s'est approché de la serveuse et a attrapé le bout de ses seins. Il s'est mis à appuyer dessus en criant : « Tire la langue et je te lâche. » Sans l'aide de l'alcool, je n'aurais jamais eu le courage de m'interposer. Le type s'est rebiffé mais j'ai mis ma main dans mon dos au niveau de la ceinture comme si je cherchais un calibre :

— On ne se comporte pas comme ça avec une femme. Je suis flic, ne m'oblige pas à sortir mon arme.

Ma menace, ajoutée à ma taille, a suffi à le calmer alors que j'essayais de réprimer un claquement des dents. J'ai remis ma main sur le comptoir, bien content de n'avoir pas été obligé d'exhiber un flingue que je n'avais pas. Les trois types ont fini par sortir sans faire d'histoire. Je suis resté seul avec la serveuse. Elle avait quelqu'un dans sa vie mais elle n'était pas opposée, loin s'en fallait, à faire plus ample connaissance. Elle a même ajouté qu'elle était prête à attendre un peu. J'étais donc fait pour ce genre de filles qui vivaient à la frange de la classe moyenne. Je l'ai quittée ivre comme je ne l'avais jamais été auparavant. Je me suis hissé dans mon Ford et j'ai conduit prudemment jusqu'à Aptos. Je me suis garé à une centaine de mètres de la maison, derrière un abri de jardin en planches. La chambre sentait le renfermé, mais je n'ai pas eu le courage d'ouvrir les volets. Dans mon sommeil lourd et pâteux j'ai entendu au loin les voix de ma mère et de Sally Enfield. Ma mère ne devait pas être beaucoup mieux que moi car pour une fois cette satanée Sally y allait de son monologue et de ses réflexions sur les uns et sur les autres. Elle en remettait sur moi quand elle voyait ma mère s'assoupir.

— Tu sais que ton fils me fait peur, Cornell? Je n'ai jamais eu peur de personne mais quand il se pose devant nous, parfois il est effrayant. C'est la fixité de son regard, je crois. Il serait menaçant, je n'aurais pas aussi peur de lui, mais il se transforme en pierre. C'est ce regard-là qu'il avait quand il a tué ses grands-parents, je te donne mon billet. Tu te rends compte, c'est leur dernière image de l'existence.

J'ai prêté l'oreille, pour entendre ma mère répondre:

— Ils ne l'ont pas vu, il leur a tiré dans le dos.

— J'espère mourir d'une attaque foudroyante, hein Cornell? Pas toi?

— Pour sûr que non, a répondu ma mère. On m'a volé ma vie, je ne tiens pas à ce qu'on me vole ma mort. Je veux avoir le temps de la voir venir, de la déguster.

Puis elle s'est mise à tousser comme une vieille poitrinaire. Elle a toussé ainsi une bonne dizaine de minutes. Je me suis endormi un peu avant la fin de sa quinte. Un type qui tapait avec du métal sur du métal m'a réveillé au lever du jour.

Je suis parti prendre mon petit déjeuner au parc d'attraction en bord de plage. La grand-roue somnolait des efforts de la veille. Le café était aussi long que mauvais et les beignets ruisselaient. Puis de là je suis monté jusqu'à l'immeuble des Duigan. J'ai attendu patiemment que Wendy sorte. Elle était surprise et heureuse de me voir. Une belle robe bleue la rendait extraordinairement féminine. Je l'ai conduite à son travail. Elle a trouvé que ma camionnette recelait une drôle d'odeur, ce qui m'a étonné. J'ai ouvert grand les vitres, et comme elle était en avance, on a roulé un peu sur les hauteurs.

— Mon père m'a dit que tu as beaucoup à faire.

— Oui, c'est pour ça que je voulais passer un moment avec toi ce matin. Je mène une enquête sur deux étudiantes disparues. Je vais voyager au nord.

— Pourquoi au nord ?

— Je ne sais pas, chacun a une boussole en tête, mon aiguille est au nord ces jours-ci.

— Tu crois qu'elles ont été assassinées ?

— Non, c'est juste une fugue. Elles reviendront toutes seules mais comme l'une des deux est la fille d'un ami du maire, un gros promoteur, ton père m'a chargé de les localiser.

— Tu vas t'y prendre comment ?

— J'ai ma petite idée.

315

On s'est souri et elle a posé sa tête sur mon épaule. J'aurais donné cher à ce moment-là pour être comme tout le monde.

— Mon père dit que tu es très doué pour ce métier d'investigateur. Il a derrière la tête de te faire intégrer la police pour de bon quand tu auras fait tes preuves. On se marie quand, Al?

— Si on disait dans deux mois? Tu sais je n'ai pas les moyens de faire un grand mariage.

— Je sais, Al. Tu inviterais combien de personnes de ton côté?

Je crois bien que j'ai ricané.

— Personne.

— Moi je pensais à inviter Marilyn et mon patron.

— Et ton père va inviter tout l'hôtel de police, c'est sûr.

— C'est sûr, mais il ne te laissera pas payer pour lui. Tu reviens quand?

— Dans une à deux semaines.

— C'est si long?

— Peut-être moins.

Elle est descendue et s'est retournée pour me faire un petit signe de la main. J'étais drôlement soulagé de me retrouver seul. Pendant que je la regardais flotter dans sa robe azur, j'avais envie qu'elle disparaisse, qu'elle s'évapore, qu'on ne se soit jamais connus.

53

Je suis resté sans bouger un moment avec l'impression de partir en morceaux, de me désagréger. J'imaginais mes grands-parents dans le cercueil haut de gamme que mon père avait dû leur payer. Les vêtements du dimanche dans lesquels on les avait ensevelis devaient avoir plus de tenue qu'eux désormais. J'ai redémarré et mes tristes pensées se sont dispersées. J'ai rejoint l'hôtel de police. Je suis passé à l'administration prendre mes avances sur frais et salaires. Duigan avait tout organisé mais j'ai quand même passé une bonne heure à remplir des paperasses.

En sortant, sur le parvis du bâtiment, une meute de photographes et de journalistes faisaient le pied de grue. J'ai demandé à l'un d'entre eux ce qu'il se passait :

— Ils ont arrêté McMullan l'éventreur.

J'ai patienté un court moment avec eux et j'ai vu, tiré d'une voiture banalisée par deux flics triomphants, un petit homme de mon âge chauve et gris. Duigan est sorti de l'avant du véhicule et a commencé une conférence de presse faussement improvisée, alors que le criminel était acheminé à l'intérieur. Le maire, venu de nulle part comme souvent les hommes politiques, l'avait rejoint :

« L'arrestation de Jeffrey McMullan est un soulagement pour notre police. Depuis plusieurs mois, ce monstre défiait notre communauté en la terrorisant. Il s'est attaqué aux plus faibles. Que notre joie de le voir sous les verrous ne nous fasse pas oublier la douleur des familles des victimes. »

Quand le maire a pris la parole à son tour, je suis parti paisiblement au St. James.

J'ai vu dans les yeux de la serveuse qu'elle croyait que je revenais pour elle. J'ai mis de la musique au juke-box, du bon vieil Elvis. Je n'ai jamais eu d'intérêt pour la musique, j'ai déjà eu l'occasion de le dire, mais c'est pratique quand on ne veut pas parler. La serveuse n'a pas osé m'adresser la parole et elle a été avisée de ne pas le faire. Ce qu'il était supportable d'entendre la veille ne l'était plus, les banalités n'ont jamais deux fois leur chance. J'ai bu avec application mais sans me précipiter. Je suis ressorti en début d'après-midi sans manger et j'ai pris la direction du campus. J'allais mal, comme chaque fois que je restais longtemps dans mes pensées. Je suis parti à la recherche de quelqu'un pour me faire la conversation.

La première fille qui a mis le pouce en l'air était quelconque. La deuxième transpirait les gènes républicains et ce n'était pas le jour. La troisième était Susan. Elle avait déjà son regard par en dessous derrière des lunettes rondes à la Janis Joplin, des cheveux rouges abîmés et des petits yeux bleus humides. Son corps était dissimulé sous des nippes colorées et froissées. Elle promenait une quincaillerie impressionnante qui l'accompagnait dans ses mouvements comme la cloche d'une chèvre. Le patchouli recouvrait à peine une odeur tenace de transpiration. Je lui ai demandé sa direction et elle a hésité avant de me renvoyer la question.

— Je partirais bien à l'aventure, mais je ne suis pas encore décidé. On m'a parlé de communautés plus au nord. Je suis tenté par une petite expérience.

— En vous voyant j'aurais tout parié sauf ça, a-t-elle répondu sans se moquer.

Elle a bien fait, je l'aurais éjectée en marche sans hésiter. Elle a poursuivi :

— Si je passais chez moi prendre quelques affaires, vous m'attendriez ?

— Je ne crois pas.

Elle s'est ravisée.

— Après tout je n'ai besoin de rien. Faudra partager l'essence ?

— Même pas.

Elle est devenue rouge de joie.

— Pas un jour qui passe sans me dire que je vais tout plaquer pour rejoindre une communauté et vous débarquez le jour où j'en ai fini avec mes examens. Vous êtes le père Noël !

Sa joie m'est apparue indécente.

— Vous ne trouvez pas qu'il y a un truc qui cloche ? Un grand type aux cheveux courts avec une chemisette bleue à manches courtes et une moustache ?

Elle a répondu par un non gêné. J'ai continué sur le même ton neutre :

— Vous savez que vous ne pouvez pas ouvrir la porte de votre côté ?

Elle a souri jaune et a essayé en me regardant.

— Vous avez entendu parler de McMullan l'éventreur ?

Elle ne souriait plus du tout.

— Oui.

— Eh bien, il a été arrêté ce matin.

Elle s'est détendue d'un coup.

— Du moins c'est ce qu'ils croient.

— Pourquoi ?

— Je plaisante.

— Non, dites-moi, vous n'êtes pas une sorte de satyre, au moins ?

— Si je l'étais, je ne crois pas que je m'attaquerais à une fille comme vous.

Nous en sommes restés là de cette conversation.

— Vous connaissez précisément une communauté ?

— Oui, j'ai une amie qui a quitté la fac pour la rejoindre et elle n'en est pas revenue depuis cinq mois, preuve qu'il doit s'y passer quelque chose de cool.

— Alors, allons-y. Quelle direction ?

— Si je me souviens bien, c'est sur la route n° 1, au-dessus de San Francisco.

— À combien de San Francisco ?

— Je dirais deux heures en suivant toujours la côte.

— Le nom du lieu ?

— Je ne sais plus exactement, mais dès que ce sera écrit quelque part, ça me reviendra.

54

J'ai pris la 101 en direction de San Francisco. Susan était tout excitée, elle le manifestait par des soupirs de joie et des petits sauts sur son siège. La radio diffusait du Chuck Berry et elle voulait que je change. Je n'ai pas cédé. Elle est revenue sur l'histoire de la porte.

— Pourquoi elle n'ouvre pas de mon côté ?

Je n'étais pas pressé de répondre.

— Le mécanisme est bloqué, j'imagine, mon Galaxy commence à prendre de l'âge.

— C'est bizarre, j'ai l'impression que vous vous forcez à ne pas être sympa.

— Je ne me force jamais à rien et c'est bien ça mon problème.

À l'approche de San Francisco le trafic s'est épaissi et on a roulé au pas. Susan en a profité pour me scruter.

— Pourquoi vous voulez rejoindre une communauté ? Vous avez plutôt l'air d'un solitaire. Vous aimez vraiment les autres ?

— Non, mais j'aimerais apprendre.

— J'ai l'impression que vous êtes à un stade où

vous n'avez plus le choix. Ça vous ennuie si je me roule un joint ?

— Jusqu'ici ce van était non fumeur.

— Ça veut dire que je peux fumer ?

J'ai répondu un non catégorique et elle est rentrée dans sa coquille. Puis elle a été prise d'une furieuse envie de pisser. On approchait du Bay Bridge sur l'autoroute bondée et je ne voyais pas où je pourrais l'arrêter.

— Tant qu'on n'aura pas passé le Golden Gate, il va falloir se retenir.

— On y sera quand ?

— Si ça continue comme ça, je dirais une heure.

— C'est vraiment impossible !

Elle m'a supplié de l'arrêter sur la bande d'arrêt urgence et il m'a fallu faire le tour de la voiture pour lui ouvrir la porte. Elle s'est soulagée derrière le van à l'abri des regards. J'ai pensé la laisser là, après tout j'en savais autant qu'elle sur la localisation de la communauté. Mon intérêt a repris le dessus. Sans elle, j'allais m'attirer la méfiance de la communauté et ce n'était pas ce que je recherchais. La brume tombait sur San Francisco, si humide qu'on aurait dit la pluie, le flot des voitures tardait à s'évacuer.

— Je crois que je ne reviendrai jamais à la civilisation, a-t-elle glapi sentencieuse.

— Comment tu peux le savoir ?

— Parce qu'elle n'a pas de sens. Regarde, on est parqués comme un troupeau de vaches à viande. On est là pour consommer, un point c'est tout. Je me vois bien avec une petite maison et un jardin ouvert sur les voisins qui viennent m'apporter une tarte aux pommes pleine de crème pour me souhaiter la bienvenue en regardant à l'intérieur de la maison s'il y a le moindre indice de ma foi. On n'a jamais vu autant de gens mauvais se prévaloir du Christ que dans ce putain de pays. Et lui ne donne pas de nouvelles. Mais soit il est mort pour de bon, c'est-à-dire que la résurrection a foiré, soit il est tellement consterné qu'il a baissé les bras. Et ce qui me plaît dans l'expérience de notre génération c'est de revenir à ses fondamentaux, montrer à tous ces imposteurs que le message d'amour du Christ, il est toujours d'actualité.

— Vous allez vous casser la gueule.

— Pourquoi ?

— Parce que l'homme est mauvais. Le mal est en lui dès la naissance. Regarde une cour d'école, c'est à peine mieux qu'une cour de prison.

— Tu as déjà été en prison ?

— C'est pas la question.

Le type qui était devant nous a freiné subitement. Je l'ai touché sans dommage. Mais il est sorti de sa voiture avec l'idée de me tuer.

— Tu regardes pas devant toi, connard ?

Il s'est rué sur ma portière. Quand je suis sorti il a vu, sidéré, 2,20 mètres se dresser devant lui. Il aurait pu ne pas se dégonfler mais j'avais un 9 mm à la main. Il a détalé sans se retourner comme si rien n'était jamais arrivé. Susan était tassée contre sa portière.

— Vous avez sorti un flingue, mais vous êtes dingue ou quoi ?

— Je ne suis pas dingue, mais je n'aime pas qu'on me manque de respect.

On a redémarré. Deux miles plus loin, une fois l'émotion retombée, j'ai dit :

— Je ne regrette pas. Quand j'étais gosse, j'étais terrorisé quand on m'insultait, voilà, c'est fini. Et si tu ne veux pas continuer le voyage avec moi, je te laisse où tu veux.

— Ça c'est pas cool, vraiment pas cool.

Elle a répété cette phrase plusieurs fois, mais elle est restée.

Puis elle m'a demandé de me défaire de mon arme ;

— C'est illégal de toute façon.

— Alors on va mettre les choses au point tous les deux, j'ai dit. Je suis flic. C'est mon arme de service. Je suis à la recherche de deux filles qui ont disparu. J'espère les retrouver dans une communauté, sinon ça veut dire qu'elles ont été assassinées. Tu vas garder ça pour toi, compris. Je ne veux aucun mal à tes frères, je suis même prêt à essayer de les comprendre, mais je ne serai jamais des vôtres, je n'aime ni la barbe, ni les cheveux longs, ni la fumée, ni l'amour, ni la crasse.

La pluie s'est mise à marteler la voiture, rendant plus supportable le silence qui s'était installé entre nous. Susan se tenait les genoux pliés contre son ventre, collée à sa portière. Son soudain attachement à moi ressemblait à celui d'une victime pour son bourreau. Je pouvais lui dire ce que je voulais, la brutaliser verbalement, rien n'aurait pu la dissuader de rester avec moi. Cette situation m'écœurait.

— C'est pour baiser à tout va que tu rejoins une communauté ?

— Pourquoi vous dites cela ?

— Parce que l'amour libre c'est fait pour les moches. Une belle fille peut se faire qui elle veut, non ?

— Pourquoi vous êtes méchant avec moi ? Qu'est-ce que cela vous apporte ?

— Je crois que je ne t'aime pas. Quelque chose me dérange en toi.

— C'est parce que je ne vous fais pas envie, c'est ça ? Vous auriez bien voulu joindre l'utile à l'agréable mais je ne vous plais pas, hein ? Vous avez bien vu à quoi je ressemblais quand je suis montée dans votre camionnette ?

Cette conversation ne menait nulle part parce que ni l'un ni l'autre on ne savait précisément d'où elle venait.

— Qu'est-ce que tu sais sur cette communauté ?

— Ma copine ne m'a appelée qu'une fois. Ils n'ont pas le téléphone et utiliser la cabine à pièces coûte une fortune. Elle a dit que les gens y étaient très cool, que c'était encore un peu dur pour la nourriture mais qu'ils étaient sur la bonne voie. Je pense qu'on devrait apporter quelque chose.

— Comme à un anniversaire ? On peut prendre du vin.

— C'est pas trop leur truc, je crois, ils préfèrent l'herbe ou les petits bleus.

— C'est quoi les petits bleus ?

— Du LSD.

On est restés un bon moment sans rien dire. Le Golden Gate était trempé. Les voitures roulaient au pas. En bas, la mer boueuse nous regardait tel un requin qui observe sa proie gesticuler en surface. Susan s'est rebellée d'un coup :

— Une femme, même la plus moche, trouve toujours quelqu'un pour se faire sauter. Il n'en va pas de même pour les hommes.

Je n'ai rien répondu, cela ne valait pas la peine

et je n'étais pas d'humeur. J'ai su que la traversée de San Francisco avait pris du temps parce qu'elle avait encore envie de pisser. J'ai quitté la 101 au niveau de Sausalito, une petite ville côtière de bohèmes fortunés qui basculera un jour dans la mer, pour emprunter la route n° 1. Elle défile en lacets serrés jusqu'à la côte à travers une nature qui déballe ses richesses sans modestie. J'ai débarqué Susan sur un chemin de terre. Elle ne se trouvait pas assez à l'abri des regards. Je me suis un peu énervé en lui demandant ce qu'elle pouvait bien avoir à cacher d'extraordinaire. J'aurais dû m'en douter, elle était le genre à s'éprendre d'un type qui la maltraite. Je le lui ai dit et tout ce qu'elle a trouvé à répondre c'était : « Mais je n'ai pas l'impression que vous me maltraitez, Al. »

Alors que la route serpentait à vous en donner la nausée, elle a sorti sa boîte de pilules de son sac.

— Je ne savais pas que tu as un homme dans ta vie.

— J'ai personne, mais je n'aime pas me faire surprendre.

Elle était sérieuse en disant cela. Elle a ajouté :

— Ce truc-là, c'est l'invention du siècle, plein de tragédies seront évitées. Plus les gens sont pauvres, plus ils font des gosses, plus ils s'engueulent plus ils font des gosses, on a l'impression que de faire des gosses c'est le remède universel. Ma mère m'a eue, je ne sais pas pourquoi. Elle n'aimait pas mon père. Pas plus que moi. Elle est tombée enceinte, elle a gardé le polichinelle, sans se poser plus de questions. Et aussi loin que je remonte dans mes pensées, je ne me souviens pas d'avoir eu envie de vivre.

J'ai plaisanté :

— C'est décourageant, moi qui avais l'idée de t'égorger, tu m'enlèves toute ma motivation. On ne tue pas quelqu'un qui a envie de l'être, où est le plaisir là-dedans ?

— Je vous jure que pendant un moment, au début du voyage, l'idée que vous soyez un meurtrier m'a traversé l'esprit et puis je me suis dit : « Tiens, ça serait marrant d'en arriver là. » J'ai fantasmé cette confrontation entre un voleur de vie et quelqu'un qui n'en a rien à faire de la perdre.

— Je ne peux pas croire que tu n'aies pas envie de vivre.

— Dans la nature, ma vie me paraît légitime, mais en ville je pense parfois à me supprimer.

— Tu as déjà essayé ?

— Non, je ne m'aime pas assez pour cela. Mais dites-moi, qui sont ces deux filles qui ont disparu ?

— Deux filles de la faculté d'architecture.

— Je suis en littérature, alors on n'a pas dû avoir l'occasion de se croiser. Plutôt contre-culture ?

— Tu veux dire dans l'apparence ?

— Oui.

— Non, deux filles conservatrices.

— Je connais beaucoup de filles comme elles qui sont passées de l'autre côté. Question de survie. La famille c'est le lieu qui distille le moins d'oxygène, alors elles ont besoin de prendre le large. Nos vieux, sous prétexte qu'ils ont fait la guerre et qu'ils l'ont gagnée, pensent que leur modèle est incontestable. Mais qu'ils se le foutent où je pense leur modèle du travail, de la religion, de la famille, de la patrie ! Fier d'être américain, mais comment on peut être fier d'être américain avec toutes les saloperies qu'on fait au Vietnam, en Amérique du Sud, en Afrique ? Dès que quelqu'un cherche à répartir un peu mieux les richesses, on le bute. Soi-disant parce que c'est un communiste. L'Amérique c'est le paradis des faux culs, des hypocrites, des...

— Si tu ne la fermes pas, tu finis à pied.

Elle s'était un peu exaltée et elle s'en est rendu compte.

— Vous revenez du Vietnam, n'est-ce pas ?

— Pourquoi tu dis ça ?

— Je sais reconnaître un homme qui a tué, d'un homme qui ne l'a jamais fait. Vous êtes tendu comme un homme qui a été mis dans l'obligation de tuer et qui ne se remettra jamais de cette transgression, qui en portera la culpabilité jusqu'à la fin de ses jours. Je vous comprends, vous savez, nos pères ont tué mais ils avaient la morale pour eux, alors que supprimer des vies au Vietnam, on ne peut pas se le justifier à soi-même. Et vous n'aimez pas les gens comme nous, parce qu'on ne vous aide pas à justifier ce que vous avez fait, qu'on ne vous glorifie pas de l'avoir fait. Mais moi je vous pardonne, vous savez ?

Je l'aurais tuée. Devant des hommes comme Duigan ou Dahl, j'étais quelqu'un d'autre. Je mobilisais mon intelligence pour les impressionner comme si j'avais mon propre père en face de moi. Mais des souillons comme cette Susan me ramenaient au vrai Al Kenner. J'aurais pu la tuer en une seconde et la jeter dans cette brousse qui bordait la route où pas même un chien n'aurait trouvé son chemin. Mais cette envie de tuer était bien de celles qu'on ne met jamais à exécution. Elle sentait que j'en avais envie, que j'étais capable de le faire et elle en jouissait parce qu'elle ne tenait pas à sa misérable vie. L'homme qui voudrait tuer mais qui n'ose pas et la femme qui voudrait mourir sans l'oser, nous en étions là l'un et l'autre quand la mer est apparue au détour d'un lacet. Sincèrement, qui voudrait tuer ce genre de dépressive ?

55

Une petite route volontairement mal entrete-
nue pour décourager la vitesse conduisait sur la
gauche à la mer. Je m'y suis engagé pour finir sur
un parking aménagé pour quelques campeurs. Je
me suis garé et je suis parti marcher de mon côté
vers la plage sans lui dire un mot. Elle a compris
qu'elle devait me laisser seul. Un pont de bois en-
jambait un ruisseau limpide. Je l'ai emprunté
pour avancer jusqu'aux dunes de sable blanc qui
faisaient pour la mer un rempart contre la civilisation. À cette heure tardive quelques promeneurs refluaient vers l'intérieur. Des familles se
mêlaient à des babas cool aux pieds nus. Il restait
quelques contemplatifs sur la plage, une crique
en demi-cercle depuis laquelle on voyait les maisons de Stinson. Je me suis assis dans le sable
avec l'espoir de trouver un peu de sérénité. Mais
le fourmillement du mal-être ne me lâchait pas,
comme si quelque chose en moi me rappelait
sans cesse ma particularité. Susan a fini par me
rejoindre. Elle s'est déshabillée près de moi en
gardant sa culotte et son soutien-gorge.

— Vous ne vous baignez pas ?

— Non, je fais peur à la faune.

Elle a souri. Je trouvais étrange qu'une fille qui montrait tant de vitalité tienne si peu à la vie. C'était certainement une posture de fille contrariée de ne pas plaire aux hommes. Ses formes disgracieuses se sont rétrécies jusqu'à son entrée dans l'eau où elle a sursauté, saisie par le froid. J'ai pensé rebrousser chemin avec ses vêtements et la laisser en plan sur cette plage désertée dans cette tenue ridicule. Je n'avais plus envie de lui faire du mal. Elle est revenue frigorifiée par la brise. Elle s'est habillée en grelottant puis s'est mise à pleurer. J'ai fait comme si je n'avais rien vu et je me suis levé pour rejoindre la voiture.

Au volant, au moment de mettre la clé dans le démarreur, je me suis senti très mal. J'ai vu le moment où je ne pourrais pas redémarrer, où il allait falloir me conduire à un hôpital psychiatrique. J'ai essayé de positiver en mettant ce malaise sur le compte d'une hypoglycémie. Susan n'en a rien vu mais elle a compris à ma façon de démarrer qu'il y avait urgence. On a pris la direction de la grand-rue et je me suis garé devant le magasin principal. Une Noire obèse et souriante le tenait et, même si elle était sur le point de fermer, elle a attendu patiemment que je fasse le tour du rayon des alcools. J'ai pris quatre bouteilles de vin et le simple fait de les serrer dans mes bras m'a réconforté. Susan m'attendait appuyée à la voiture, fumant un énorme joint. Je suis monté à l'arrière de ma camionnette pour boire à l'abri des regards. J'ai ingurgité deux bouteilles cul sec sans avoir réellement soif. Susan s'est installée à son tour, radieuse. Elle se souvenait de la ville où vivait la communauté. Le nom ne me disait rien mais je n'ai pas été long à la trouver sur la carte. C'était à peine à deux heures de route au nord, en bordure de mer. Il suffisait de suivre la route côtière et c'est ce qu'on a fait. L'animosité entre nous est retombée. Il n'y avait aucun risque de croiser des flics sur cette route et j'ai débouché une troisième bouteille que j'ai sirotée doucement en regardant le paysage. À intervalles réguliers la côte abritait de petites lagunes où la mer s'immobilisait. Protégés du vent et des marées, les pèlerins échoués sur cette côte l'avaient maculée de chalets en bois où ils usaient leurs rêves de solitude.

Un vent d'optimisme se levait dans ma tête et je me suis mis à penser à Wendy, à la maison qu'on pourrait acheter ensemble, à la vieille moto que je pourrais restaurer dans le garage pendant qu'elle ferait lever de la pâte pour les cookies, et puis alors que la route quittait la mer pour rejoindre des prairies verdoyantes je me suis mis à pleurer à l'idée que j'étais un être sans destin. Ne prenez pas cela pour de la sensiblerie, je ne me suis jamais apitoyé que sur moi-même et encore il faut que je sois drôlement imbibé pour que se manifestent ce genre d'émotions éruptives. Susan n'a rien capté de ce moment fugitif de blues. Elle avait posé ses pieds sur le tableau de bord de la camionnette et sa robe froncée remontait sur ses jambes amincies par sa position. L'herbe l'avait plongée dans un monde merveilleux, sans angoisse, sans timidité maladroite.

— Nous sommes la première génération de l'humanité à élever la conscience humaine à un tel niveau, voilà la vérité.

Je n'ai rien répondu parce que je ne l'écoutais pas.

— Nos parents sont sortis de la dernière guerre en vainqueurs ? Mais aveugles. Ils ne réalisent pas que l'humanité a exhumé sa face la plus sombre en s'entre-tuant. Il n'y a pas eu de bons ni de mauvais. Juste une espèce qui n'a plus sa place sur cette terre. L'Amérique fait toujours croire qu'elle combat pour ses principes alors qu'elle ne le fait que pour ses intérêts. Nous allons saboter cette société de l'intérieur, pacifiquement. Nous allons désamorcer la consommation, la production et toutes ces conneries qui nous étouffent.

Elle s'est arrêtée d'elle-même comme une tondeuse privée d'essence. Puis elle a conclu :

— J'espère qu'ils vont nous accepter dans leur communauté.

J'ai précisé :

— Qu'ils vont t'accepter. Moi je ne suis que de passage.

— Vous dites ça, mais vous n'en savez rien. Ne vous fermez pas à cette expérience, elle peut vous sauver la vie.

— Me sauver la vie ? Certainement pas. Mais sauver la vie à d'autres peut-être.

Elle n'a pas compris ce que je voulais dire.

— Il n'y a pas assez de communautés pour les milliers de jeunes qui voudraient les rejoindre.

— Pourquoi ils n'en forment pas ?

— On ne trouve pas si facilement des terres.

Boire m'avait donné faim.

56

Après des miles d'une route qui bordait l'océan, tantôt proche de lui, tantôt lointaine, on a découvert une grosse cabane en rondins qui faisait office de restaurant. Ils n'y préparaient que des fritures de poisson et je n'avais jamais mangé de poisson de ma vie. Quand elle l'a su, Susan m'a demandé pourquoi, mais qu'est-ce que j'en savais moi? La friture a fait passer le goût du poisson. Pour la première fois de mon existence aussi, j'ai pris du vin ailleurs que dans un bar ou dans ma chambre ou encore dans ma voiture. Susan alternait chaque bouchée avec un sourire et très vite j'ai trouvé cela pénible. Un lac d'eau salée s'étendait au pied du restaurant et l'eau y était pétrifiée comme de la glace. Des barques de pêcheurs étaient amarrées au ponton qui conduisait à une petite maison en bois sur pilotis. Un homme y vivait. Du restaurant, on le voyait s'activer dans sa petite cuisine. Puis il est sorti en bottes hautes en plastique. Une longue barbe blanche lui descendait sur la poitrine qui compensait une calvitie massive. Le temps d'un éclair j'aurais voulu échanger sa vie avec la mienne. J'ai rêvé un court instant que la nature m'emprisonne en un lieu dont je ne puisse plus sortir et que mes relations avec les autres se limitent à un signe de tête poli quand j'irais acheter des allumettes au magasin du coin où jamais personne ne me poserait la moindre question. L'addition est venue me tirer de mes songes. Je n'en avais jamais vu de pareille. J'ai puisé dans l'argent de mes frais, en me demandant comment je pourrais justifier le repas de Susan. Puis je me suis dit qu'elle était une sorte d'indic pour moi, et que je la présenterais ainsi. Dans la voiture, je me suis rincé la bouche de l'odeur du poisson, en buvant la dernière bouteille cul sec. Susan s'est endormie avant je ne démarre et la route s'est poursuivie en silence à petite allure car c'était l'heure à laquelle les cervidés se croient partout chez eux. Il n'y a pas si longtemps, une petite centaine d'années, les hommes et les femmes de la conquête de l'Ouest étaient venus buter là, contre cette mer inamicale, et je pensais à eux fourbus mais heureux d'être au bout du chemin. Ils avaient ensuite dû refluer vers l'intérieur, vers des terres plus fertiles. Cette côte qui défilait dans le jaune de mes phares m'est apparue étrangement déserte. Il arrivait qu'on roule des miles sans apercevoir une maison ni croiser une autre voiture. Je pensais à ma famille partie d'Allemagne pour New York. Je ne savais pas ce qui avait poussé de paisibles paysans à quitter leurs terres pour s'embarquer dans un paquebot plein d'émigrants hagards. On n'en avait jamais parlé, ni d'un côté ni de l'autre, puisque mes aïeux maternels avaient quitté leur Bavière natale au même moment que les grands-parents de mon père. Les uns comme les autres n'avaient pas été poussés par la famine, j'en aurais mis ma main au feu, mais certainement par de sombres histoires dont on ne se vante pas auprès de ses enfants, à la nuit tombée, près de l'âtre, dans une ferme isolée du Montana ou de la Sierra Nevada. C'est le genre de secret qui vous pète à la gueule, un jour ou l'autre, et le pétard c'est moi. Je suis le cauchemar américain de ces deux familles, la « fin morte » de leur aventure. À chaque génération, il ne s'est trouvé finalement qu'une seule personne pour poursuivre la lignée par un hasard dramatique que nul n'est capable d'expliquer. Je suis le dernier des Kenner comme mon père l'était et mon grand-père avant lui. Je suis aussi le dernier des Hazler. Les deux sœurs de ma mère sont décédées sans laisser d'enfant. Ma sœur aînée est morte enceinte. Elle était trop grosse pour enfler plus, son cœur a lâché au troisième mois. Mon autre sœur est morte aussi, mais je ne me souviens plus très bien comment et pourtant je la préférais à la première. La préférer ne veut pas dire que je l'aimais pour autant.

La route tournait beaucoup pour un homme fatigué qui avait ingurgité quatre bouteilles de vin, mais je restais lucide. Je me suis juré à mon retour de cette escapade de retrouver mon père. Il devait bien être quelque part. Je ne l'imaginais pas dans l'Est. Encore moins dans le Sud-Est. Les Texans lui tapaient sur les nerfs. La Floride, avec tous ces vieux qui venaient y rissoler, lui foutait encore plus la trouille qu'un cimetière. La Louisiane avait tout d'une buanderie. Il en détestait le climat et même s'il n'était pas raciste, il affirmait que les Noirs s'y reproduisaient en trop grand nombre. Il faut préciser qu'il n'avait jamais mis les pieds dans un seul de ces États, mais c'est l'idée qu'il s'en faisait. Il n'était certainement pas retourné dans le Montana. J'avais le pressentiment qu'il ne vivait pas très loin de moi avec sa nouvelle femme qui ne l'était peut-être déjà plus. Quand le panneau indiquant que nous étions arrivés à Tomales est entré dans mes phares, Susan dormait profondément. Sa tête tombait sur son torse. Je l'ai secouée et j'ai bien vu que pendant un bon moment elle ne savait ni où elle était ni ce qu'elle faisait là. Je me suis garé devant un hôtel sous un lampadaire. À cette heure avancée, ses citoyens dormaient derrière leurs rideaux épais. Je suis sorti de la camionnette pour arpenter les rues adjacentes dans l'espoir de rencontrer quelqu'un. Un vieux qui venait d'on ne sait où a fini par se garer près de nous pour rejoindre sa maison qui faisait un angle. Il nous a scrutés sans peur mais de travers. Je me suis approché de lui et il m'a fait face en soulevant son chapeau roulé au-dessus des oreilles.

— Excusez-moi, monsieur, on cherche une communauté dans le coin.

Il a pris un air navré.

— Vous venez grossir les rangs de ces dégénérés ?

Je l'ai rassuré.

— Oh non, on est juste venus chercher quelqu'un.

Ma réponse l'a satisfait. Il m'a montré une rue qui partait à gauche.

— C'est l'avenue de l'Océan et comme son nom l'indique elle mène à l'océan. Vous verrez qu'après 3 miles le paysage change complètement, on dirait les Highlands d'Écosse.

Je ne savais pas à quoi ressemblaient les Highlands d'Écosse et de toute façon il faisait nuit. Je
le lui ai aimablement fait remarquer.

— Alors disons qu'après 3 miles, assez plats, la
route devient subitement vallonnée. Elle prend de
grandes courbes. Vous continuez ainsi 2 miles et
sur la gauche, si vous avez de la chance avec la
lune, remarquez même si la lune sort le brouillard
la cache, vous verrez sur la gauche une ferme
assez impressionnante dont les premiers bâtiments sont délabrés.

Susan nous avait rejoints et elle a fait mauvaise
impression sur lui. Il n'a pas répondu à son salut.

— C'est là qu'ils vivent et se reproduisent. Ça
copule comme les lapins là-dedans à ce qu'on dit.
On voit les femmes déambuler par ici souvent,
elles sont toujours grosses. On ne les aime pas,
mais on ne leur fait pas de mal. Maintenant, si
vous arrivez dans un village fait de petites maisons en bois, c'est Dillon Beach, vous serez allés
trop loin.

D'un coup, comprenant que je n'étais pas de
cette engeance, il s'est fait penseur.

— Voyez, je n'ai rien contre ces pauvres gamins, mais je suis d'une génération qui a travaillé
dur pour accéder au progrès. Les voir se chauffer
au bois et s'éclairer à la lampe à huile, c'est un
peu insultant pour les gens comme nous. Il paraît
qu'ils ne se lavent pas à l'eau chaude et malgré
cela ils échangent leurs femmes. Vous comprenez, on a beau être tolérants, on coince un peu.
Remarquez, pour être complet, ils ne manquent
pas de courage. Voilà deux ans qu'ils ont repris
des terres qui sont parmi les plus pauvres du
comté et ils parviennent tout de même à en vivre.

Si on veut critiquer les mauvaises choses, il faut être capable de reconnaître les bonnes. Mais je ne les aime pas et ça, il n'y a rien à y faire.

Puis il est parti en nous souhaitant bonne nuit.

On s'est mis en route à petite allure, la nuit était dense. Une bruine est venue contrarier un peu plus ma vision avant que des nappes de brouillard nous immobilisent. Nous avons roulé au pas d'un homme sans trouver d'entrée de ranch avant de buter sur une miniature de village. Une vingtaine de maisons en planches entourées de jardins minuscules étaient posées sur une plate-forme sablonneuse. Chacune était flanquée d'un pick-up et d'un bateau de taille modeste. On ne pouvait pas aller plus loin et repartir en arrière ne servait à rien. J'ai décidé d'attendre là jusqu'au lever du jour. Susan s'est endormie et je suis resté à penser. L'alcool et les drogues sont le seul moyen de se quitter un peu. Sinon on est toujours avec soi-même et cela devient lourd, surtout pour des gens chez qui le sommeil s'invite rarement. J'ai pensé à Wendy.

Wendy dormait beaucoup. Elle aurait aimé qu'on dorme ensemble, mais je ne me voyais pas dormir avec elle chez son père ni l'emmener chez ma mère qui lui aurait tout balancé sur mon passé. Elle m'avait proposé de l'emmener à l'hôtel mais je n'y avais jamais mis les pieds de ma vie et j'aurais eu l'impression de la traiter comme une pute. Je ne comprenais pas qu'elle ne se lasse pas de moi.

57

Le jour commençait à pointer quand j'ai enfin trouvé le sommeil. Susan dormait toujours, son pouce dans la bouche. Le bruit du moteur l'a réveillée et elle s'est longuement étirée en frissonnant. Elle avait faim et ne voulait pas débarquer dans la communauté le ventre vide. On a fait demi-tour et il a fallu attendre une heure de plus que l'unique magasin général de Tomales ouvre ses portes. Il était tenu par un brave type coiffé et rasé comme le général Custer. Un si petit magasin ne suffisait pas à canaliser sa grande énergie, alors il n'arrêtait pas d'aller d'un rayon à l'autre avec un air préoccupé. J'ai acheté quelques beignets sous plastique, une grande bouteille de Pepsi et une caisse de vin. Il n'était pas dit que j'en aurais besoin, je parle du vin, mais il était préférable d'être prévoyant. Il nous a demandé où nous allions et on a parlé de la communauté.

— Vous êtes invités ? a-t-il demandé.

On s'est regardés surpris, Susan et moi.

— Pourquoi, on n'y rentre qu'avec un carton d'invitation ?

— Non, mais il y a beaucoup de demandes. On

voit des dizaines de jeunes défiler chaque semaine.

Et puis il s'est mis à rire comme un type qui s'est fait une bonne blague.

— Vous comprenez, c'est pas comme un couvent ou au monastère, on n'y va pas pour se serrer la ceinture. Bon Dieu! a-t-il ajouté avec des yeux tout ronds, l'amour libre ça doit être quelque chose. Je plaisante, tous ces jeunes doivent avoir d'autres bonnes raisons d'y aller. Je sais qu'ils cachent quelques déserteurs. Ils vont se prendre une descente de police un de ces jours. Sinon, c'est plutôt des braves gosses, bien élevés. Vous y allez pour l'intégrer?

J'ai fait un signe en direction de Susan.

— Elle oui. Moi je ne fais que l'accompagner.

On a repris la route dans l'autre sens, le volant dans une main, un beignet dans l'autre. Cette fois-ci le brouillard s'était levé et la ferme s'est clairement dessinée dans un virage. Elle était adossée à de grands prés pelés qui montaient vers la mer. Les premiers bâtiments semblaient des vestiges d'une attaque d'Indiens. L'un d'eux avait même brûlé et la charpente s'était effondrée comme un mikado. Deux maisons avaient survécu à l'usure du temps. On est entrés par un portail rouillé qui datait de la fin du siècle dernier. On a laissé le Ford devant une des granges et on s'est dirigés vers la première maison. On a croisé plusieurs personnes qui nous ont souri en guise de salut sans rien nous demander. Un type un peu plus suspicieux s'est dirigé vers nous.

— Je peux vous aider?

Susan a été la plus prompte à répondre.

— Je suis venue rendre visite à une amie, et Al m'accompagne. Il est à la recherche de deux filles.

Cette dernière phrase l'a contrarié.

— On ne donne jamais de renseignements sur les gens qui sont passés ici, jamais, c'est une règle. Vous êtes de la police ?

— Oh non ! Je suis mandaté par deux familles qui recherchent leurs filles. On a de bonnes raisons de penser qu'elles sont venues ici.

— Elles l'ont dit en partant ?

— Non, mais votre communauté a la réputation d'attirer du monde.

— Beaucoup trop. Mais ce n'est pas une raison pour délivrer la moindre indication sur ceux ou celles qui sont passés ici.

— Imaginez qu'un tueur en série ait éventré plusieurs filles dans un coin et que votre fille ait disparu dans ce coin. Je pense que vous seriez foutrement content d'avoir de ses nouvelles, vous ne croyez pas ?

Il ne s'est pas démonté.

— Imaginez que ces filles n'aient pas envie de donner de leurs nouvelles à leurs parents.

J'ai sorti deux photos et je les lui ai mises sous le nez. Il a réagi très calmement.

— Elles sont très quelconques ces filles. Mais je ne me souviens pas d'en avoir vu qui leur ressemblaient. En tout cas, elles ne sont pas là. Elles seraient dans la communauté, je ne vous laisserais pas entrer.

Il nous a fait signe de le suivre. À la façon qu'avait Susan de le regarder, il devait être beau garçon. Son regard un peu fuyant entamait sa virilité. Une queue-de-cheval nouait ses cheveux dans son dos. À part cela, il avait l'air banal, je dirais même une tête d'étudiant en sciences. Il nous a fait entrer directement dans la grande salle communautaire où se tenaient les repas. Une quinzaine d'hommes et de femmes s'y affairaient dans un silence de cathédrale. Même les enfants, aussi morveux que les gosses ordinaires, faisaient très peu de bruit. Une odeur de thé et de pain juste cuit emplissait la pièce. Un homme d'environ vingt-cinq ans, attablé avec une magnifique blonde, s'est levé pour venir à notre rencontre. Au même moment, Linda, l'amie de Susan, l'a reconnue et elle est allée à sa rencontre avec un sourire de joie presque excessive. Le premier type qui nous avait reçus a fait les présentations. Le nouveau venu nous a regardés longuement et, au moment où je m'attendais à une question, il m'a fait signe de m'asseoir et de me servir avant de retourner près de la blonde descendue d'une autre planète. Je comprenais qu'il soit complètement absorbé par elle. N'importe quel homme normalement constitué l'aurait été à sa place. Je me suis assis sur un banc et, pendant que Susan et Linda scellaient leurs retrouvailles, personne ne m'a adressé la parole. Mais chaque fois que je croisais un regard, on me souriait. Personne ne parlait, tout le monde murmurait comme dans un confessionnal. J'ai fait un petit tour de piste. Pas besoin d'être grand clerc pour repérer les déserteurs du Vietnam. Ils étaient trois. Ils détonnaient par leur mauvaise mine, le sang blanchi d'inquiétude. Ils ne pouvaient pas s'imaginer en me regardant furtivement qu'à peine deux ans auparavant j'avais voulu m'engager à leur place. Le monde était mal fait. Susan n'a pas pu s'empêcher de rapporter notre conversation avec l'épicier du village. Ils devaient savoir que tout le monde était au courant que la communauté cachait des déserteurs. Quand la belle blonde s'est levée, son interlocuteur en a profité pour faire de même et il m'a rejoint. Il s'est mis sur le banc en face de moi et d'un air goguenard il a siroté son café dans un récipient en terre. Il avait l'air très sûr de lui. Au point de ne rien dire tant que l'autre n'avait pas engagé la conversation. Mais j'ai tenu bon. C'est là qu'il a lancé :

— Vous croyez vraiment que les flics vont venir les chercher ici ?

J'ai fait l'idiot.

— De qui vous parlez ?

— Des objecteurs de conscience bien sûr.

— Des objecteurs ou des déserteurs ?

— Hum ! Si on veut être précis, je dirais plutôt des déserteurs. C'est pire n'est-ce pas ?

— Je ne sais pas.

— Alors pourquoi vous demandez ?

— Parce que ça peut être pire. Si c'est pire, les flics ont une meilleure raison de débarquer.

— Ça se tient. Tu fais quoi chez les flics ?

Il avait de belles dents blanches parfaitement alignées et il pensait que les exhiber suffisait à l'exonérer de toutes ses provocations.

— Qui t'a dit que je suis flic ?

— Personne. Si tu ne l'es pas, c'est que tu as envie de le devenir. Mais tu ne t'occupes pas des déserteurs, ce n'est pas ton rayon, ton truc c'est les disparitions de filles de bonne famille qui ont quitté leur milieu républicain pour la vraie vie, c'est ça ? C'est un peu la même chose au fond, les gars désertent la patrie, les filles la famille, c'est le même mouvement.

Je l'ai regardé longuement pour l'impressionner. Mais rien ne l'impressionnait.

— Je ne suis pas vraiment dans la police, je suis mandaté par des familles pour retrouver leurs filles. S'il n'y avait pas le risque qu'elles aient été assassinées, je ne serais pas là.

— Je comprends bien, mais c'est tellement contre nos principes de renseigner qui que ce soit sur le parcours d'un frère ou d'une sœur qu'on ne le fera pas.

Il a avancé la tête :

— Je t'assure, vieux, on ne peut pas le faire... Mais tu es le bienvenu ici. Tu peux rester le temps qu'il te plaira.

Il s'est levé pour s'étirer et sa chemise s'est ouverte sur un ventre poilu. Puis il s'est précipité d'un coup vers moi en me tendant la main pardessus la table.

— Je suis Ted Wolf.

La pièce se vidait lentement. Il a poursuivi en se rasseyant :

— Cette propriété me vient de ma famille et j'en ai fait don à la communauté. On peut vivre à vingt personnes ici dans une autarcie raisonnable. On élève des moutons. On échange la viande des agneaux contre des légumes. On parvient tout de même à faire pousser quelques féculents. Trois frères vont pêcher sur un bateau amarré à Dillon Beach, un peu plus loin. Et le reste de la communauté s'occupe à tisser la laine des moutons. On se relaye pour aller vendre nos produits, ce qui permet de sortir un peu d'ici. On alterne aussi l'enseignement aux enfants. Pour l'instant nous avons six enfants. Aucun n'est en âge d'être scolarisé mais on fait des jeux éducatifs. Quoi d'autre? Oui, tout ce que je viens de te dire, c'est l'organisation matérielle de la communauté. On a aussi une vie spirituelle très intense. Si ça t'intéresse, on pourra en parler un peu. Mais maintenant, je dois partir travailler. Toute personne résidente ici doit donner du temps en échange de la nourriture qui lui est fournie. Si tu ne veux pas travailler, tu peux aller au village t'acheter de la bouffe industrielle, on ne t'empêchera pas de la manger, on n'est pas sectaires.

J'ai hésité à partir sur-le-champ, mais ma curiosité s'est révélée plus forte que mon envie de reprendre la route.

58

Brian, le premier gars à nous avoir accueillis, m'a mené à un type costaud affairé dans une grange puis nous a laissés seuls. Paul, car c'est ainsi qu'il s'appelait, s'est comporté avec moi comme si on se connaissait depuis toujours. Ses cheveux longs et sa barbe lui donnaient l'air plus vieux qu'il n'était. Il s'est plaint gentiment d'être le seul type un peu musclé de la communauté, ce qui le prédisposait à la plupart des travaux physiques. Il m'a regardé de bas en haut et m'a tapé sur l'épaule :

— C'est le bon Dieu qui t'envoie. J'ai un mile de clôture à faire pour les moutons. Et ils ont pris des piquets très hauts. Il faut que je me perche sur une caisse pour les enfoncer. C'est ça le problème du troc, on échange ce qu'on a contre quelque chose qu'on ne veut pas forcément.

Les piquets m'arrivaient à la ceinture. On les a chargés sur un chariot à deux roues ainsi que le grillage qui allait avec, une barre à mine et une masse, tout ce matériel tiré par un cheval de trait placide. En me voyant il a tout de même eu un mouvement de recul. Les êtres humains auxquels il était habitué n'avaient pas cette taille. Paul a tout de suite compris que j'avais l'expérience d'une ferme. Je lui ai raconté mes jeunes années dans le Montana, et toutes les vacances scolaires collé dans un ranch par ma mère, chez des gens qui avaient perdu l'habitude de parler tant leur domaine était reculé. On est partis rejoindre un pré immense d'où l'on voyait la mer au loin, grise avec son col blanc, qui venait se jeter sur la plage déserte. L'air marin venait jusqu'à nous et se mélangeait aux effluves du joint que Paul s'était roulé pendant qu'on discutait. Comme souvent lorsque j'avais passé une journée dans un état de nervosité incontrôlable, le jour suivant m'amenait une étrange sérénité. Je respirais normalement, je pensais normalement. J'en profitais d'autant plus que je savais que cet apaisement ne durait jamais plus d'un jour ou deux et c'était le terme que je m'étais fixé pour mon séjour. Paul faisait le trou et tenait le piquet pendant que je l'enfonçais. Après un moment, on a fait une pause. Il s'est roulé un nouveau joint, l'a allumé puis me l'a proposé. J'ai décliné en disant que je ne touchais jamais à ces choses-là.

— Tu as raison, on ne sait pas où ça nous mène. Il paraît que chez les gros fumeurs il y a des cas de dissociation, tu vois ce que je veux dire ?

— Très bien, j'ai répondu. J'ai travaillé dans un hôpital psychiatrique.

— Putain, t'as fait tous les boulots. Moi, je n'ai fait que deux choses. J'ai étudié les mathématiques et j'ai fait tueur pendant deux ans.

Je n'ai pas relevé. Il a poursuivi :

— Imagine qu'on est là tous les deux à faire

nos clôtures et que le bruit d'un avion progresse au loin. Une minute plus tard, cet avion se vide le ventre sur nous. Et nous voilà retournés à la poussière. Une poussière encore plus fine que celle que nous promet la Bible. Il ne reste plus rien. C'est l'Apocalypse. Plus un être vivant, plus une fleur. J'ai passé deux ans dans ces avions-là comme navigateur. Bien sûr, je ne suis pas responsable. C'est ce que je me dis chaque fois que j'y pense. Et j'y pense tout le temps. Comme je n'arrive pas à me convaincre, je m'allume un joint qui m'expédie loin de mes souvenirs. Deux ans de guerre sans voir un mort, dis donc. Mais je sais qu'on a carbonisé des milliers d'hommes, de femmes et d'enfants, dont je n'ai jamais trop su ce qu'ils avaient contre nous. J'ai contribué à une statistique, mon vieux. Et avec toute la bonne volonté du monde, je ne m'en remets pas. Tu as fait le Vietnam?

— J'ai essayé, mais ils n'ont pas voulu de moi à cause de ma taille.

— Putain, quelle chance, vieux, mais quelle chance! Ne regrette pas, il n'y avait rien à faire de bien là-bas même si les mecs de Washington prétendent le contraire. C'est la fin d'un monde, je te le dis. Je suis venu ici quand mon temps a été terminé. Je n'ai jamais eu le courage de déserter. Si cette communauté ne m'avait pas accueilli, je serais sur la route. Ted est un bon gars. Il aide vraiment les autres. Il a des théories qui valent le coup. Il dit que la source de tous les problèmes, ce qui nous mène à la catastrophe, c'est l'appropriation. Chacun ne pense qu'à accroître son territoire et à s'approprier le fric et les femmes des autres. C'est une sorte de taoïste. Je ne sais pas très bien ce que cela signifie mais je crois comprendre que c'est une attitude qui consiste à tenir à distance son ego, son passé, son éducation et à se glisser avec modestie dans la nature. Et ça me va. On bosse dur pour s'en sortir. C'est la course avec le système. Les flics nous ont à l'œil, mais il paraît que le pire c'est le fisc, qui demande des arriérés phénoménaux de taxes sur le troc. Tu comptes rester là ?

— Non, je suis juste venu déposer une fille qui veut tenter l'aventure et me renseigner sur deux étudiantes, savoir si elles sont passées par ici dans les quinze derniers jours.

J'ai joint le geste à la parole en sortant les photos de ma poche. Il les a longuement regardées avant de soupirer :

— Je passe tellement de temps à planer que je ne jurerais de rien, mais la blonde me dit quelque chose. L'autre est plus commune. De bonnes têtes d'étudiantes modèles. Pourquoi tu les recherches ?

J'ai ressorti la même salade défraîchie.

— Elles ont disparu en sortant du campus de Santa Cruz. Et comme il y avait un tueur qui rôdait à la même époque, les parents s'inquiètent.

— Il y a de quoi. Elles peuvent bien être venues par ici. Mais une chose est certaine, elles ne sont pas restées. Et si elles ne sont pas restées, elles seraient allées où ?

Et puis il s'est mis à rire.

— Bon Dieu, quand je pense à tous ces flics de Californie qui doivent être derrière ton tueur pour avoir assassiné quelques filles, je trouve cela juste. Mais moi qui ai désagrégé des milliers de Vietcongs, j'ai une médaille. Une putain de médaille que j'ai jetée dans le trou des chiottes de la maison de mes parents. Mes pauvres vieux, ils croyaient qu'ils avaient un héros devant eux. Parfois je me dis que j'aurais encore préféré les tuer en corps à corps, ces Vietcongs. J'aurais pu invoquer un tant soit peu la légitime défense. Mais là, de si haut, tu te rends compte.

Paul n'était pas un mauvais type, mais il commençait à me saouler. J'ai repris la masse et un piquet, signe qu'on redémarrait. La pause déjeuner n'a pas été longue. On a avalé un peu de soupe dans la pièce commune. Je n'étais pas habitué à faire un repas sans viande. Je me suis demandé un moment si je n'allais pas aller m'acheter un hamburger. Le travail a repris au bout d'une heure, et une heure et demie plus tard on a calé sur un sous-sol en pierre. Les piquets, même en frappant de toutes mes forces, ne rentraient plus d'un pouce. Paul était contrarié, mais ce n'était plus mon problème. Le tracé du pré s'en est trouvé modifié, et l'espace clos rétréci, c'était cependant mieux que rien.

Au soir, dans la lumière discrète des lampes à huile, Paul ne tarissait pas d'éloges sur moi au point que Ted m'a proposé de rester. J'ai répondu que je n'étais pas prêt à vivre en communauté, que je n'aimais pas assez les autres pour cela, et que je pensais qu'un jour ou l'autre leur utopie allait fondre comme une neige de printemps. Pendant que nous discutions, je sentais les uns et les autres s'agiter pour décider qui allait coucher avec qui. J'ai compris que quelque part c'était une obligation. Une des règles intangibles de la communauté stipulait qu'elle n'acceptait pas les couples formés et qu'il était prohibé de former un couple durable. C'était, selon Ted, la condition pour ne pas retomber dans les errances du modèle familial possessoire traditionnel. J'ai parlé avec Ted une bonne partie de la nuit. J'ai vu Susan s'éloigner, suivie de près par un type pas très beau et j'ai pensé qu'elle allait enfin pouvoir calmer ses démangeaisons. Ted m'a expliqué toute sa philosophie comme s'il tentait de la synthétiser pour lui-même et s'assurer qu'il était sur la bonne voie. La belle blonde l'attendait. Elle n'osait visiblement pas aller se coucher seule de peur que quelqu'un d'autre que Ted ne vienne se glisser dans le lit. Leur marginalité, leur philosophie amarrée à des bouts de ficelle, leur obsolescence ne me gênaient pas. Mais cette façon de souiller les femmes, de les engrosser sans savoir vraiment qui était le père était sale à m'en donner la nausée. Les femmes étaient moins nombreuses que les hommes et, tous les soirs, il se trouvait deux types qui restaient sur le carreau comme deux hommes de quart quand le reste de l'équipage d'un bateau dort en soute. Bref, ce soir-là, on s'est retrouvés trois pauvres types esseulés au milieu des gémissements qui venaient de partout. Peu de couples fermaient leur porte et il leur arrivait d'échanger en pleine nuit. Et si les deux gars qui me tenaient compagnie étaient là, c'était parce qu'ils le voulaient bien. Une fille est venue nous rejoindre, ce n'était pas son jour, son cycle venait de commencer et elle s'en rendait compte seulement maintenant. Tous ces gens qui tentaient d'échapper aux instincts primitifs de l'homme finissaient par accepter encore moins de tabous que l'homme primitif lui-même, ce qui en faisait de vrais sauvages sur le terrain de la sexualité. Ils s'en foutaient parce qu'ils étaient tous défoncés. Vers les 2 heures du matin, j'ai vu surgir

Susan, nue comme un ver, traînant comme une serpillière une petite couverture de laine. Elle m'a demandé si je ne voulais pas la rejoindre, m'a dit que je n'étais pas obligé de coucher avec elle, qu'il y avait d'autres filles dans la chambre. Ça m'a décidé à partir. J'ai pris l'allure du type qui va se soulager dans la nature et ils ne m'ont plus jamais revu.

Dans la voiture j'ai retrouvé mes bouteilles de vin et j'en ai siphonné deux avant de prendre la route, soulagé de me retrouver seul. Sans raison particulière, j'ai pensé à Charles Manson et sa horde qui avaient massacré Sharon Tate. J'aurais pu faire la même chose dans cette communauté. Il me suffisait de sortir mon 9 mm et j'aurais fait un carton de fête foraine. Mais pourquoi ? Ces choses-là ne se raisonnent pas. On a envie ou pas. Je n'en ressentais pas le besoin, même si cette humanité me dégoûtait. Arrivé dans le village, j'ai laissé la route côtière sur la droite pour prendre en face et rejoindre la 101.

J'en ai bu deux autres pour m'endormir après avoir rejoint ma chambre. Il est rare que le jour me prenne de vitesse.

59

Je me suis réveillé à l'aube avec une drôle de migraine. J'avais très envie d'un hamburger au fromage. Après m'être douché et rasé soigneusement, j'ai repassé une de mes chemises bleues à manches courtes, je l'ai enfilée sur un des deux seuls pantalons que j'avais et je suis parti de la maison. Ma mère s'était installée dans un coin étrange. Il n'aurait pas fallu grand-chose pour en faire un quartier cossu et encore moins pour en faire une zone de déshérités. Dès le réveil, l'idée de lui parler m'a obsédé comme jamais auparavant. Impossible de lui parler le matin. Bien qu'à jeun, l'alcool lui collait au cerveau. Je m'étais décidé à rentrer assez tôt ce soir-là, pour la cueillir quand elle était encore en état de raisonner. Lui parler de quoi ? Je n'en avais pas encore idée mais il fallait que je lui parle.

Beach Street se frottait les yeux à cette heure. Quelques pèlerins commençaient à sortir de chez eux. J'ai marché sur la jetée jusqu'à un restaurant qui ouvrait tôt le matin à cause de sa clientèle de pêcheurs. J'ai commandé un énorme hamburger avec du fromage, des frites et j'ai vidé une bouteille de Ketchup dessus. J'ai senti à ce moment-là comme un bien-être. J'ai bu un litre de café et je me suis mis en marche tranquillement en direction de la maison des Dahl. J'étais assez heureux de les cueillir au réveil. Je risquais de les trouver moins engoncés dans leur supériorité sociale. J'ai longé la falaise ponctuée de petits mémoriaux qui rappelaient par endroits que de jeunes intrépides s'étaient noyés en croyant braver la mer impunément. C'était regrettable bien sûr mais pas triste. Le soleil qui se levait éclairait la brume montante. La brise venue du large semblait chargée d'insuffler un peu de quiétude au promeneur du matin. Quand j'ai sonné il n'était pas 8 heures. Dahl m'a ouvert en peignoir.

— Je ne vous attendais pas à une heure aussi matinale. Entrez.

Il me scrutait sans oser me demander le résultat de mes recherches, il préférait le lire sur mon visage que l'entendre. Mais ma composition de personnage impénétrable était sans faille. Nous sommes montés dans le salon. Au passage, Dahl a frappé à la porte de la chambre de sa femme pour la prévenir de ma venue. Puis il a ouvert les portes vitrées de la véranda pour nous installer sur la terrasse.

— Alors ?

J'ai pris mon temps pour ne pas le conforter dans cette morgue qu'il se permettait d'afficher même quand la vie de sa fille était en jeu.

— Je l'ai localisée.

Il s'est levé d'un coup et en tirant sur sa robe de chambre il s'est précipité au-devant de sa femme qui se pointait habillée comme un jour de Thanksgiving en lançant d'une voix à la fois forte et contenue :

— Il l'a retrouvée Beth, il l'a retrouvée.

J'ai savouré mon effet.

— Enfin, j'ai une idée du lieu où elle se trouve.

— Où ?

— Dans une communauté du bord du Pacifique au nord de San Francisco. Ne me demandez pas où, les types qui ont collaboré à mon enquête m'ont fait promettre de garder la discrétion sur leur localisation. De toute façon, elle n'y est plus. Elle doit être partie plus au nord.

Le soulagement a fait place à la contrariété sur le visage des Dahl.

— Pour être sincère avec vous, monsieur Kenner, je n'ai jamais douté que ma fille soit en vie. D'autant que le tueur en série qui vient d'être arrêté a reconnu chacun de ses crimes. Selon Duigan que j'ai eu au téléphone hier, il est fier de ce qu'il a fait, et il s'attribue très précisément chaque horreur commise. Parlez-moi de cette communauté, vous dites qu'elle n'y est plus ?

Dahl venait en réalité de se convaincre que sa fille était vraiment en vie. Ce qui l'autorisait à revenir à la petite morale républicaine qui réglait ses jours.

— Elle n'y était pas lors de mon passage, mais il se peut qu'elle l'ait quittée pour quelques jours avant d'y revenir durablement. Les membres de la communauté ne se sont pas montrés très coopératifs. Il faut dire qu'ils abritent plusieurs déserteurs du Vietnam.

Dahl a jugé bon d'être cassant.

— D'accord ! Qu'est-ce qu'elle fait, cette communauté ?

Il me traita subitement comme un employé et regarda sa montre. Les affaires reprenaient.

— Ils pratiquent l'élevage de moutons sur une grande surface qui appartient à l'un des membres, ils fument beaucoup de marijuana, ils pratiquent l'amour libre. Les couples, sans être proscrits, ne sont pas bien vus. Ils sont végétariens et se procurent des fruits et légumes par le troc de leurs animaux dont ils tissent la laine. Sur le plan spirituel, ils sont taoïstes.

— Qu'est-ce que c'est que cette connerie?

— Pour ce que j'ai pu comprendre, c'est une façon de redéfinir sa place dans la nature et l'univers, de fuir ses instincts primaires dont le plus préjudiciable serait la possession, de refuser toute forme d'aliénation matérielle et spirituelle. Ils rejettent la Bible. Elle serait selon eux le texte fondateur de tout renoncement à la spiritualité, qui crée un Dieu invraisemblable au service des hommes et de leurs petits intérêts. Mais ils louent la bonté du Christ.

— Tu entends cela, chérie!

Mme Dahl entendait très bien et, en m'écoutant, elle avait fait un bâillon de ses mains sur sa bouche. Elle a osé :

— Et... concernant l'amour libre, vous voulez dire...

Je suis resté très factuel.

— Le soir, les couples se forment au gré des désirs de chacun. Ils se défont au petit matin. Il arrive aussi que les partenaires changent en pleine nuit ou que des couples décident de se regrouper, l'idée étant qu'au petit matin ces configurations sont dissoutes, et chacun retourne au travail avec ses souvenirs mais sans le moindre droit sur le partenaire de la nuit.

Dahl s'est levé :

— Nom de Dieu, Kenner, ne me dites pas que ma fille marche là-dedans ?

— Je ne l'ai pas vue de mes propres yeux mais il y a fort à parier qu'elle a suivi les règles de la communauté. Ou peut-être l'a-t-elle quittée parce qu'elle désapprouvait ces pratiques ? Bien d'autres communautés sont fondées sur le couple traditionnel où il n'est pas question d'échange.

Dahl a arpenté la terrasse quelques secondes sans parler mais en regardant sa femme comme si elle devait se préparer à entendre une énormité.

— Ma fille ne m'intéresse plus. À compter d'aujourd'hui, elle sort du champ de mes préoccupations. J'ai fondé beaucoup d'espoir dans notre association. Il est probable qu'à terme c'est elle qui aurait repris l'entreprise familiale. Il n'en sera plus jamais question. Même si elle revient demain. Même si elle me jure ses grands dieux qu'elle n'a jamais pris de la drogue ni participé à ces orgies, même si elle se repent de sa fuite et de la souffrance qu'elle nous a causée. Tu es d'accord, Beth ?

Mme Dahl s'est mise à pleurer mais le regard foudroyant de son mari, qui ne voulait pas que la situation tourne au pathétique, a agi sur ses larmes comme un séchoir. Il est rentré dans le salon, a ouvert le tiroir d'une commode, en a extrait une liasse de billets qu'il m'a tendue.

— Pour vous dédommager.

J'ai avancé la main en signe de refus.

— Je suis payé par la police pour faire mon

travail, monsieur Dahl, si j'acceptais cet argent, je serais en conflit d'intérêts.

Il m'a raccompagné à la porte sans ajouter un mot et j'ai vu dans ses yeux au moment de nous quitter qu'elle était morte pour lui, rien ne pourrait jamais racheter sa déception. Je me suis permis de lâcher pour finir :

— Je ne vois pas ce qui peut être plus important que la joie de savoir votre fille en vie, monsieur Dahl, pardonnez-moi de vous dire cela.

60

Au retour, la promenade qui longeait la côte était envahie de chiens et de leurs maîtres en tenue de sport. Quelques jeunes couraient. J'ai récupéré ma voiture garée sur Beach Street et je suis monté à l'hôtel de police. Duigan venait d'y arriver. Il était rasé de près. L'arrestation de McMullan l'avait détendu. En revanche, il m'a trouvé fatigué et s'en est sincèrement inquiété.

— Je ne dors presque pas, c'est sans doute pour cela, ai-je répondu.

— Tu n'as pas de raison de faire des insomnies ?

— Peut-être pas, mais elles sont devenues les compagnes de mes nuits.

Il m'a tapé sur l'épaule.

— Quand tu dormiras toutes les nuits avec ma fille, tu retrouveras la sérénité. Rien de mieux qu'une femme pour vous ramener à la bonne conscience du sommeil. Alors, ton enquête ?

— J'ai retrouvé la trace des filles dans une communauté au nord de San Francisco. Soit elles n'y sont pas restées, soit elles l'avaient quittée provisoirement. Pas facile d'enquêter dans ce milieu, ils abritent beaucoup de déserteurs alors c'est la loi du silence. Et quand ils me voient arriver, ils se doutent bien que je ne suis pas un des leurs.

— Te voilà un spécialiste des fugues d'étudiantes. Tu as rassuré les Dahl ?

— Oui. Si on peut dire. Ils ont très mal réagi. Ils pensaient que leur fille était comme eux.

— C'est compréhensible. Au moins le père va arrêter d'appeler le maire que j'ai sur le dos comme une tique. Je ne sais pas comment je le prendrais si ma fille versait dans la contre-culture. Avec toi comme mari, il n'y a pas de risque. À propos de mariage, Al, on n'en a jamais parlé, tu es de quelle religion ?

— Catholique.

Duigan eut un large sourire.

— Catholique ? Bon Dieu, ça tombe bien. Tu vois, je ne suis pas attaché à ces choses-là. Je suis pratiquant, pas sûr d'être croyant mais quand même, mes grands-parents venaient du sud de l'Irlande et ça m'aurait ennuyé que... enfin tu es catholique, je suis soulagé. Bon...

— Wendy ne vous a rien dit, on en a déjà parlé.

— Non... Wendy ne me dit pas grand-chose sur toi. On nous a signalé d'autres fugues d'étudiantes...

Il a fouillé sur son bureau qui ressemblait au Temple le lendemain de sa destruction. Il en a sorti trois feuilles qu'il m'a tendues :

— Rien d'inquiétant. Mais si tu peux t'en occuper...

Il a posé les pieds sur son bureau face à la fenêtre.

— J'ai procédé à l'interrogatoire de McMullan. Grands dieux, Al, je n'ai jamais vu un type aussi fêlé de ma vie. J'ai parlé avec sa mère. Elle me l'a décrit comme un garçon brillant et équilibré jusqu'à la mort de son meilleur ami. Là, il a commencé à se refermer sur lui-même et à délirer jusqu'à ce que les parents se décident à le faire interner. Ils l'ont soigné et, jugeant qu'il n'était pas dangereux, ils l'ont relâché dans la nature. Pourtant, on se rend compte quand on discute avec lui que ce type est complètement dingue. Les familles des victimes n'auront même pas la consolation de le voir se cramer le cul sur une chaise électrique.

— Pourquoi ?

— La Californie a décrété un moratoire sur la peine de mort. Tu crois qu'un type comme McMullan est né tueur ?

J'ai réfléchi longuement, la question en valait la peine.

— Le pourcentage de tueurs-nés est infime. Tous les autres ne font que rendre à la société tout le mal qui leur a été fait. Et quand je dis la société, c'est surtout la famille. De même que la plupart des crimes ont lieu dans le cadre familial, la famille est le principal terrain de fermentation de la criminalité. Au lieu de vous parler de son fils comme d'un garçon parfaitement normal, la mère de McMullan aurait mieux fait de vous parler de ce qui n'allait pas avec lui, de ce qui l'avait conduit à développer des pulsions homosexuelles, violemment réprimées dans son milieu familial, si bien qu'il a eu besoin de déverser cette violence sur de pauvres filles dont il a ouvert le ventre comme si c'était celui de sa propre mère. Sur une centaine d'hommes souffrant des mêmes troubles psychologiques, soixante s'en accommodent en buvant ou en prenant de la dope. Trente-huit se suicident. Les deux derniers basculent dans le meurtre en série. Ce n'est pas plus compliqué que cela.

— J'espère seulement que l'autre ira faire ses saloperies dans un autre comté et si possible dans un autre État que la Californie.

Duigan a été appelé sur un homicide ordinaire, une femme battue venait de mettre cinq balles dans la tête de son mari, preuve qu'elle était battue depuis longtemps, sinon une seule balle aurait suffi. Avant de partir, il m'a proposé de venir dîner chez lui, le samedi soir suivant.

61

Une crise d'angoisse m'a envahi en sortant de l'hôtel de police et j'ai pensé que je n'en viendrais à bout qu'en voyant ma mère. J'ai pris la direction du campus pour la surprendre à l'heure du déjeuner. Elle était seule dans son bureau avec un malheureux sandwich et une salade maison, ses grosses lunettes descendues sur le nez, mal remise de sa cuite de la veille et de ses efforts gigantesques pour donner le change au bureau. En me voyant, elle a eu un mouvement de recul :

— Qu'est-ce que tu viens faire ici, Al ? Je t'ai dit cent fois de ne jamais venir me déranger à mon travail.

Elle prononçait ces mots d'une voix volontairement assourdie.

— Tu ne viens tout de même pas me demander de l'argent après m'en avoir volé ?

— C'est ça de moins que tu boiras.

Je me suis mis à la fenêtre, les mains dans le dos, sans bouger, du coup la pièce s'est assombrie comme un jour d'orage.

Elle s'est levée pour sortir. Je lui ai barré l'accès à la porte. La fenêtre libérée, le jour est revenu.

— Je suis venu pour que tu me parles.

— Te parler?

— Tu n'as pas l'impression que tu as quelque chose à me dire? Fouille bien?

— Mais qu'est-ce que tu veux dire, Al? Ce n'est pas le lieu, tu le sais.

— C'est le seul endroit qui peut t'empêcher de gueuler, c'est pour cela que je suis venu.

— Je n'ai rien à te raconter en dehors de toutes les déceptions que tu m'as causées.

— C'est tout?

— C'est tout.

Il fallait voir la moue de dégoût qu'elle avait.

— Je suis venu t'annoncer que j'ai trouvé du boulot dans la police.

Elle a soupiré. Rien de plus.

— Tu vas pouvoir quitter la maison et te payer un loyer?

— Je te l'ai dit, M'man, je vais bientôt me marier et emménager avec ma femme.

— Elle sait ce que tu as fait?

— Non.

— Tu ferais mieux de l'avertir. Si son père est flic, un jour ou l'autre il va mettre la main sur ton casier.

— Mon casier est vierge. Je suis passé devant une commission psychiatrique qui m'a jugé apte à mener une vie normale. Mais pour cela, j'ai besoin que tu me parles, que tu m'expliques, tu comprends.

— Que je t'explique quoi? Le mal qui est en toi? C'est la vie, Al, on naît bon ou mauvais. Tu peux jouer aux bons, tu seras toujours mauvais, tu seras toujours le petit garçon qui coupait la tête aux chats de sa mère, tu seras toujours l'adolescent qui a tué ses grands-parents en leur tirant dans le dos. Tu n'es pas responsable, Al, tu es né ainsi. Tu es né sans empathie pour les autres. La douleur des autres ne te concerne pas, la mienne t'est égale. Tu vois bien que je souffre. Pourquoi je bois, d'après toi ? Je bois pour me consoler de ton manque d'empathie pour moi. Tu ne réalises pas le mal que tu m'as fait. Tu n'imagines pas ce que ça représente pour une mère d'avoir perdu une fille et d'avoir un fils criminel. Et tu voudrais quoi ? Que je saute de joie sur ma chaise, que je te présente à mes élèves comme le gendre idéal ? Tu pourras survivre, Al, mais vivre, n'y compte pas. Tu as perdu ce qui fait la valeur d'un homme, son honneur. Ton père veut te revoir ? Non, pas de nouvelles. Silence radio. Il t'a effacé. À cause de toi, il ne sait même pas que sa fille aînée est morte. Alors de quoi veux-tu que je te parle ?

Elle s'est tassée sur son siège, complètement désabusée et pensive en mâchant doucement dans un mouvement circulaire. Une fois sa bouchée avalée, elle a poursuivi :

— La seule question qui se pose c'est de savoir si je vais te laisser foutre en l'air la vie d'une jeune fille innocente qui ne voit en toi qu'un grand garçon rassurant. Ce serait irresponsable de ma part. S'il se passe n'importe quoi, la justice pourrait m'en rendre responsable, Al, et de fait elle n'aurait pas tort.

Elle a mis son reste de sandwich à moitié poinçonné dans la poubelle sous son bureau.

— Maintenant, je n'ai pas encore décidé. Je peux aussi bien ne rien dire Al. Alors, fais-moi plaisir, dégage d'ici.

Je ne pensais pas que la colère puisse me remplir jusqu'à la racine des cheveux, mais c'est ce qui est arrivé. Un être venu des entrailles de la terre s'est glissé en moi, me poussant à détruire ce bureau, ce bâtiment, cette faculté, et à n'en laisser que quelques atomes comme s'ils étaient les oubliés d'un univers nucléaire. Mais aucune de mes colères n'a jamais débouché sur de la violence. Et cette fois encore, je l'ai vue s'éclipser et me laisser seul avec ma mère qui avait repris sa tâche. Un bon quart d'heure m'a été nécessaire pour que je retrouve la force de conduire. J'ai ouvert une bouteille de vin et je l'ai bue d'un trait, sans respirer. Je ne me suis pas senti vraiment mieux après mais je n'avais pas le goût d'en ouvrir une autre. J'ai démarré. J'ai conduit lentement. J'ai allumé la radio pour me changer les idées. Un homme avec une drôle de voix douce et haut perchée chantait une chanson dans laquelle revenait comme un couplet : « Je préférerais être le diable plutôt que l'homme de cette femme-là. » Le présentateur a fini par lâcher son nom : Skip James. La chanson terminée, ils ont lancé une pub : « Avez-vous fait votre bilan transpiration ? etc. » Ces gens qui ont toujours quelque chose à vendre ne respectent vraiment rien. Mon mal m'a repris. Je savais très bien pourquoi je ne parvenais pas à dormir, mes rêves m'avaient quitté.

62

On sort du campus par une grande courbe qui tombe sur Santa Cruz. De là on voit une bande de mer au loin et, avec un peu de chance, Monterey. Un banc a même été installé pour contempler le paysage, mais, chose curieuse, il est séparé de la route par une rangée de fils de fer barbelés. C'est là que deux filles s'étaient arrêtées, nonchalantes, et faisaient du stop. Je me suis demandé si je devais les prendre, je ne savais pas si j'étais assez serein pour supporter de les entendre jacasser. J'ai ralenti sans montrer d'intention. J'ai regardé finalement ma montre et je me suis porté à leur hauteur. Elles n'ont pas hésité à monter. Une basse-cour entière aurait pris d'assaut ma camionnette, mes tympans ne s'en seraient pas trouvés plus mal. Elles ont poussé l'impolitesse jusqu'à poursuivre leur conversation comme si je n'étais pas là. J'ai freiné d'un coup sec en pleine descente. Celle qui était à côté de moi est partie la tête la première contre la boîte à gants et la seconde à l'arrière s'est plié le nez sur le dossier du siège de sa copine. On aurait entendu la mer. Pourtant, elle était bien à 3 ou 4 miles. Elles ne se sont pas blessées, mais elles ont compris tout de suite qui était le boss dans la charrette. Je me suis excusé.

— Désolé, j'ai dit, je fais du 49, et il m'arrive d'accrocher la pédale de frein sans le vouloir.

Elles m'ont cru mais elles sont restées curieusement silencieuses.

— Où je vous emmène ?

Elles allaient à Aptos. Je leur ai dit que j'y habitais aussi. Elles ne voyaient pas où se trouvait ma maison mais quelle importance. Je les ai informées que j'avais des courses à faire. Je voulais acheter un tourne-disque et un disque en particulier. Elles ont trouvé l'idée enthousiasmante et on s'est dirigés vers la sortie de Santa Cruz où elles connaissaient dans un centre commercial deux magasins qui devaient faire l'affaire. Elles m'ont pris pour un électricien, ce qui m'a passablement vexé même si c'était le dernier boulot connu de mon père. Quand je leur ai dit que j'étais flic, elles se sont excusées mais pour elles cela ne faisait pas de différences notables. Le vendeur de musique n'était pas sûr d'avoir du Skip James mais en fouillant bien il a trouvé un album des années 30. Les filles m'ont accompagné. Elles n'arrêtaient pas de rire pour un rien, comme si elles cherchaient à échapper à quelque chose. Pas à moi, en tout cas. Elles sont remontées dans la voiture en piaillant, pleines de sous-entendus dont elles seules avaient la clé. Puis on a pris la direction d'Aptos.

63

Je ne suis revenu chez ma mère que le lendemain soir avec mon tourne-disque et l'album de
Skip James sous le bras. La voiture de Sally Enfield était garée à ma place, je me suis mis devant
elle. Je suis monté au premier étage pour m'allonger un peu. Je les entendais mener leurs habi-
tuelles conversations d'alcooliques sans bien en
saisir le sens. Je voulais dormir. Rien d'autre. Je
commençais à voir trouble et des envies de pleurer me prenaient sans raison. Je devais penser à
respirer pour me remplir les poumons et mon
corps pesait une tonne. Je n'avais jamais atteint
un tel degré de fatigue. J'ai regardé longtemps la
photo de Skip James sur la pochette. Je n'aurais
jamais imaginé pouvoir être ému par de la musique et encore moins par de la musique faite par
un Noir. Même si je n'avais rien contre ces gens-
là que j'avais rarement croisés dans ma vie sauf à
Los Angeles quand j'ai vécu brièvement chez mon
père. Mon père disait : « Le blues c'est l'âme qui
s'égoutte », et je comprenais pour la première fois
le sens de sa phrase. J'étais donc, contrairement à
ce que prétendait ma mère, capable d'une forme

d'empathie pour les autres. Elle était vraiment bien placée pour donner ce genre de leçons, elle qui ne plaignait jamais personne. Je me suis endormi une demi-heure avant d'être réveillé par les rires des deux femmes qui venaient d'atteindre l'apogée de l'ivresse. J'entendais la vibration de leurs cordes vocales obscurcies par l'alcool et la cigarette, ces voix d'alcooliques qui donnent au rire sa forme la plus lugubre. J'ai branché le tourne-disque et j'ai passé Skip une première fois. Puis une seconde, plus fort. Les rires s'étaient calmés. La troisième fois, j'ai monté le son pour de bon. J'ai entendu taper sur mon plancher avec un balai. Ma mère s'est mise à hurler. Alors je suis descendu. La porte était fermée à clé. J'ai frappé. Aucune d'elles n'est venue. J'ai redoublé mes coups. En désespoir de cause j'ai donné un coup de poing dans un carreau et j'ai tourné la clé. Elles étaient toutes les deux debout, un verre à la main, des cadavres de bouteilles plein la table basse du salon.

— Qu'est-ce que tu viens foutre ici, Al, tu ne vois pas que je suis avec des amies ?

J'ai fixé l'amie.

— Je la connais ton amie qui vient se faire rincer à l'œil.

En la pointant du doigt j'ai poursuivi :

— Une toute petite vie que celle de cette Sally Enfield. Quand elle aura crevé, il n'en restera rien, pas même un chien pour venir pisser sur sa tombe. Comme toi, M'man.

Les traits de ma mère se sont déformés sous l'effet de la rage.

— Si tu n'as pas quitté cette pièce dans une

minute, Al, j'appelle les flics et je leur dis tout de ton passé !

Au lieu de sortir je suis allé m'asseoir sur le sofa. J'ai regardé Sally Enfield.

— Toi, tu vas te coucher, c'est l'heure, je ne le redirai pas.

— Reste ! a ordonné ma mère.

— Sally, qu'est-ce que j'ai dit ? Les histoires de famille ne concernent que la famille, la vraie, les liens du sang, pas ceux de l'alcool, dégage dans cette chambre avant que je ne me fâche.

— Ne bouge pas, Sally ! a hurlé ma mère.

J'ai continué d'une voix douce.

— Ce que j'ai à te dire ne la concerne pas. À moins que tu veuilles que je lui révèle certains secrets de famille.

Elle a baissé les bras, et Sally Enfield s'est dirigée vers sa chambre comme une petite fille punie. Ma mère en a profité pour se servir un verre et s'allumer une de ses cigarettes longues mentholées. Elle ne savait pas comment prendre le dessus.

— Tu ne reprendras plus jamais le dessus sur moi, M'man, jamais. Maintenant que nous sommes tous les deux, parle-moi. Je sais, tu vas me répondre « je n'ai rien à te dire » mais moi je sais que si tu fais un effort, je pourrais peut-être commencer à te comprendre un peu. Je ne parle pas de pardonner, M'man, on ne pardonne pas à sa mère en échange de mots, on lui pardonne parce qu'elle est notre mère et voilà tout. Mais parle-moi.

Elle est restée un bon moment sans rien dire à boire de petites gorgées et à tirer sur sa cigarette si profondément que ses poumons devaient être dans une obscurité totale. Sa mâchoire tremblait autant que sa main qui tenait son verre et les glaçons qui tapaient contre sa paroi faisaient un bruit de grelot.

— Pourquoi tu ne me parles pas de ton père ?

— Mon père ? Mais qu'est-ce que tu veux que je t'en dise ?

— Je ne sais pas... réfléchis bien.

— C'est tout réfléchi.

— Quand tu me faisais dormir sous ta chambre dans le Montana, un jour tu as parlé avec Papa de ton père qui vous touchait.

Elle s'est mise à rire, contente d'elle.

— J'ai dû l'inventer, Al. Parce que ça m'arrangeait. Parfois dans un couple on s'en sort en créant un ressort dramatique. J'ai inventé.

— Tu es certaine que ton père n'a pas abusé de toi ?

Elle a carrément pouffé.

— Bon Dieu non. Mon père aurait été incapable d'une chose pareille. Non, Al, tu te trompes, il ne s'est jamais passé une chose pareille. Je te le jure sur la tombe de ta défunte sœur.

De mon expérience en hôpital psychiatrique, je me souvenais que lorsqu'on appuyait sur un point fondamental de l'existence de quelqu'un, celui-ci changeait de couleur. Son vermillon marbré était resté stable. J'ai compris même à ses gestes les plus infimes qu'elle ne mentait pas.

— Alors, parle-moi.

Elle m'a regardé, a ri comme une démente, s'est arrêtée d'un coup puis elle a dit :

— Ne cherche pas ailleurs ce qui est en toi, Al.

Elle a dit ça sans trop y croire mais elle l'a dit plusieurs fois, puis, trop exténuée pour pour suivre, elle s'est dirigée en chancelant vers sa chambre dont elle a fermé la porte sans se retourner pour ne pas croiser mon regard. Au moment où je ne m'y attendais plus, elle a entrebâillé la porte et elle a lâché :

— Il faut que j'arrête tout ça, Al, il faut que je leur dise le monstre que tu es. La pire des choses qui pourrait m'arriver, ça serait que tu aies un enfant. Je ne veux pas être responsable de la prolifération du mal, tu me comprends hein ?

64

Susan est entrée et s'est installée dans le petit parloir habituel. Al est arrivé en retard. Il s'est excusé :

— Je viens de faire une intervention contre les armes à feu devant une classe de lycéens de Sacramento.

Il s'est assis puis a étendu ses jambes de travers pour ne pas gêner Susan.

— On devrait retirer toutes les armes qui ne sont pas détenues par des professionnels. Mais les Américains ne veulent pas. Ils auraient l'impression de se balader à poil, la bite au vent.

Il s'est mis à rire. Il était d'humeur joyeuse. Puis il a soupiré :

— Je me suis repassé le film de notre escapade à Tomales. Vous en êtes partie quand ?

— Bien après vous, je vous l'ai dit. Je suis tombée amoureuse d'un type qui venait du Mississippi. Je suis devenue réticente à le voir coucher avec d'autres femmes. Ted a mal pris ce repli sur nous-mêmes et, au bout d'un moment, il nous a conseillé de partir, prétextant que nous n'étions plus dans l'esprit de la communauté. Certains ont prétendu qu'il voulait continuer à pouvoir coucher avec toutes les filles. Je ne le pense pas. Il était sincèrement persuadé que le retour à des pratiques conventionnelles allait nous ramener dans la société. Je l'ai croisé vingt ans plus tard à San Francisco. On a parlé un peu. Il travaillait pour Apple. La réussite semblait de son côté. Mais on pouvait lire sur son visage l'amertume de l'échec de notre expérience. Vous écrivez ce passage-là ?

— C'est fait. Maintenant j'entre dans la dernière partie de mon livre. Et j'hésite sur la façon de procéder. J'ai peur que le livre ne tombe des mains des lecteurs qui m'auront suivi jusque-là. Je ne pourrais pas en parler avec l'éditeur qui est intéressé ?

— Ils veulent un manuscrit abouti. Il sera toujours temps de retravailler après.

— Je vais arranger ça à ma façon. Cela pose la question de savoir jusqu'où on peut aller dans la réalité. La fiction c'est la réalité. Pourquoi les gens liraient-ils si le roman ne les ramenait pas vers la vraie vie ? Mais si on use de trop de réalité dans la fiction, on s'en éloigne car la réalité n'est pas la réalité. C'est l'histoire de la poule et de l'œuf. Je suis passé devant la commission psychiatrique pour ma demande de conditionnelle.

— Et alors ?

— Ils m'ont trouvé parfaitement sain d'esprit et sans danger pour la société, une nouvelle fois. Malgré cela et mon comportement modèle, le directeur de la prison n'est pas favorable à ma sortie. Il me l'a dit personnellement. Je lui ai confessé que j'avais fait cette demande pour m'occuper mais qu'au fond je n'ai pas très envie de me retrouver au grand air. Ici, au moins, je suis nourri, logé, blanchi. Et on me respecte. Jamais un détenu n'a osé me manquer de respect. Sauf McMullan qui m'a traité de « baleine tueuse » et je n'ai pas vraiment aimé. McMullan est un petit maigre qui doit peser dans les 55 kilos. Au réfectoire, il était à table. Je me suis avancé près de lui, j'ai tiré doucement sa chaise. Je me suis assis sur ses genoux et j'ai posé mon plateau sur le sien. J'ai pris mon temps pour manger. Il est sorti de là avec les jambes violettes. Il ne m'a plus jamais traité de baleine tueuse.

Il a souri puis il a poursuivi :

— Je m'ennuie un peu. Je n'ai plus aucune expérience personnelle de la vie. C'est un peu triste mais c'est comme ça. D'ailleurs comment pourrait-il en être autrement ? Cela n'aurait pas de sens. Alors, il paraît que le pays est au bord de la faillite ?

— C'est ce qu'on dit.

— On ne gagne plus ce qu'on dépense. Ici c'est impossible, personne ne vous fait crédit. Ni d'argent, ni d'amitié, ni d'amour. Rien. J'aimerais bien avoir juste une envie. La punition d'avoir eu des envies irrépressibles c'est que vous n'en avez plus aucune après les avoir assouvies. Drôle de mécanisme que celui du désir. Vous vous tapez toujours des mecs ?

Susan a rougi comme une fille de ferme.

— Le seul que je voudrais me taper, c'est vous.

Al a pouffé.

— Même si on me sortait d'ici, je ne coucherais pas avec vous. Les anciens taulards ne sont pas forcément condamnés à se taper les plus moches, merde !

Susan s'est mise à sangloter, dignement.

— Ce que vous pouvez être méchant, parfois.

— Je ne suis pas méchant, Susan, je vous taquine.

65

Nous étions un samedi matin. Tous les samedis matin le voisin se préparait pour partir en mer. Son bateau était plus proche de la baignoire que du yacht, mais il ne devait pas avoir les moyens de s'en acheter un meilleur. Il restait toute la semaine sur sa remorque comme une âme en peine et je me demandais bien où le voisin trouvait une eau assez tranquille pour risquer sa vie sur un esquif pareil. Lui et moi, on ne s'était jamais parlé. Plus un pays est développé moins les voisins se parlent. En tout cas, c'est ce qu'on dit. S'il a existé un jour dans ma vie où je voulais qu'on ne me parle vraiment pas, c'était ce jour-là. Je suis sorti et j'ai fermé la porte à clé derrière moi. Le voisin vérifiait l'arrimage de son bateau à la remorque et l'arrimage de la remorque à sa voiture. Il n'avait plus l'âge de ces expéditions et c'est la première chose qu'il m'a dite :

— Je n'ai plus l'âge de ces expéditions.

Il s'attendait peut-être à ce que j'abonde dans son sens ou que je le contredise. Mon silence l'a surpris et j'ai lu sur son visage qu'il regrettait de m'avoir adressé la parole. J'ai bien vu qu'il réalisait que j'étais le fils de Cornell Kenner, celui dont on disait qu'il avait tué ses grands-parents. On le disait parce qu'elle s'en était vantée. Je pouvais même dater le jour de sa vantardise car, dès lors, j'ai vu que le regard que les voisins portaient sur moi n'était plus le même. Il s'est empressé de poursuivre.

— Mais j'ai peur si j'arrête de ne plus avoir l'âge de rien faire. Oh! Je ne vais jamais loin mais le brouillard tombe tellement vite dans la baie. L'année dernière je me suis fait prendre. En plus, la mer s'est levée. J'ai bien cru y rester.

Il n'était pas question que je lui fasse la conversation. Quand je suis monté dans mon Galaxy, il m'a dit avec un sourire gêné : « Vous saluerez votre mère pour moi. » J'ai répondu sans réfléchir : « C'est déjà fait. » Il est resté interdit, les bras ballants, et j'ai démarré.

66

Une fatigue pareille, je n'en avais pas la moindre idée avant. J'ai avalé deux comprimés de caféine et j'ai pris la direction du nord. Je ressentais un fourmillement dans la tête. Quelque chose en moi allait exploser, j'en avais la certitude. Mes jambes se pétrifiaient, mon sang coulait comme de la lave. Je suis rentré sur la 101, je me suis installé sur la file de gauche et j'ai appuyé à fond sur la pédale. J'étais si nerveux que je n'avais plus aucun réflexe. Je savais que si un quidam mettait trop de temps à s'écarter devant moi, je ne pourrais ni freiner ni l'éviter. Heureusement mon Ford ne dépassait pas les 80 miles à l'heure dans les descentes. Je me voyais bien finir dans le cul d'un semi-remorque bourré de poulets du Minnesota. Ma colère ne cédait pas, comme la température d'un gosse dévasté par une méningite. Rien n'y faisait. J'allais me foutre en l'air, c'était sûr. Il ne s'agissait pas d'une supposition, ni d'une volonté, mais d'une fatalité. J'apercevais l'horreur dans les yeux des conducteurs que je doublais. Eux aussi sentaient que j'allais me foutre en l'air. D'un seul coup, du côté de Vacaville entre San Francisco et

Sacramento, ville qui a plus de citoyens emprisonnés que libres à cause de son pénitencier, j'ai compris que les flics allaient finir par m'arrêter et contrarier mes projets, même si je ne les connaissais pas encore. J'ai pris la sortie et je me suis garé sur un parking. J'étais survolté. Je suis rentré dans un restoroute et je me suis abreuvé d'un litre de café. Puis j'ai passé un bon quart d'heure avec la tête sous le robinet du lavabo des dames. L'une d'elles m'a engueulé, en me disant que je n'avais rien à faire là, mais elle l'a regretté en voyant mes yeux quand je me suis relevé. J'ai repris un litre de café puis l'idée m'est venue de voler un cabriolet, pour me ventiler. C'était devenu une obsession. Je voulais rouler tête au vent pour ne pas m'endormir. J'ai traîné une heure dans les faubourgs de Vacaville pour trouver la voiture qui convenait. La Mustang cabriolet de 1967 était garée le long d'un trottoir, capote fermée. Je l'ai démarrée en deux minutes. Je suis retourné à ma camionnette pour reprendre mes affaires qui se résumaient à un 9 mm et à de la corde. J'ai fait quand même le tour pour m'assurer de n'avoir rien oublié et j'ai trouvé une plaquette de pilules contraceptives. Je l'ai emmenée aussi. Sacrée aubaine, le conducteur avait laissé ses papiers dans la boîte à gants. De toute façon, j'avais décidé de rouler tranquillement pour ne pas me faire repérer. Je me suis installé au volant. Là, j'ai découvert que j'étais vraiment condamné à rouler décapoté, sinon ma tête s'enfonçait dans la capote et la Mustang ressemblait à un dromadaire. Le constructeur n'avait sans doute jamais imaginé qu'un type de ma taille conduirait un jour cet engin. J'ai plié la capote en trois secondes. Mes problèmes n'étaient pas tous résolus pour autant. J'avais le haut du cadre du pare-brise exactement à la hauteur des yeux. Et comme je ne pouvais pas me baisser j'étais obligé de me pousser du col pour voir la route par-dessus. Tous ces détails m'occupaient. J'ai repris la route 101. Des gouttes se sont mises à tomber et se sont mélangées à mes larmes. Je pensais à mon père. J'aurais tout donné pour le retrouver. Pourquoi il ne me donnait pas de nouvelles ? Quand j'étais petit, j'étais son préféré. Il m'appelait le Kid, je marchais dans ses chaussures trop grandes en les faisant claquer sur le plancher, bon Dieu, je pleurais à n'en plus finir, j'aurais voulu que tout recommence de zéro, on effaçait tout, page blanche. Il n'aurait jamais dû m'abandonner. Je ne le méritais vraiment pas. Si un jour je devais m'en expliquer, je savais ce que je devrais dire. Non, je ne suis pas fou. Non, je n'ai pas de psychose. Je n'ai pas eu d'autre choix que d'exercer des défenses perverses pour ne pas sombrer dans la folie. Je me suis toujours arrêté au seuil de la folie parce que j'étais assez fort pour cela. Ne me demandez pas l'impossible bordel de Dieu, ne demandez pas à un type qu'on conduit à la folie de ne pas se défendre. La pluie tombait de plus en plus lourdement. Elle venait s'écraser sur mes lunettes à toute vitesse et j'y voyais autant qu'au fond d'une mare recouverte de nénuphars. Je ne voulais pas mourir là pour autant, j'ai ralenti et je me suis mis sur la file de droite, mais sans intention de m'arrêter. Si je mourais, personne ne comprendrait jamais rien à toute cette histoire. Autant dire que pour le coup ma vie n'aurait vraiment servi à rien. Cette inutilité-là, je ne pouvais pas la supporter. J'avais quand même bien envie de me tirer une balle en roulant, mettre fin à cette putain de misérable vie de souffrance. Où avaient été mes joies ? Qui pouvait me le dire ? Puisqu'elles m'étaient interdites, je me les étais construites. Bizarrement, je dois le reconnaître. Mais on fait ce qu'on peut. Oh ! putain, je me suis arrêté à temps. À temps, même si c'est trop tard. Ce n'est pas trop tard pour tout le monde. Personne ne m'a arrêté. Qui m'a arrêté, hein ? Personne. Je me suis arrêté tout seul, parce que mon intelligence me l'a permis. Ce n'est pas pour rien que j'ai un QI supérieur à Einstein. Ils ont carbonisé mon cerveau affectif, cela ne fait pas l'ombre d'un doute. Mais je sais encore raisonner, par moi-même. La pluie redoublait. Je ne prenais même plus la peine d'essuyer mes lunettes. Je me dirigeais en suivant les feux des camions qui me précédaient. Les gens dans les autres voitures me regardaient ahuris. Je faisais le gars impassible, comme si les gouttes ne m'atteignaient pas. Ma chemise et ma peau ne faisaient plus qu'un. Je ne risquais pas de m'endormir, c'était l'essentiel, tout le reste ne comptait pas. J'ai fini par faire une pause pour reprendre du café.

67

J'ai demandé à la fille un café serré. Je gouttais sur le sol de son fast-food et elle regardait l'eau ruisseler. Elle m'a proposé une serviette à un quart de dollar, parce qu'elle n'en avait pas à elle. Mes billets de banque gouttaient aussi. J'ai pris un sacré coup de pompe. Après m'être séché les cheveux, elle m'a dit qu'elle me reconnaissait, qu'elle m'avait servi, pas la nuit dernière, mais la nuit précédente. Elle a eu l'air de m'implorer de la reconnaître, mais je ne la remettais pas, même s'il était vrai que j'étais passé dans le coin cette nuit-là. J'ai bu son café et je suis sorti. La pluie s'était arrêtée. Je me suis assis dans la Mustang et je me suis effondré en larmes. J'appelais mon père. Je voulais qu'il vienne me chercher, qu'il m'emmène chez lui, je pleurais tellement que j'en étouffais. Les larmes aussi se sont arrêtées net. Alors j'ai repris la route après avoir fait le plein tout en réalisant que j'avais juste assez d'argent pour finir mon voyage. Avec l'aide d'un 9 mm chargé, je pouvais bien sûr me réapprovisionner mais je ne voulais pas sombrer dans la vulgarité du petit délinquant de circonstance. Pendant la traversée d'Eureka, j'ai pensé me loger une balle dans la tête, une fin honorable pour une vie qui ne l'était pas tout à fait, encore qu'on puisse en discuter, je suis sérieux là-dessus. Je ne suis jamais parvenu à m'approprier ma vie, voilà la réalité. Je me souviens pourtant de tous mes efforts pour chasser mes mauvaises pensées. Il me suffisait de faire une chose pour m'en sortir. Une seule chose. Et cette chose, je l'ai accomplie. Trop tard. Mon intelligence a calé. La version longue du cerveau d'Einstein n'a pas su résoudre une équation triviale. Je suis miné par les regrets. Pas du mal que j'ai fait. Ma mère avait raison sur ce point. Je n'ai pas d'empathie, le mal que j'ai fait reste théorique. J'ai commis des dommages collatéraux. On ne pleure pas les dommages collatéraux, on les regrette, à la limite on s'excuse mais on n'implore pas le pardon le reste de ses jours. L'empathie n'est pas donnée à tous les êtres. Les militaires, les politiciens n'en ont pas et personne n'est là pour le leur reprocher. Le pouvoir est aux mains d'hommes et de femmes sans empathie, ce sont mes frères en quelque sorte et si on y regarde bien, on a peut-être les mêmes excuses. Moi aussi j'ai voulu être nommé par les miens, par la masse des gens. Moi aussi j'ai voulu attirer l'attention sur moi, même si je ne suis pas un pervers narcissique. Ni un pervers tout court. J'ai des défenses perverses. Qui vont tomber maintenant. Au moment où je retrouve la virginité cérébrale d'un nouveau-né, je suis mort. D'ailleurs, ils vont me tuer. Ils devraient me tuer. Moi, à leur place, je le ferais. C'est pour cela que je lutte depuis le début de mon voyage contre l'idée de neutraliser ce cerveau diabolique. Pour leur laisser ce soin. Mais ils ne pourront pas m'exécuter sans que je m'explique. Il faut une bonne fois pour toutes que cette société comprenne que je ne suis pas né pour tuer.

68

En approchant de l'avenue des Géants, il s'est remis à flotter alors que ma chemise était presque sèche. Je commençais à en avoir assez de cette pluie qui s'invitait sans prévenir et cette fois j'en avais marre d'être mouillé, le charme n'opérait plus. Une station-service me tendait les bras en contrebas de l'autoroute. J'ai remis de l'essence, cette Mustang en consommait sans compter. Un vieil homme m'a servi. Sa femme tenait la caisse et un petit bar qui servait quelques plats chauds. Ces gens-là n'avaient plus l'âge de travailler mais ils ne pouvaient sans doute pas faire autrement. J'ai commandé six œufs frits avec du bacon et du café. La vieille dame est partie à petits pas me les préparer. Une femme d'une trentaine d'années est entrée. Elle portait un imperméable gris qui s'ouvrait sur de belles jambes découvertes par une jupe courte. Elle s'est assise sur un des deux sièges restants. Elle a sorti une cigarette et s'est mise à fumer nerveusement. Je sentais qu'elle voulait m'adresser la parole mais elle ne se décidait pas. Je ne l'y invitais pas vraiment non plus.

Je fixais la friteuse et son huile noire, prêt à m'effondrer. Elle s'est finalement décidée :

— Z'allez vers le nord ?

Je n'ai pas répondu tout de suite. J'ai fini par me tourner vers elle.

— Oui.

— Vous pourriez m'emmener ? Je vais à Eugene dans l'Oregon.

— Je vais dans l'Oregon aussi, mais je m'arrête un peu après la frontière à Golden Beach.

— Ce sera toujours cela de fait si vous acceptez de m'emmener.

— Oui mais il y a un problème. Je roule en cabriolet et, à cause de ma taille, je ne peux pas fermer la capote. Donc, quand il pleut, je n'assure pas l'étanchéité.

— Mais pourquoi vous avez acheté un cabriolet ?

— Je ne l'ai pas acheté, je l'ai volé. Mais c'est comme si vous volez des chaussures dans le vestiaire d'un stade, vous ne savez pas si elles vont convenir à votre pied.

Je n'ai pas tourné la tête pour voir sa réaction.

La vieille dame est revenue. Les frites étaient encore brûlantes.

Elle a commandé un Pepsi.

— Alors vous m'emmenez ?

— C'est à vos risques et périls. Je n'ai pas dormi depuis trois jours. Vous feriez peut-être mieux d'attendre quelqu'un d'autre.

— Je n'ai pas le temps d'attendre.

Sa vie ne m'intéressait pas. Je le lui ai dit.

— OK, je vous prends, mais je ne veux rien savoir de vous et je ne veux pas me sentir obligé de vous faire la conversation. Je vous déposerai du côté de Reading si d'ici là on est encore vivants.

Subitement elle a eu un doute.

— Vous êtes sérieux, vous n'avez pas dormi depuis trois jours ?

J'ai avalé ma bouchée.

— Sérieux.

— Bon, alors je vais attendre quelqu'un d'autre.

J'ai fini de manger puis je lui ai dit :

— Vos problèmes ne sont pas tels que vous deviez risquer votre vie. Vous venez de vous en rendre compte et c'est pas si mal.

Je me suis levé et j'ai rejoint mon cabriolet sous un ciel bleu qui frisait l'insolence. J'ai jeté un œil à l'ouest. Rien ne s'annonçait. Je me suis assis et, au moment de repartir, je me suis assoupi. J'ai dû dormir une bonne heure. Au réveil, la fille était au bout de mon capot avec sa valise et son imperméable noué autour de sa taille. Voyant que j'ouvrais les yeux, elle s'est approchée.

— Maintenant que vous avez dormi, vous pouvez peut-être m'emmener ?

J'ai allumé mon moteur, je me suis lentement porté à sa hauteur.

— Maintenant que j'ai dormi, je n'en ai plus envie.

J'ai démarré en trombe, le sang fouetté par mes souvenirs.

Dormir ne m'a pas reposé. La fatigue continuait à peser sur moi comme le lait de vache sur l'estomac d'un nouveau-né. Le trafic sur la 101 me donnait le vertige. Je l'ai quittée pour reprendre la côtière jusqu'à Golden Beach, à l'embouchure de la Rogue River. Je me suis retrouvé dans l'Oregon sans m'en rendre compte. Cela n'avait pas la moindre importance, je ne cherchais pas à fuir particulièrement la Californie. Golden Beach était la dernière ville que je devais traverser avant de m'enfoncer dans la forêt. J'avais passé les cent derniers miles sans revenir sur ma décision. J'allais grimper dans la montagne et me tirer une balle dans la tête près de l'arbre foudroyé. Pas précisément dessous. Je ne voulais pas être offensant. Golden Beach s'était fait une mine de circonstance. La nuit envahissait un ciel gris qui fusionnait avec une mer inquiétante. La grande plage déserte semblait mépriser la petite ville qui n'avait rien pour justifier d'être là. Trois motels avaient été construits, dont l'un de style irlandais. J'ai aussitôt pensé à Duigan. Puis à Wendy. Je n'avais pas eu le temps ni la quiétude de penser à eux jusqu'ici. Wendy m'avait parlé de sa mère un jour. Quand celle-ci avait appris que son cancer la conduisait dans la tombe, elle avait passé plusieurs jours sans y croire. Elle avait dit à Wendy qu'il n'existait pas de plus grande souffrance dans la vie que de savoir qu'on allait mourir inexorablement dans un terme certain. Bon Dieu, cette phrase remuait tellement de souvenirs des saloperies que j'avais pu commettre que j'ai repris ma marche pour rejoindre la voiture que j'avais laissée le long de la route n° 1. Il fallait que je me dépêche d'en finir. Nom de Dieu, qu'est-ce que j'avais à glander comme ça ? Et puis d'un coup, au moment où je ne m'y attendais pas, une idée évidente s'est imposée à mon esprit. Il fallait que je fasse quelque chose de bien. Je ne m'étais jamais défilé dans mon existence. Même si j'étais en train de devenir dingue à cause de la culpabilité qui me grimpait dans la tête comme une tumeur au cerveau, il fallait que je dise tout à Duigan. Je lui devais la vérité. Il allait déjà assez trinquer comme ça, le pauvre homme. Non, non, je n'étais pas ce genre de saloperie à laisser sans explications les gens qui m'avaient fait confiance. Je ne le pouvais pas. Je ne le pouvais vraiment pas. Mais cette décision au lieu de m'apaiser me rendait deux fois plus nerveux. J'ai continué le long de la Rogue River, une bonne dizaine de miles. Là, au pied de la montagne, je connaissais un lieu-dit. Personne n'y vivait à l'exception d'un vieux type qui tenait le seul poste d'essence sur les dizaines de miles de routes escarpées à la ronde. Sur une large esplanade en terre, sa pompe représentait plus pour les automobilistes assoiffés qu'un Christ en majesté pour des pèlerins chrétiens. Sa maison était ridiculement petite. Presque aussi petite que la cabine téléphonique qui trônait au milieu de l'esplanade. En dehors de deux ou trois épaves, le coin était désert, cerné de conifères, mais bordé par la Rogue River qui filait vers la mer. Le vieux m'a reconnu. C'était un brave type édenté. Il me voyait pour la troisième fois. Je n'avais jamais rencontré un caractère aussi enjoué que le sien. Il était inscrit à un club de vin et il était très fier de ses bouteilles. Malheureusement, comme il le disait lui-même, il n'aimait que la bière. Alors il se montrait généreux avec les amateurs, pour compenser le prix exorbitant de son essence. « A-t-on jamais vu un type mourant de soif pour avoir traversé à pied le désert de Mojave discuter le prix de l'eau ? » Il m'a proposé du vin. J'ai bu une bouteille pour me calmer. Il m'en a offert une autre, arguant qu'il fallait vider sa cave. On venait de lui trouver une mauvaise tumeur dans un poumon qu'il enfumait méthodiquement depuis cinquante ans.

— Je ne suis pas sûr d'être là quand tu reviendras la prochaine fois. Ils veulent m'opérer. S'ils ne m'opèrent pas, je vais crever. S'ils m'opèrent, je n'aurai pas le sou pour les payer. Je serai aussi obligé de crever pour me soustraire à mes dettes. C'est comme ça la vie, tout va bien et puis subitement on est foutu échec et mat par le sort. Mais je ne me plains pas.

Il a ouvert la seconde bouteille puis il a reniflé le bouchon.

— C'est du vin de garde, mais qui va le garder? Si tu veux, tu peux charger le reste de bouteilles. Je n'ai pas de famille.

— C'est dommage mais je ne pourrai pas le garder non plus.

— Et pourquoi donc?

— Je ne suis pas sûr de vivre longtemps.

Il m'a regardé, profondément choqué.

— À ton âge, fiston, c'est pas normal.

Avant que je satisfasse sa curiosité, qui était plutôt compréhensible pour un vieil homme seul sans distraction, je me suis levé :

— Le téléphone marche?

— Ce matin, il marchait. J'ai vu un type s'arrêter et faire de grands gestes comme s'il cherchait à convaincre quelqu'un à l'autre bout du fil.

69

J'ai marché jusqu'à la cabine avec le trac et j'ai décroché le combiné en tremblant. J'espérais sans me le dire que la communication ne prendrait pas. J'ai finalement entendu sonner de l'autre côté, si longtemps que j'ai pensé raccrocher. Jusqu'à ce qu'une voix de jeune femme essoufflée me réponde :

— Police criminelle de Santa Cruz, puis-je vous aider ?

Elle devait avoir couru depuis la machine à café.

J'ai demandé à parler au capitaine Duigan.

— Il n'est pas de service aujourd'hui, a-t-elle répondu d'une voix suave.

— Alors passez-moi l'officier de permanence.

— C'est le lieutenant Carlsson.

Je me souvenais de Carlsson, un blond roux aux yeux rapprochés. Il venait au Jury de temps en temps mais il ne buvait pas. Il venait là de peur de rater quelque chose. Il ne m'avait pas particulièrement à la bonne.

— Qui dois-je annoncer ?

— Al Kenner.

— Je peux savoir l'objet ?

— Non.

— Bon, je vais voir s'il veut vous parler.

— Dites-lui que je suis l'ex-futur gendre de Duigan.

Elle a calé sur le concept d'ex-futur gendre.

— Oui, je devais épouser sa fille le mois prochain.

— Et ça ne va pas se faire ?

— C'est compromis.

— Bon, je vous passe le lieutenant Carlsson.

Je suis resté en attente un bon moment. Je commençais à craindre de manquer de pièces.

Carlsson a finalement décroché.

— Vous voulez parler à Duigan ? Il a pris son week-end.

— Il faut aller le chercher où qu'il soit.

— Et pourquoi cela ?

— J'ai tué ma mère et sa copine.

Le blanc n'a pas duré longtemps.

— J'ai remarqué que vous aviez une petite inclination pour la boisson au Jury, Kenner, mais je n'ai pas le temps pour ce genre de conneries, je suis seul de garde.

— Je vous dis que c'est la vérité. Je suis dans une cabine et je n'ai pas beaucoup de pièces, je vous donne le numéro, dites à Duigan de me rappeler. Faites-le parce que je suis en train de devenir complètement dingue et j'ai un 9 mm sur moi.

J'ai commencé à dicter le numéro mais la communication a coupé. De rage, j'ai cru que j'allais renverser la cabine. Je n'avais plus une pièce sur moi, plus un billet. Je suis retourné voir le vieux pour lui demander de me dépanner. Il avait juste le compte. Entre-temps une femme s'était arrêtée près de la cabine. Elle avait un foulard dans les cheveux. Je me suis approché. Elle a fermé la porte. Dans le silence crépusculaire de la vallée, j'entendais tout.

— Je me fous de ta femme, Sean, je m'en fous. Je me suis habillée pour venir te voir, et je serai là dans vingt minutes. Non, Sean, maintenant c'est elle ou moi et quand je vais débarquer je crois que ce sera moi. Ouvre une bouteille de blanc glacé, fous ta femme dehors et avant que tu n'aies eu le temps de prendre ta douche, je serai là.

Le type a dû répondre quelque chose.

— Qu'est-ce que tu crois, Sean, que je vais te laisser te prélasser avec ta femme un samedi soir dans ta maison avec vue sur la mer pendant que je vais me faire un hamburger dans ma voiture garée sous un lampadaire ? Je suis là dans vingt minutes, Sean.

Elle a raccroché. Elle est sortie de la cabine.

— Vous avez tout écouté ?

— Non, j'ai tout entendu.

Puis elle a eu un remords.

— Non, je vais lui laisser une heure pour dégager sa femme, qu'est-ce que vous en pensez ? Le pauvre chéri, il est tellement désarmé devant les soucis.

— Vous l'appellerez après. J'ai un coup de fil urgent.

Elle est restée là plantée comme un géranium.

Je suis tombé cette fois sur le vieux Ramirez avec qui j'avais partagé des dizaines de tournées au Jury Room.

— Qu'est-ce que c'est que ces conneries, Al ? Tu sais bien que tu es incapable de faire une chose pareille.

— Non, je n'en suis pas incapable.

— Qu'est-ce qui se passe, tu pètes les plombs ou quoi ?

— Non, je vous assure. Je vous donne l'adresse. J'ai dicté.

— C'est une maison grise de deux étages dans un virage. Elles sont là toutes les deux. Ma mère et sa copine, Sally Enfield.

— Comment tu les as tuées ?

— C'est pas très beau à voir. Je leur ai défoncé la tête à coups de marteau.

— Bon, je vais envoyer une patrouille, Al, mais si tu nous as fait une blague... Je ne peux pas y croire. Tu es un des nôtres, Al, tu as fait du bon boulot, qu'est-ce qui te pousse à faire des blagues macabres comme ça ?

— Je vous assure, c'est vrai. Il faut que j'y aille, j'ai bientôt plus de pièces. Je vous donne le numéro. Dites à Duigan de m'appeler. Ne tardez pas, j'ai un 9 mm sur moi et une grosse pulsion qui me pousse à me faire sauter la cervelle. Je reste en vie pour Duigan.

J'ai épelé le numéro puis j'ai dit avant de raccrocher :

— J'attends à côté de la cabine.

La fille avait tout entendu. Elle était collée, dos à la vitre.

— Qu'est-ce que vous attendez pour appeler ?

Elle était tétanisée.

— Passez votre coup de fil, aussi bref que possible, j'attends qu'on me rappelle. Et pas un mot à quiconque, sinon je vous retrouverai.

J'ai fini par un sourire, mais ça n'a pas suffi à la détendre. Elle est montée dans sa voiture sans se retourner. Je savais qu'elle ne dirait rien, elle avait trop envie de sa nuit avec son amant et, après tout, elle était témoin que je m'étais dénoncé. Je suis resté assis contre la cabine une bonne partie de la soirée à penser à ma vie de misère. Je n'étais pas Hulk. Je n'avais jamais eu la force de briser mes chaînes, d'échapper à mon enfermement, de contrarier ma prédestination. Je me suis endormi et, au moment où un chien errant est venu me réveiller en me reniflant le visage, le téléphone a sonné.

70

J'ai su que c'était Duigan à sa façon de ne rien dire. Comme je ne disais rien non plus, il s'est lancé d'une voix épuisée :

— On revient de la maison, Al. Mais qu'est-ce que tu as fait nom de Dieu, qu'est-ce que tu as fait ?

J'ai inspiré un grand coup.

— Je sais que c'est impressionnant, monsieur Duigan, mais tout s'explique.

— Ta mère décapitée et les fléchettes plantées dans son visage, ça s'explique, Al ?

Je sentais bien qu'il avait envie de pleurer et je ne voulais pas entendre ses sanglots.

— Il faut dédramatiser, monsieur Duigan.

— Et son amie... Al ! Où es-tu ?

— En Oregon. Sur un parking entre Reading et Goden Beach, à 10 miles de Golden Beach, peut-être sur la route qui suit la Rogue River.

— Pourquoi l'Oregon ?

— Il faudra que je vous explique. Je ne veux me rendre qu'à vous, monsieur Duigan, à vous exclusivement. Si vous envoyez un de ces crétins de policiers locaux, je fais un carton avant de me tirer une balle dans le crâne.

— Je prends la route, Al. Tu peux me promettre que tu seras là?

— Je ne peux rien promettre. Si je suis encore en vie, c'est parce que je vous dois des explications. Vous êtes le seul homme sur cette terre à m'avoir bien traité, mieux que mon père et mon psychiatre à Atascadero. Je sais que vous risquez beaucoup d'ennuis, en plus de votre déception, et je ne veux pas vous laisser au milieu du gué. Pourtant, croyez-moi, je lutte pour rester en vie parce que je n'ai vraiment plus rien à en attendre. De toute façon, ils vont m'électrocuter. Mais je n'ai pas peur. La seule chose qui m'importe, monsieur Duigan, c'est que vous ne pensiez pas que je suis complètement dingue.

— Tu m'en demandes beaucoup, Al. Ne bouge pas. Je monte dans ma voiture avec un adjoint, je serai là au lever du jour.

— J'espère seulement que le jour va se lever, monsieur Duigan.

— Pourquoi tu dis cela?

— Comme ça. Je vous attends, n'oubliez pas, vous suivez la Rogue River depuis Golden Beach jusqu'à la première station essence, sur la gauche, je serai là.

— Tu ne veux pas te rapprocher un peu, Al?

— Non, je n'en ai pas la force, et puis j'ai des choses à vous montrer dans le coin.

71

Le vieux était rentré chez lui. J'ai frappé mais il n'a pas répondu. J'ai poussé la porte. Sa maison ne faisait qu'une pièce avec un coin cuisine où s'entassaient des boîtes de conserve. Avec cinquante ans de moins, je n'avais pas plus d'avenir que lui et cela me le rendait sympathique. Il avait aussi vécu pour rien, ou pour pas grand-chose. Il s'était endormi, assis dans son canapé, un verre de bière vide à la main. J'ai été pris d'une soudaine envie de déguerpir, de rouler jusqu'en Alaska, mais je n'en avais pas le courage. Je voulais juste me rendre.

J'ai refermé la porte doucement et je suis parti m'asseoir dans le cabriolet. J'ai basculé le siège en position couchette. Un froid vif m'a contraint à fermer la capote. Je me suis repassé le film des dernières minutes.

J'étais remonté dans ma chambre après les dernières paroles que nous avions échangées. Je ne trouvais pas le sommeil et j'avais le pressentiment que mon inconscient me conduisait vers quelque chose de grave, d'inexorable. J'ai attendu un peu.

N'y tenant plus, je suis redescendu. Le salon était désert. J'ai frappé à sa porte mais elle n'a rien répondu. J'ai pénétré dans la chambre. Elle était tombée les bras en croix, tout habillée, vaincue par l'ivresse. J'ai tapoté son bras. J'étais incapable de me souvenir depuis combien de temps je ne l'avais pas touchée. Sa peau était chaude et molle. Je l'ai pincée. Elle m'a regardé comme si elle n'était pas surprise de me voir là. Elle a soupiré : « Qu'est-ce que tu veux encore ? » Je me suis assis dans le lit à côté d'elle, appuyé au mur : « Je voudrais que tu me parles, M'man. » Elle m'a regardé bien droit : « Tu sais que tu commences à me faire chier, Al, un tas de 2,20 mètres qui mendie de l'attention, c'est pathétique, laisse-moi dormir. » J'ai répété : « Parle-moi, M'man, juste une fois. » Elle s'est dressée dans son lit : « Je suis sérieuse, Al, fous-moi la paix, ou j'appelle tes copains flics et je leur raconte tout ce que je sais. » Comme je ne bougeais pas, elle a hurlé : « Mais bordel de Dieu, quand vas-tu te décider à sortir de ma vie, à disparaître, tu ne vois pas que tu me fais crever, Al, tu me fais crever. » J'ai soupiré longuement et, pendant qu'elle se calmait, je me suis levé et j'ai quitté sa chambre. J'ai soigneusement fermé la porte derrière moi, en prenant soin de ne pas la claquer. Je n'étais pas capable de supporter la moindre violence. Je suis retourné m'allonger dans ma chambre. J'ai passé Skip James jusqu'à 4 heures sans penser à rien. On dit que la musique adoucit les mœurs, je dois être l'exception qui confirme la règle. À 4 heures et quart, je me suis mis en route. On peut être hypermnésique et avoir des pertes de mémoire. Pourquoi un marteau se trouvait dans ma chambre, je n'en ai pas la moindre idée. Il ne m'était d'aucune utilité. Mais il était là, comme s'il avait traversé un mur pour atterrir sur ma table de chevet. Je l'ai pris sans haine mais avec la détermination du bricoleur du dimanche pour une tâche qu'il s'est assignée de longue date. Je suis descendu. Ma mère ne s'était pas relevée pour fermer. Je me suis dirigé vers sa chambre. Elle dormait à nouveau, mais cette fois elle avait eu le temps de mettre une chemise de nuit. Elle dormait sur le dos, les bras toujours écartés. J'ai pensé à ce moment-là que je n'avais pas d'autre solution. J'ai fait mon boulot, sans acharnement.

Trois coups très violents. Sally Enfield devait avoir un sixième sens parce que, je peux l'assurer, ces coups n'ont fait qu'un bruit sourd. Elle est sortie de sa chambre, dans une nuisette ridicule d'un bleu comme on n'en trouve que dans les produits de vaisselle. J'étais dans le couloir avec l'idée de laver mon marteau. Je n'avais aucune intention de m'occuper d'elle mais de sa petite voix d'oiseau écervelé elle m'a demandé si tout allait bien. « Très bien, j'ai dit, je viens de tuer ma mère. » Elle a fait « Oups! » et, jugeant que c'en était trop pour elle, elle a fait demi-tour pour repartir dans sa chambre où elle espérait se faire oublier. Un coup de marteau l'a cueillie sur le seuil de la porte. Elle n'en valait pas un second et de toute façon elle est morte immédiatement. Ensuite, inutile de s'étendre. J'ai fait l'amour à ma mère. Ça n'a pas pris longtemps. Je suis reparti dans la cuisine prendre le nécessaire pour la décapiter. J'ai posé sa tête sur le manteau de la fausse cheminée ringarde qui ornait le salon et j'ai joué aux fléchettes en lui chantant une comp-

tine de ma composition : « Tu m'as fait perdre la
tête, Alouette, je t'ai fait perdre la tête, c'est trop
bête. » Tout ce sang qui coulait un peu partout a
fini par m'indisposer. Je ne me suis jamais senti
aussi vivant que durant les minutes qui ont suivi.
Mais la fatigue m'a gâché ce moment de quiétude.

72

Le froid mordait de plus en plus. J'ai allumé le moteur et enclenché le chauffage. Quand je l'ai éteint, les bruits de la vallée m'ont surpris. J'entendais le souffle de la Rogue River qui dévalait vers la mer, pressée. Je me suis endormi. J'ai été réveillé par un petit ours noir qui reniflait ma portière, attiré par l'odeur d'une boîte de biscuits salés. Il s'en est allé sans insister. Le jour s'est levé en arc de cercle sur la montagne. J'ai pensé à l'avenue des Géants, là où j'avais eu mon accident de moto. Sans cet accident, je ne serais pas revenu chez ma mère et j'aurais peut-être pu m'en sortir. On n'en était pas si loin et pourtant les arbres n'avaient rien à voir. Ici, pas de séquoïas mais des conifères serrés par milliers comme s'ils ne voulaient rien laisser passer.

La lumière n'avait pas fini d'illuminer les sommets qu'une voiture est arrivée à faible allure. Elle a rebondi sur une ornière avant de s'immobiliser dans un nuage de poussière. Deux hommes en sont sortis. J'ai reconnu Duigan à sa grosse tête carrée. Je connaissais l'autre flic de vue. Un peu plus grand, il était blond avec des cheveux très courts et des tics qui lui donnaient un air de petite frappe. Il n'était pas à Santa Cruz depuis longtemps. Je suis sorti de la Mustang et je suis allé à leur rencontre, la tête haute. Je n'étais pas aussi abattu que la veille et mon assurance à venir vers eux a inquiété le blond qui a mis la main sur son holster. On se serait crus dans un western. J'ai levé les bras en l'air et tourné mes mains comme un enfant pour montrer à cet abruti que je n'étais pas armé. Les choses ont bien mal commencé entre nous.

— Vous croyez que je vous ai fait venir pour vous buter?

En regardant Duigan, j'ai continué :

— Ils prennent n'importe qui dans la police maintenant.

Duigan faisait peine à voir. Il était défait comme au retour d'un enterrement. On est restés sans rien se dire pendant que Carter, le nouveau, s'est allumé une cigarette avant de demander si la voiture était à moi. J'ai répondu que je l'avais volée et que je n'avais rien dedans sauf un 9 mm dont ils allaient avoir besoin.

— Besoin pourquoi? a fait le blond en recrachant la fumée par le nez comme un dragon.

Je n'ai pas répondu. Pendant notre échange je voyais Duigan me regarder, affligé. Le blond est parti chercher mon flingue, nous laissant seuls. Je n'ai rien trouvé d'autre à dire que :

— Il va faire froid dans la montagne.

Comme il restait muet, j'ai ajouté :

— Je crois que vous allez avoir besoin de la police de l'Oregon.

Il s'est mis à parler d'une voix qui n'était pas la sienne :

— La Californie n'est pas si loin, on dira qu'on t'a interpellé là-bas.

J'ai hoché longuement la tête.

— Non, monsieur Duigan, vous allez avoir besoin de leur police d'État.

— Pourquoi, Al ?

Je ne lui avais jamais connu une telle lassitude.

— Je ne peux pas vous le dire, mais je vais vous emmener.

Comme le blond revenait avec sa démarche de tueur à gage, j'ai murmuré.

— Je suis désolé, monsieur Duigan, j'avais décidé de me tirer une balle dans la tête. Je m'en suis abstenu pour ne pas vous laisser sans explications, mais cela risque de vous mettre dans une situation vraiment difficile.

Il m'a regardé intrigué. J'ai terminé en tournant le dos à Carter et en baissant la voix.

— J'ai quelque chose à vous montrer, mais je préférerais qu'on n'y aille que tous les deux. Vous jugerez ensuite de ce que vous voulez faire. Je vous assure, c'est dans votre intérêt.

Je me suis retourné vers le blond :

— Je dois montrer quelque chose au capitaine, mais seul à seul.

Carter, qui était discipliné pour compenser son manque d'intelligence, a interrogé Duigan du regard en allongeant le cou. Duigan semblait dubitatif. Il a fini par trancher :

— Restez là, Carter.

Puis en me regardant :

— On en a pour combien de temps ?

— La matinée.

M'adressant à Carter :

— Si vous avez besoin de la Mustang, il suffit de frotter les fils sous le tableau de bord.

On est partis sans tarder. Duigan ne trouvait pas de mots pour engager la conversation. Au carrefour, le dernier avant des heures, on a pris la direction du sud dans la montagne. J'ai ouvert ma fenêtre, laissant pénétrer une odeur d'aiguilles de pin humide. La route, étroite, montait dur en tournant sec. Une armée de conifères obstruait la vue. Il faisait nuit sous les arbres alors que le ciel était bleu. À grimper ainsi, on s'est vite retrouvés en altitude sur des à-pics vertigineux. Duigan ne s'en inquiétait pas, et ne disait toujours rien. Mais je n'étais pas d'humeur à me taire :

— Vous avez regardé mon casier, monsieur Duigan.

Il a opiné.

— Évidemment il n'y a rien dedans. La commission psychiatrique a tout lavé, me jugeant parfaitement normal. Mais j'ai tué mes deux grands-parents en 63. Le jour de l'assassinat de JFK. J'ai fait dans les cinq ans d'hôpital psychiatrique. On m'a jugé irresponsable. Ce que je conteste. La responsabilité, c'est la grande question de l'existence. Qui est responsable et qui ne l'est pas ? Je plaide l'irresponsabilité générale pour l'humanité. Mais pas pour moi.

Duigan s'est tourné vers moi.

— Pourquoi tu as tué ta mère, Al ?

— Parce que je n'avais pas le choix. C'était ma seule façon de survivre. Si je l'avais tuée en 63, j'aurais eu une vie normale. Je m'en veux de ne pas avoir eu le courage avant. Je suis tombé de son ventre comme une caisse tombe d'un camion, mais c'était ma mère tout de même. Alors il faut du temps pour prendre les bonnes décisions.

— Et son amie ?

— Je ne l'aimais pas. Mais elle ne compte pas. Elle était alcoolique et, à mon avis, elle n'en avait plus pour longtemps. Je lui ai rendu service.

Duigan a pilé net, effaré :

— Mais Al, tu es complètement dingue.

En élevant la voix :

— Tu te rends compte de ce que tu as fait ? Tu as tué ta mère et tu l'as décapitée...

— Je l'ai violée aussi.

J'ai cru qu'il allait vomir. J'ai poursuivi très vite pour ne pas lui en laisser le temps.

— Ce sont des défenses perverses, monsieur Duigan. C'était ça ou devenir fou.

— Mais tu es fou, Al, fou à lier.

— Honnêtement, sans vouloir vous contrarier, je ne crois pas. J'ai dressé des défenses perverses pour ne pas le devenir alors que tout m'y poussait. Je n'ai pas de psychose établie, les experts m'ont suivi sur ce point. Vous ne connaissez pas ma mère. Je n'avais pas d'ailleurs l'intention de vous la présenter. Mais vous l'auriez connue, enfin... je veux dire... vivante, vous auriez compris qu'elle a mis au monde un fils avec l'idée qu'il n'y avait pas de place pour nous deux sur cette terre. Elle a vécu cinquante ans, dont vingt et un pendant lesquels je n'ai pas pu respirer. Il fallait bien que je m'oxygène un jour. Pour le reste, je sais que c'est impressionnant, mais on ne tue pas sa propre mère comme ça, il faut un minimum de rituel. J'avais des choses à exorciser symboliquement. La décapitation pour qu'elle me rende ma tête et la possession pour... un hommage si vous voulez. Ou lui rendre la putain de semence qui est à l'origine de ma putain d'existence. Et pour les fléchettes, il fallait que je la nie, comme elle m'a nié.

Duigan est sorti de la voiture en criant :

— Tu es un putain de dingue, Al, un putain de cinglé. Mais tu n'as même pas de remords ?

Je suis sorti à mon tour pour lui répondre et pour pisser.

— De l'avoir tuée, elle ? Aucun. De vous avoir mis dans cette panade, alors que vous aviez confiance en moi, je ne vous cache pas que je m'en veux énormément.

La forêt escarpée était à perte de vue. On est remontés en voiture. L'altitude me pesait dans la tête et dans les jambes.

— C'est encore loin ? a demandé Duigan.

Il y avait bien encore une heure de trajet. Je m'inquiétais de son absence de curiosité sur le lieu où je le menais. Je le sentais tétanisé. Il broyait du noir. Il devait faire défiler sa carrière dans sa tête en se demandant ce qu'il lui avait pris de la jouer avec un type comme moi, dont il ne savait pas grand-chose.

La route s'est transformée en piste poussiéreuse puis l'asphalte est reparu. Les lacets se sont serrés, bordés d'à-pics de plus en plus vertigineux. Duigan a fini par s'inquiéter.

— Mais où tu m'emmènes, Al, est-ce que tu sais seulement où on est ?

— Ne vous inquiétez pas, on est bientôt arrivés.

73

Au détour d'un virage, un arbre foudroyé est apparu en contrebas. On aurait dit un homme crucifié à qui on avait arraché la tête et les mains en laissant pendre quelques lambeaux de chair. L'arbre mort était seul au milieu d'arbres sains plantés sur un dénivelé impressionnant. J'ai fait signe à Duigan de s'arrêter.

— Tu m'as fait faire tout ce chemin pour me montrer un arbre mort?

Je me suis senti très gêné. Tout le mal que j'allais lui faire s'est imposé à moi comme une énormité. Quand il saurait, il allait peut-être sortir son arme de service et me tirer une balle dans la tête. Il se rendait compte qu'aucune bonne nouvelle ne pouvait surgir de ce lieu. Je le voyais résigné mais prêt à affronter la réalité.

— Alors, Al, qu'est-ce qu'il a cet arbre mort?

J'ai hésité un peu avant de lâcher :

— Il est aussi mort que les filles que j'ai jetées à ses pieds.

Duigan s'est appuyé à la voiture. Il n'était pas décidé à entendre la suite mais, dans un effort gigantesque sur lui-même, il a murmuré :

— Quelles filles, Al?

— Les filles disparues. Six étudiantes de Santa Cruz.

Il est venu se poser devant moi.

— La fille des Dahl, tu veux dire...

J'ai opiné. Il s'est mis à pleurer et j'ai eu une peine sincère pour lui. Il s'est arrêté net.

— Nom de Dieu, tu as tué la fille des Dahl?

J'ai tenté de reprendre l'initiative.

— C'est pour ça que je vous ai conduit ici. C'est à vous de décider. Il ne reste probablement plus grand-chose d'elles. Les ours, les coyotes, les loups, les rapaces...

— Arrête ton putain de zoo, Al, comment tu les as tuées? À coups de marteau?

— Oh non, avec mon 9 mm, une balle sous le sein. Et j'ai fait en sorte qu'elles ne soient pas identifiables. Je leur ai coupé la tête et les mains.

— Et qu'est-ce que tu en as fait?

— J'ai balancé les mains à droite et à gauche dans la forêt. Les têtes, je les ai gardées. Je n'arrivais pas à m'en défaire. À un point inimaginable. Le jour où je suis passé devant la commission psychiatrique qui m'a réhabilité, j'avais deux têtes dans le coffre de ma voiture. Mais bon...

— Bon quoi?

— Navré de rentrer dans ces détails. Même en les mettant au réfrigérateur, au bout de deux ou trois jours, je devais m'en débarrasser.

— Tu en as fait quoi?

— Je les ai mises à la poubelle. Vous savez, on se fait des idées sur les têtes. Même une grosse tête, c'est pas grand-chose. Voilà, monsieur Duigan, maintenant c'est à vous de décider. Je ne cherche pas à excuser quoi que ce soit, mais il

412

faut que vous sachiez que des filles, j'en ai pris des centaines en stop. Mais celles-là, même avec l'alcool, je n'ai pas pu m'en empêcher. Et puis il y a trois jours, en amenant les deux dernières filles, j'ai réalisé qu'elles n'étaient pour rien dans tout cela. Il m'a fallu encore deux jours pour me décider à tuer ma mère. Maintenant, je sens que le mal m'a quitté. Je me sens vraiment comme après un exorcisme. Je sais que je ne ferai plus jamais de mal à personne.

Duigan se taisait et n'osait pas regarder plus loin que le bout de ses pieds. On aurait été dans un film, le cri d'un épervier aurait déchiré le silence de la forêt. Mais là, tous les bruits semblaient avoir été aspirés de l'intérieur par la terre. Duigan s'est avancé au bord du précipice en essayant de distinguer quelque chose.

— Vous ne verrez rien. Je les ai descendues très bas. Personne ne les trouvera jamais par accident. Pas même des chasseurs. J'ai failli me faire remarquer un soir. J'étais en train de trafiquer un corps avant de le balancer en contrebas et un type s'est arrêté avec un pick-up. Une gueule de surfeur aux dents blanches qui avait arrosé gentiment ses exploits. Surpris de me voir là en pleine nuit, il m'a demandé si tout allait bien. Je me suis avancé vers lui et je lui ai souri. Il est reparti sans suspecter quoi que ce soit. Alors, vous allez décider quoi ?

— Je vais appeler la police de l'Oregon et je vais remettre ma démission à mon retour à Santa Cruz.

— Je suis désolé, monsieur Duigan. Vous savez, j'ai tout fait pour résister. J'aurais pu en tuer tellement plus.

Il ne m'écoutait plus. Il était tout à sa décision de démissionner et certainement de quitter la région de Santa Cruz, pour faire quoi, je n'aurais pas osé le lui demander.

— Vous direz à Wendy que... que je suis désolé aussi.

74

On a repris la route dans l'autre sens. Duigan était moins tendu qu'à l'aller. Mais quelque chose le travaillait et il a pris un long moment avant de m'en parler.

— Tu aurais pu tuer ma fille aussi?

La question m'a choqué :

— Oh non, comment vous pouvez suspecter une chose pareille chez moi, cette idée ne m'a jamais traversé l'esprit. Je vous aimais trop et elle aussi. Vous étiez ma seule famille. De toute façon, il fallait que tout cela s'arrête. Wendy aurait fini par découvrir que j'étais incapable de la toucher pour de bon, vous voyez ce que je veux dire...

Dès cet instant, j'ai senti que la reconnaissance qu'éprouvait Duigan à mon égard pour ne pas avoir tué sa fille était plus forte que sa rancœur pour sa carrière perdue.

— Les filles, tu les as violées aussi?

— Oui, juste après les avoir tuées, quand elles étaient encore chaudes. Mais je ne les ai pas tuées pour cela, même si c'est difficile à croire. Je voulais voir de mes propres yeux le passage de la vie à la mort. On ne vit que pour ce moment. Bien sûr, c'est difficile à imaginer mais quand elles avaient compris que plus rien ne pourrait les sauver, elles me dévisageaient sans rien dire et je lisais de l'amour dans leurs yeux. Je le leur ai rendu en les pénétrant. Je leur devais bien cela, non ?

Duigan dévorait la route qui l'emmenait loin de ce carnage. J'ai lâché :

— Tout ça pour faire sept fois l'amour dans ma pauvre vie.

Il y avait un fait que je ne m'expliquais pas encore.

— Il faut que je vous avoue quelque chose, monsieur Duigan.

Il s'est retourné d'un coup.

— Tu ne vas pas me déterrer de nouveaux cadavres ?

— Non, non. Juste un fait sans importance. Les têtes des filles, je les posais sur l'oreiller à côté de moi. Je me couchais à mon tour et je remontais le drap jusqu'au menton. On regardait la télévision comme ça. Et puis je m'endormais profondément jusqu'à très tard le lendemain. Je n'ai jamais connu une telle quiétude dans mon existence. Mais je suis dépassé, pour l'expliquer ça me chagrine.

Le silence s'est installé ensuite un long moment. Au moment où nous arrivions au bout de la descente, j'ai voulu plaisanter :

— Je n'ai tué que des filles de républicains, vous pensez que Reagan va m'en vouloir pour cela ?

— Pourquoi ? Tu n'as vraiment tué que des filles de conservateurs ?

— Oui. Toutes les filles avec un air libéral ne m'intéressaient pas. Les hippies encore moins. Pourtant j'en ai croisé des belles mais elles me dégoûtaient. Je crois que je rêvais de me marier avec une de ces filles qui me méprisaient alors que j'avais toutes les capacités intellectuelles pour faire mieux qu'elles et leurs familles.

Duigan n'a pas répondu tout de suite. Ce n'est qu'au carrefour avec la route de la plaine qu'il a dit :

— Reagan ne te tuera même pas, Al. La Californie n'a toujours pas résilié le moratoire sur la peine de mort.

— Je vais exiger qu'on m'exécute.

— Tu n'exigeras rien du tout. Dorénavant c'est la société qui décidera de tout pour toi.

On arrivait sur l'esplanade. Carter était debout dans le vent. Il fumait nerveusement.

J'ai dit à Duigan pour finir :

— Toutes ces filles sont censées être en rupture de ban. On ne retrouvera jamais rien de leurs corps. Carter ne sait pas ce qu'on a été faire là-haut. Vous pouvez encore décider de poursuivre la fiction de la fugue, ce sera moins douloureux pour leurs parents. Il faut penser à eux aussi.

En me fixant, il a répondu :

— Et c'est toi qui dis cela ?

— Oui, et vous n'aurez pas à démissionner. On peut figer le temps. Je ne tuerai plus jamais, monsieur Duigan, je n'ai plus de raison maintenant que ma mère est morte, pourquoi foutre votre vie en l'air, celle de Wendy, celle des parents des filles, pourquoi tout ce gâchis alors qu'on pourrait vivre ensemble et fonder une famille. Ils me jugeront irresponsable pour le meurtre de ma mère et de Sally Enfield, et dans cinq ans je serai de retour, complètement guéri...

— Tais-toi, Al, je t'en supplie, tais-toi.

— Je ne sais pas si je vais passer ma vie à dessiner et à construire des maisons de pauvres comme mon père. C'est vrai que ça rapporte. Il n'y a qu'à voir comment on vit. (Elle ouvre les mains vers le ciel pour souligner l'évidence.) Mon projet c'est de devenir une architecte réputée mondialement. Qu'on me demande de concevoir des musées, des stades gigantesques, des maisons d'intellectuels, que je donne des interviews dans *Architectural Digest*. Tu travailleras avec moi, Jammie ?

— Oh, sûr que oui.

— On devrait partir un moment en Europe, pour étudier l'architecture classique. C'est hallucinant de voir ce que les Italiens et les Français ont comme patrimoine.

— J'adore leur cuisine.

— Moi aussi, j'adore. Je vais demander à mon père de me payer un semestre à Paris. Mais il paraît que les Français sont particuliers.

— Pourquoi particuliers ?

— Il paraît que quand tu leur demandes comment ça va, ils sont capables de répondre : « Pas mal. » Tu te rends compte, « pas mal ». Ils sont moins beaux que les Américains aussi.

— Mais dans un lit, ils deviennent fous. Je te jure. J'ai une copine qui a fait un semestre à Paris en histoire de l'art. Elle est sortie avec un Français qui n'avait jamais le moral. Mais au lit il faisait ça jusqu'à... cinq fois par jour.

— Cinq fois par jour, Jammie ? Tu exagères, non ?

— Ça doit valoir le coup de sortir avec un Français. Mais vivre avec lui, l'épouser ?

— Ils passent leur temps à tout critiquer. Il paraît qu'ils sont tous communistes. Ils ont fait une révolution, il y a deux ans. Et ils ne nous aiment pas vraiment. Mais on est si différents, il faut dire. Vous connaissez la France ?

— De nom.

— Vous avez déjà été à l'étranger ?

— Jamais. Je n'ai jamais été plus loin que le Montana à l'est et plus loin que la mer à l'ouest.

— Ça ne vous manque pas ? Tu te rends compte, Jammie, il n'est jamais sorti des États-Unis. On a déjà fait toute l'Amérique du Sud avec mes parents, et le Japon. Mon père dit que le Japon c'est l'avenir. Mon prochain voyage c'est l'Europe, Jammie, tu viens avec moi, je ne veux pas qu'on soit séparées.

— Je te suis, Janis.

— Tu n'as pas peur en avion ?

— Non, j'adore ça.

— Et vous, vous avez peur en avion ?

— Je ne l'ai jamais pris.

— Vous devriez, je vous assure, c'est des sensations magnifiques, je ne comprends pas les gens

qui ont peur. Mais... vous allez où ? On s'éloigne
de la route par là.

— C'est bien mon intention.

— Mais qu'est-ce qui se passe ?

— Il ne se passe rien. J'ai décidé de vous emmener où je veux.

— Vous plaisantez, non ? Qu'est-ce que vous
voulez ? Nous violer ? Nous tuer ?

— Les deux. Mais pas dans cet ordre-là... Mais
non... je plaisante.

Note de l'auteur

Romancer un personnage, c'est le trahir pour mieux servir ce que l'on pressent de sa réalité.

Du fond de sa prison de Vacaville, Ed Kemper pourra peut-être comprendre que je me sois approprié sa vie. Stéphane Bourgoin aussi dont le documentaire sur le tueur en série diffusé sur la chaîne Planète a déclenché mon envie de m'immiscer dans cet être complexe.

MARC DUGAIN

DU MÊME AUTEUR

Aux Éditions Gallimard

HEUREUX COMME DIEU EN FRANCE, 2002. Prix Terre de France — La Vie 2002 (« Folio », nº *4019*).

LA MALÉDICTION D'EDGAR, 2005 (« Folio », nº *4417*).

UNE EXÉCUTION ORDINAIRE, 2007 (« Folio », nº *4693*).

L'INSOMNIE DES ÉTOILES, 2010 (« Folio », nº *5387*).

AVENUE DES GÉANTS, 2012 (« Folio », nº *5647*).

Aux Éditions J.-C. Lattès et Presses Pocket

LA CHAMBRE DES OFFICIERS, 1998.

CAMPAGNE ANGLAISE, 2000.

Aux Éditions Flammarion

EN BAS, LES NUAGES, 2009 (« Folio », nº *5108*).

COLLECTION FOLIO

Dernières parutions

Composition Cmb graphic
Impression Novoprint
à Barcelone, le 22 août 2013
Dépôt légal : août 2013
ISBN 978-2-07-045353-5./Imprimé en Espagne.